KB084884

펼쳐 보면 느껴집니다

단 한 줄도 배움의 공백이 생기지 않도록
문장 한 줄마다 20년이 넘는
해커스의 영어교육 노하우를 담았음을

덮고 나면 확신합니다

수많은 선생님의 목소리와
정확한 출제 데이터 분석으로 꽉 찬
교재 한 권이면 충분함을

해커스북 중·고등
HackersBook.com

해커스
쓰기
자신감과 함께하면
쓰기가 쉬워지는 이유!

쓰기에 꼭 필요한 핵심 포인트를 모두 담았으니까!

1

교과서와 내신
기출 빅데이터에서 뽑아낸
서술형 출제 포인트

2

대표 문제와 쉬운 설명으로
확실하게 학습하는
필수 문법 개념

해커스 쓰기 자신감

Level 1   Level 2   Level 3

충분한 훈련으로 완전히 내 것으로 만드니까!

3

문법 포인트별
풍부한 빈출 유형 문제로
서술형 집중 훈련

4

다양한 유형으로
다시는 틀리지 않도록 해주는
기출문제 & 짝문제

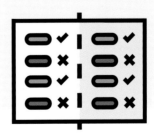

해커스 쓰기 자신감 시리즈를 검토해주신 선생님들

해커스 어학연구소 자문위원단 3기

해커스

쓰기

자신감 Level 3

해커스 어학연구소

목차

구성 및 특징

한 페이지로 개념 이해부터 쓰기 훈련까지 완벽하게 끝내는 POINT 학습

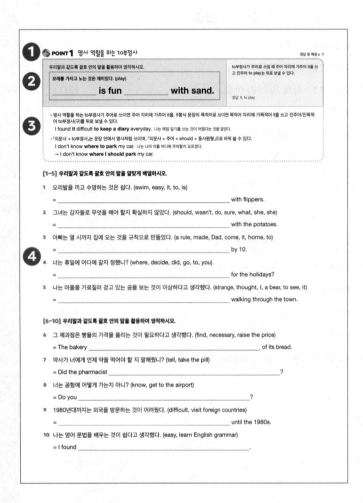

① 출제 포인트

교과서와 전국 내신 기출 빅데이터에서 뽑아낸 서술형 출제 포인트를 빠짐없이 학습할 수 있습니다.

② 대표 문제

각 출제 포인트가 실제 문제로 어떻게 출제되는지 먼저 확인하여 서술형에 익숙해지고 실전 감각도 기를 수 있습니다.

③ 개념 학습

쉽고 간결한 설명을 통해 서술형 대비에 꼭 필요한 문법 개념을 정확히 이해할 수 있습니다.

④ 연습 문제

포인트별로 가장 많이 출제되는 서술형 문제를 바로 풀어 봄으로써 쓰기 연습을 충분히 할 수 있습니다.

학습 효과를 더욱 높이는 부록

쓰기가 쉬워지는 기초 문법

중학 수준의 영어 문장을 쓰기 위해 꼭 알아야 하는 기초 문법과 주의해야 할 포인트가 정리되어 있어, 기초가 부족한 학습자도 기본기를 다지고 본 학습을 시작할 수 있습니다.

다시는 틀리지 않도록 철저하게 대비하는 기출문제 풀고 짝문제로 마무리!

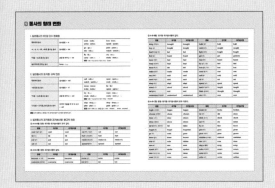

❶ 기출문제

실제 내신 시험에 출제되는 다양한 유형의 서술형 문제를 유형별로 충분히 풀어 볼 수 있습니다.

고난도

중간중간 고난도 문제를 수록하여 실수하기 쉬운 까다로운 문제에도 완벽하게 대비할 수 있습니다.

❷ 짝문제

기출문제를 푼 다음 동일한 출제 포인트의 짝문제를 한 번 더 풀어 봄으로써 맞힌 문제는 확실히 다지고, 틀린 문제는 왜 틀렸는지 바로 점검하며 다시는 틀리지 않는 탄탄한 실력을 쌓을 수 있습니다.

쓰기가 쉬워지는 암기 리스트

틀리기 쉬운 변화형 및 관사의 쓰임 등이 따로 정리되어 있어 용이하게 암기할 수 있습니다.

1. 동사의 형태 변화
2. 명사의 형태 변화와 관사의 쓰임
3. 형용사와 부사의 형태 변화

해커스북 ^{중·고등}

www.HackersBook.com

쓰기가 쉬워지는
기초 문법

1. 품사: 영어 단어의 8가지 종류

2. 문장의 성분: 영어 문장을 만드는 재료

3. 문장의 형식: 영어 문장의 5가지 형태

4. 구와 절: 말 덩어리

1 품사 | 영어 단어의 8가지 종류

영어 단어는 기능과 성격에 따라 **명사, 대명사, 동사, 형용사, 부사, 전치사, 접속사, 감탄사**로 나눌 수 있고, 이를 **품사**라고 해요.

❶ 명사 명사는 사람, 사물, 장소, 개념 등의 이름을 나타내는 말로, 문장에서 주어, 목적어, 보어로 쓸 수 있어요.

Steven is my cousin. <주어> Steven은 나의 사촌이다.

He does not like **carrots**. <목적어> 그는 당근을 좋아하지 않는다.

Her favorite sport is **basketball**. <보어> 그녀가 가장 좋아하는 운동은 농구이다.

✏️ 쓰기가 쉬워지는 TIP

우리말과 달리 영어에서는 명사 앞에 a/an, the 같은 관사를 함께 써요. 명사에 따라 적절한 관사를 사용하도록 주의하세요.
(→ 명사의 형태 변화와 관사의 쓰임 p.152)

❷ 대명사 대명사는 명사를 대신하는 말로, 문장에서 주어, 목적어, 보어로 쓸 수 있어요.

Jane went shopping. **She** bought a new sweater. <주어> Jane은 쇼핑하러 갔다. 그녀는 새 스웨터를 샀다.

Mom made two sandwiches. I ate **them**. <목적어> 엄마는 샌드위치 두 개를 만들었다. 나는 그것들을 먹었다.

Those sunglasses are **his**. <보어> 저 선글라스는 그의 것이다.

❸ 동사 동사는 사람, 동물, 사물 등의 동작이나 상태를 나타내는 말로, be동사, 일반동사, 조동사가 있어요.

Emily **is** from Australia. Emily는 호주 출신이다.

They **went** to the amusement park. 우리는 놀이동산에 갔다.

We **must follow** the traffic rule. 우리는 교통 규칙을 따라야 한다.

❹ 형용사 형용사는 명사나 대명사의 형태, 성질, 상태 등을 나타내는 말로, 문장에서 명사나 대명사를 꾸미는 **수식어** 또는 주어나 목적어를 보충 설명하는 **보어**로 쓸 수 있어요.

He is a **diligent** student. <수식어> 그는 부지런한 학생이다.

The pumpkin pie is **delicious**. <주격 보어> 그 호박 파이는 맛있다.

The blanket kept me **warm**. <목적격 보어> 그 담요는 나를 따뜻하게 했다.

✏️ 쓰기가 쉬워지는 TIP

우리말은 동사 없이 주어와 형용사만 가지고 완전한 문장을 만들 수 있지만, 영어에서는 동사 없이 주어와 형용사만 가지고 완전한 문장을 만들 수 없으니 주의하세요.

날씨가 좋다. (주어 + 형용사)
The weather is nice. (주어 + 동사 + 형용사)

❺ 부사   부사는 동사, 형용사, 다른 부사, 또는 문장 전체를 꾸미는 말로, 문장에서 **수식어로 쓸 수 있어요.**

Amy plays the piano **well**.   Amy는 피아노를 잘 연주한다.

The coffee is **too** hot.   그 커피는 너무 뜨겁다.

You finished your homework **very** quickly.   너는 너의 숙제를 매우 빠르게 끝냈다.

✏️ 쓰기가 쉬워지는 TIP

우리말에서 형용사에 '-이', '-히'를 붙여 부사를 만드는 것처럼 영어에서도 형용사에 -ly를 붙여 부사를 만들어요. 하지만 영어는 명사에 -ly 를 붙여 형용사를 만들 수도 있으니 주의하세요. (→ 형용사와 부사의 형태 변화 p.154)

❻ 전치사   전치사는 명사나 대명사 앞에서 **시간, 장소, 방법 등을 나타낼 때** 써요.

I will visit my grandmother **on** Saturday.   나는 토요일에 나의 할머니를 방문할 것이다.

We arrived **at** the bus stop.   우리는 버스 정류장에 도착했다.

He cut the cake **with** a knife.   그는 칼로 케이크를 잘랐다.

✏️ 쓰기가 쉬워지는 TIP

시간/장소 등을 나타낼 때 우리말은 조사 '~에/에서'가 똑같이 붙는 것과 달리 영어에서는 쓰임에 따라 형태가 다른 전치사를 쓰는 것에 주의하세요.

우리 세 시<u>에</u> / 토요일<u>에</u> / 1월<u>에</u> 만나자.
Let's meet <u>at</u> 3 o'clock / <u>on</u> Saturday / <u>in</u> January.

❼ 접속사   접속사는 단어와 단어, 구와 구, 절과 절을 연결할 때 써요.

They have a dog **and** a cat.   그들은 개 한 마리와 고양이 한 마리를 기른다.

James reads books **or** plays soccer after school.   James는 방과 후에 책을 읽거나 축구를 한다.

If it snows tomorrow, I'll stay home.   만약 내일 눈이 온다면, 나는 집에 머물 것이다.

✏️ 쓰기가 쉬워지는 TIP

우리말은 주로 명사에 조사를 붙이거나 동사나 형용사의 어미를 바꿔 말과 말을 연결하지만, 영어에서는 상황과 의미에 적절한 접속사를 쓰는 것에 주의하세요.

나는 독일<u>이나</u> 프랑스로 여행을 갈 것이다.
I'll travel to Germany <u>or</u> France.

❽ 감탄사   감탄사는 기쁨, 놀람, 슬픔과 같은 **다양한 감정을 표현하는 말**이에요.

Wow, his voice sounds amazing!   와, 그의 목소리는 놀랍게 들려!

영어에는 문장을 만드는 재료로 **주어, 동사, 목적어, 보어, 수식어**가 있고, 이를 **문장의 성분**이라고 해요.

❶ 주어   주어는 **동작이나 상태의 주체**가 되는 말로, '**누가, 무엇이**'에 해당해요.

Nick wants to go to bed.   Nick은 자러 자기를 원한다.

❷ 동사   동사는 **주어의 동작이나 상태를 나타내는 말**로, '**~하다, ~이다**'에 해당해요.

I **received** many gifts from friends.   나는 친구들에게 많은 선물을 받았다.

✏️ **쓰기가 쉬워지는 TIP**
우리말은 동사를 문장의 끝에 써요. 하지만 영어에서는 주로 주어 뒤에 써야 하고 반드시 문장의 끝에 오지 않을 수도 있어요.

❸ 목적어   목적어는 **동작의 대상**이 되는 말로, '**무엇을**'에 해당해요.

She cleaned **her room**.   그녀는 그녀의 방을 청소했다.
Dad gave **me a cup of water**.   아빠는 나에게 물 한 잔을 주셨다.

❹ 보어   보어는 **주어나 목적어를 보충 설명**하는 말로, 주어나 목적어의 성질, 특성, 상태 등을 나타내요.

The hat looked **small**. <주격 보어>   그 모자는 작아 보였다.
The movie made me **sad**. <목적격 보어>   그 영화는 나를 슬프게 만들었다.

✏️ **쓰기가 쉬워지는 TIP**
우리말의 보어는 조사 '이/가'가 붙어 '-되다/아니다' 앞에 나오는 말이지만, 영어에서는 주로 동사 뒤나 목적어 뒤에 써야 해요.
소미는 **선생님**이 되었다.
Somi became **a teacher**.

❺ 수식어   수식어는 문장에서 반드시 필요하지는 않지만 다양한 위치에서 **문장에 여러 의미를 더해주는** 역할을 해요.

The **white** car is my mom's.   그 하얀 자동차는 나의 엄마의 것이다.
Paul and I studied **in the library**.   Paul과 나는 도서관에서 공부했다.

3 문장의 형식 | 영어 문장의 5가지 형태

영어 문장은 크게 다음의 **다섯 가지 형식**으로 나눌 수 있어요.

1형식: 주어 + 동사

2형식: 주어 + 동사 + 주격 보어

3형식: 주어 + 동사 + 목적어

4형식: 주어 + 동사 + 간접 목적어 + 직접 목적어

5형식: 주어 + 동사 + 목적어 + 목적격 보어

❶ 1형식   1형식은 **주어와 동사**만으로도 의미가 통하는 문장이에요. 수식어가 함께 쓰이기도 해요.

Sofia smiled.   Sofia는 미소 지었다.
주어   동사

He is eating at the café.   그는 카페에서 식사하고 있다.
주어   동사   수식어구

❷ 2형식   2형식은 **주어, 동사와 주어를 보충 설명하는 주격 보어**를 가지는 문장이에요. **주격 보어 자리**에는 **명사나 형용사**를 쓸 수 있어요.

Eric became a middle school student.   Eric은 중학생이 되었다.
주어   동사   주격 보어(명사)

This pasta tastes good.   이 파스타는 좋은 맛이 난다.
주어   동사   주격 보어(형용사)

❸ 3형식   3형식은 **주어, 동사와 동작의 대상이 되는 목적어**를 가지는 문장이다. **목적어 자리**에는 **(대)명사**를 쓸 수 있어요.

Mr. Smith painted the wall.   Smith씨는 벽을 페인트칠 했다.
주어   동사   목적어(명사)

She called me last night.   그녀는 어젯밤에 나에게 전화했다.
주어   동사   목적어(대명사)

✏️ **쓰기가 쉬워지는 TIP**
우리말은 조사를 사용하여 문장의 어순을 자유롭게 쓸 수 있지만, 영어는 단어의 위치에 따라 역할이 바뀌니 어순을 지켜 써야 해요.

The dog ate my sandwich. 내 샌드위치를 그 개가 먹었다. (O)
My sandwich ate the dog. 내 샌드위치가 그 개를 먹었다. (X)

④ 4형식 4형식은 주어, 동사와 **간접 목적어, 직접 목적어**를 가지는 문장이에요. 4형식 문장은 「주어 + 동사 + 직접 목적어 + 전치사(to/for/of) + 간접목적어」 형태의 3형식 문장으로 바꿔 쓸 수 있어요.

Sam lent Elizabeth an umbrella. → Sam lent an umbrella to Elizabeth.
<u>Sam</u> <u>lent</u> <u>Elizabeth</u> <u>an umbrella</u> 　　　<u>Sam</u> <u>lent</u> <u>an umbrella</u> <u>to</u> <u>Elizabeth</u>
주어　동사　간접 목적어　직접 목적어　　　　주어　동사　직접 목적어　전치사　간접 목적어
Sam은 Elizabeth에게 우산을 빌려줬다.

Ms. Brown bought her daughter a necklace. → Ms. Brown bought a necklace for her daughter.
<u>Ms. Brown</u> <u>bought</u> <u>her daughter</u> <u>a necklace</u> 　<u>Ms. Brown</u> <u>bought</u> <u>a necklace</u> <u>for</u> <u>her daughter</u>
주어　　　동사　　간접 목적어　직접 목적어　　　　주어　　동사　직접 목적어　전치사　간접 목적어
Brown씨는 그녀의 딸에게 목걸이를 사줬다.

🖊 쓰기가 쉬워지는 TIP

우리말은 간접/직접 목적어의 어순이 바뀌어도 자연스럽지만, 영어의 4형식 문장에서는 정해진 어순으로 쓰지 않으면 의미가 어색해 질 수 있으니 주의하세요.

My mom baked me cookies. 나의 엄마는 나에게 쿠키를 구워줬다. (O)
My mom baked some cookies me. 나의 엄마는 쿠키에게 나를 구워줬다. (X)

⑤ 5형식 5형식은 주어, 동사, 목적어와 목적어를 보충 설명하는 **목적격 보어**를 가지는 문장이에요. **목적격 보어 자리**에는 동사에 따라 **명사, 형용사**를 쓸 수 있어요. 명사 역할을 하는 **to부정사**나 **동사원형**, 형용사 역할을 하는 **분사**를 쓰기도 해요.

명사　　They call their dog Milo. 그들은 그들의 개를 Milo라고 부른다.
　　　　<u>They</u> <u>call</u> <u>their dog</u> <u>Milo</u>
　　　　주어　동사　목적어　목적격 보어

형용사　She found the comic book funny. 그녀는 그 만화책이 재미있다고 생각했다.
　　　　<u>She</u> <u>found</u> <u>the comic book</u> <u>funny</u>
　　　　주어　동사　목적어　목적격 보어

to부정사　Mom told my little sister to sleep. 엄마는 나의 여동생에게 자라고 말하셨다.
　　　　<u>Mom</u> <u>told</u> <u>my little sister</u> <u>to sleep</u>
　　　　주어　동사　목적어　목적격 보어

동사원형　The movie made the audience cry. 그 영화는 관객을 울게 했다.
　　　　<u>The movie</u> <u>made</u> <u>the audience</u> <u>cry</u>
　　　　주어　동사　목적어　목적격 보어

분사　　Jessica had her bike fixed. Jessica는 그녀의 자전거를 수리되게 했다.
　　　　<u>Jessica</u> <u>had</u> <u>her bike</u> <u>fixed</u>
　　　　주어　동사　목적어　목적격 보어

🖊 쓰기가 쉬워지는 TIP

5형식 문장의 목적격 보어 자리에 형용사가 오면 우리말로는 '(목적어를) ~하게 -하다' 라는 의미로 해석되어 부사를 써야 할 것 같지만 보어 자리에 부사는 쓸 수 없으니 주의하세요.

The mud made my shoes dirty. (O)
The mud made my shoes dirtily. (X)

4 구와 절 | 말 덩어리

두 개 이상의 단어가 모여 하나의 의미를 나타내는 말 덩어리를 구나 절이라고 해요. 구는 「주어 + 동사」를 포함하지 않고 절은 「주어 + 동사」를 포함해요. 구와 절은 문장에서 **명사, 형용사, 부사 역할**을 할 수 있어요.

① 명사 역할 명사 역할을 하는 명사구와 명사절은 문장 안에서 명사처럼 **주어, 목적어, 보어**로 쓰여요.

  명사구 The tourists from Japan will gather in the square. <주어>
  일본에서 온 관광객들은 광장에서 모일 것이다.

  명사절 I think that you need to take a taxi. <목적어> 나는 네가 택시를 탈 필요가 있다고 생각한다.

② 형용사 역할 형용사 역할을 하는 형용사구와 형용사절은 형용사처럼 (대)명사를 꾸며요.

  형용사구 The bag on the sofa belongs to me. 소파 위에 있는 가방은 나의 것이다.

  형용사절 This is the book which Susan recommended. 이것은 Susan이 추천했던 책이다.

③ 부사 역할 부사 역할을 하는 부사구와 부사절은 부사처럼 **동사, 형용사, 다른 부사, 또는 문장 전체**를 꾸며요.

  부사구 They went to the park to take a walk. 그들은 산책을 하기 위해 공원에 갔다.

  부사절 He was late for school because he woke up late. 그는 늦게 일어났기 때문에 학교에 지각했다.

해커스북 중·고등

www.HackersBook.com

CHAPTER

01

시제

기출문제 풀고 짝문제로 마무리!

우리말과 같도록 괄호 안의 말을 활용하여 문장을 완성하시오.

너는 Tom에 대한 소식을 들은 적이 있니? (hear)
_____ the news about Tom?

Tom에 대한 소식을 들은 적이 있는지 묻고 있으므로, 현재완료 의문문 「have + 주어 + p.p. ~?」를 쓴다.

정답: Have you heard

과거에 일어난 일이 현재까지 영향을 미칠 때 「have/has + p.p.」 형태의 현재완료시제를 쓴다.

계속	~해왔다, ~했다	He **has enjoyed** water sports *since* he was fifteen. 그는 15살 이후로 수상 스포츠를 즐겨왔다.
경험	~해본 적이 있다	**Have** you *ever* **visited** Jejudo? 너는 제주도를 방문한 적이 있니?
완료	~했다	I **have** not **finished** reading the novel *yet*. 나는 그 소설을 아직 다 읽지 못했다.
결과	~했다 (지금은 ~이다)	Linda **has lost** her cell phone. Linda는 그녀의 휴대 전화를 잃어버렸다. (그래서 지금은 휴대 전화가 없다.)

[1-5] 우리말과 같도록 괄호 안의 말을 알맞게 배열하시오.

1 나는 1월부터 스페인어를 공부해왔다. (January, Spanish, studied, I, since, have)

= _____

2 너는 전에 Daniel과 이야기 해본 적이 있니? (with, Daniel, before, you, talked, have)

= _____

3 우리는 그 감독의 최신작 영화를 이미 봤다. (have, watched, we, already, the director's latest movie)

= _____

4 나의 아빠는 업무차 스웨덴으로 가셨다. (gone, to, Sweden, my dad, has, on business)

= _____

5 Carol은 5년 동안 고기를 먹지 않아왔다. (five years, not, Carol, eaten, has, meat, for)

= _____

[6-10] 우리말과 같도록 괄호 안의 말을 활용하여 현재완료시제 문장을 완성하시오.

6 Gary는 평생 감기에 걸려본 적이 전혀 없다. (catch a cold, never)

= Gary _____ in his life.

7 그들은 2020년 이후로 기술자로 일해왔다. (work as engineers, since)

= They _____.

8 그녀는 그 차를 팔았고, 그녀는 새 것을 살 것이다. (sell the car)

= She _____, and she will buy a new one.

9 주최측은 아직 초대장을 보내지 않았다. (send the invitations, yet)

= The host _____.

10 그 올림픽 선수들은 서울에 일주일 동안 머물러왔다. (stay, for)

= The Olympic athletes _____.

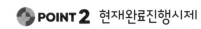

우리말과 같도록 괄호 안의 말을 활용하여 문장을 완성하시오.

Mary는 한 시간 동안 테니스를 치고 있는 중이다. (play)

Mary _____ **tennis for an hour.**

Mary가 한 시간 전에 테니스를 치기 시작해서 지금까지 계속 치고 있음을 나타내기 위해 현재완료진행시제 「has + been + V-ing」를 쓴다.

정답: has been playing

과거에 일어난 일이 현재에도 계속 진행 중임을 강조할 때 '~해오고 있다, ~하고 있는 중이다'라는 의미로 「have/has been + V-ing」 형태의 현재완료진행시제를 쓴다.

[1–5] 현재완료진행시제를 활용하여 다음 두 문장을 한 문장으로 연결하시오.

1 Mr. Clark began to fix the oven two hours ago. He is still fixing it.

   → Mr. Clark _____ for two hours.

2 The police started to search for the suspect in 2021. The police are still searching for the suspect.

   → The police _____ since 2021.

3 Jenny began to paint the house a week ago. She is still painting the house.

   → Jenny _____ for a week.

4 The customers started to wait in line last night. They are still waiting in line.

   → The customers _____ since last night.

5 Chris and I began to talk on the phone 30 minutes ago. We are still talking on the phone.

   → Chris and I _____ for 30 minutes.

[6–10] 우리말과 같도록 괄호 안의 말을 활용하여 현재완료진행시제 문장을 완성하시오.

6 그 예술가는 5년 동안 그 조각품을 만들어 오고 있다. (make the sculpture, for)

   = The artist _____.

7 그 위원회는 오늘 아침부터 그 문제를 논의하고 있는 중이다. (discuss the issue, since)

   = The committee _____.

8 나는 세 시간 동안 자전거를 타고 있는 중이다. (ride a bicycle, for)

   = I _____.

9 그 학생들은 정오부터 학교 축제를 준비하고 있다. (prepare for the school festival, since)

   = The students _____.

10 Betty는 작년부터 그 병원에서 일하고 있다. (work at the hospital, since)

   = Betty _____.

우리말과 같도록 괄호 안의 말을 활용하여 문장을 완성하시오.

수업이 끝난 시점을 기준으로 그 이전에 비가 그쳤음을 나타내기 위해 과거완료시제 「had + p.p.」를 쓴다.

수업이 끝났을 때 비는 그쳐 있었다. (stop)

The rain _____ when the class ended.

정답: had stopped

과거의 특정 시점을 기준으로 그 이전에 발생한 일이 그 시점까지 영향을 미칠 때 「had + p.p.」 형태의 과거완료시제를 쓴다. 과거에 일어난 두 개의 일 중 먼저 일어난 일을 나타낼 때도 「had + p.p.」 형태를 쓸 수 있다.

I **heard** that Frank **had not passed** the first audition. 나는 Frank가 1차 오디션을 통과하지 못했다고 들었다.

[1-5] 우리말과 같도록 괄호 안의 말을 알맞게 배열하시오.

1 나는 나의 티켓을 가져오지 않았었기 때문에 경기장에 들어갈 수 없었다. (not, my ticket, had, brought, I)

= I couldn't enter the stadium because _____.

2 Nicole이 공항에 도착했을 때 비행기는 이미 떠났었다. (already, left, had, the plane)

= _____ when Nicole arrived at the airport.

3 나의 아버지는 변호사가 되기 전에 회계사였었다. (an accountant, had, my father, been)

= _____ before he became a lawyer.

4 그녀는 지난주에 잃어버렸었던 열쇠를 찾았다. (lost, she, last week, had)

= She found the key that _____.

5 우리는 내가 중학교를 졸업하기 전에 10년 동안 도시에서 살았었다. (the city, for, had, we, ten years, lived in)

= _____ before I graduated from middle school.

[6-10] 우리말과 같도록 괄호 안의 말을 활용하여 과거완료시제 문장을 완성하시오.

6 Peter는 조심하지 않았었기 때문에 실수를 했다. (make a mistake, because, be careful)

= Peter _____.

7 그들이 교실에 들어갔을 때, 수업은 이제 막 시작했었다. (enter the classroom, just, begin)

= When _____, _____.

8 그는 프랑스를 방문했을 때 프랑스어를 5년 동안 공부해왔었다. (study French, for, visit France)

= He _____.

9 나는 자러 가기 전에 샤워를 했었다. (take a shower, before, go to bed)

= I _____.

10 비가 오기 시작한 후에 우리는 창문을 닫았다. (start raining, close the window)

= After _____, _____.

POINT 4 과거완료진행시제

우리말과 같도록 괄호 안의 말을 활용하여 문장을 완성하시오.

> 나는 점심을 먹기 전에 한 시간 동안 수영을 하고 있었다. (swim)
>
> I _____ for an hour before I had lunch.

점심을 먹은 시점보다 더 이전의 시점에 수영을 하는 중이었음을 나타내기 위해 과거완료진행시제 「had + been + V-ing」를 쓴다.

정답: had been swimming

과거의 특정 시점을 기준으로 그 이전에 일어난 일이 그 시점에도 계속 진행 중이었음을 강조할 때 '~하고 있었다, ~하는 중이었다'라는 의미로 「had been + V-ing」 형태의 과거완료진행시제를 쓴다.

[1-12] 우리말과 같도록 괄호 안의 말을 활용하여 과거완료진행시제 문장을 완성하시오.

1 나는 나의 친구들을 만났을 때 30분 동안 개를 산책시키고 있었다. (walk the dog)

= I _____ for 30 minutes when I met my friends.

2 Sam은 휴식을 취하기 전까지, 종일 그의 숙제를 하는 중이었다. (do his homework)

= Sam _____ for a whole day before he took a rest.

3 그녀는 오케스트라 단원이 되었을 때 20년 동안 피아노를 연주하고 있었다. (play the piano)

= She _____ for 20 years when she became an orchestra member.

4 그는 저녁까지 여섯 시간 동안 그의 남동생을 돌보고 있었다. (take care of)

= He _____ for six hours until dinner.

5 그녀가 스웨덴에 도착했을 때, 3일 동안 눈이 오고 있었다. (snow)

= It _____ for three days when she arrived in Sweden.

6 나의 친구들이 나에게 밖에서 놀자고 초대했을 때 나는 시험을 준비하고 있었다. (prepare, the exam)

= I _____ when my friends asked me to play outside.

7 경찰이 그들을 체포했을 때 그 도둑들은 5일 동안 호텔에서 머무르고 있었다. (stay, the hotel)

= The thieves _____ for five days when the police arrested them.

8 내가 태어났을 때, 나의 엄마는 과학 선생님으로 일하고 있었다. (work, a science teacher)

= When I was born, my mom _____.

9 Joan은 결혼사진을 찍기 전에 몇 주 동안 열심히 운동하고 있었다. (exercise hard)

= Joan _____ for a few weeks before she took her wedding pictures.

10 그가 방에 들어왔을 때 우리는 장갑을 찾는 중이었다. (look for, the gloves)

= We _____ when he entered the room.

11 전화가 울렸을 때 고양이는 한동안 자고 있었다. (sleep)

= The cat _____ for a while when the phone rang.

12 내가 하품을 했을 때 Matthew는 한 시간 동안 도마뱀에 대해 이야기하는 중이었다. (talk, lizards)

= Matthew _____ for an hour when I yawned.

기출문제 풀고 짝문제로 마무리!

기출문제를 풀고 정답과 해설을 확인하세요. 짝문제를 풀면서 복습하고, 틀린 문제는 다시 틀리지 않도록 꼼꼼히 점검하세요.

단어 배열하여 영작하기
우리말과 같도록 괄호 안의 말을 알맞게 배열하시오.

기출문제 풀고	짝문제로 마무리

01 너는 바다에서 고래들을 본 적이 있니? (you, whales, seen, have, ever)

= _____

_____ in the ocean?

06 너는 취미로 우표를 얼마나 오랫동안 수집했니? (have, how long, collected, you, stamps)

= _____

_____ as a hobby?

02 그들은 오랜 시간 동안 걷고 있었기 때문에 피곤해 보였다. (walking, a long time, been, for, had, they)

= They looked tired because _____

_____

_____ .

07 선생님이 그들을 부르기 전에 학생들은 네 시간 동안 그림을 그려오고 있었다. (for, pictures, drawing, four hours, been, had)

= The students _____

_____

before the teacher called them.

03 그 가수는 콘서트장에서 한 시간 동안 공연을 해오고 있다. (has, for, the singer, performing, an hour, been)

= _____

_____ at the concert.

08 모든 사람들은 수년 동안 두 나라 사이의 전쟁을 지켜 봐오고 있다. (watching, everyone, the war, been, has)

= _____

between the two countries for years.

04 그가 내가 말한 모든 것을 들었다. (everything, he, heard, had)

= _____

_____ I said.

09 Clara는 아직 장례식에 가본 적이 전혀 없었다. (never, Clara, a funeral, been, to, had)

= _____

_____ yet.

05 시카고에는 밤새 눈이 내렸다. (long, has, all night, snowed, it)

= _____

_____ in Chicago.

10 Lucas는 새 컴퓨터를 위해 돈을 저축해왔다. (money, Lucas, saved, has)

= _____

_____ for a new computer.

기출문제를 풀었으면 채점한 후, 짝문제를 푸세요. ▶

주어진 단어로 영작하기
우리말과 같도록 괄호 안의 말을 활용하여 영작하시오.

기출문제 풀고

11 Jeremy는 한국으로 이사 한 이후로 매운 음식을 즐겨오고 있다. (enjoy, spicy food)

= Jeremy _____
_____ since he moved to Korea.

12 너는 전에 이 프로그램을 사용해 본 적이 있니? (use, this program)

= _____
_____ before?

13 나는 그 섬이 유명해지기 전에 이미 가봤었다. (already, be, to the island)

= I _____
_____ before it got popular.

14 Greg는 2019년 이후로 15개국을 방문해왔다. (visit, country)

= Greg _____
_____ since 2019.

15 그의 첫 번째 자동차 사고가 일어났을 때, 그는 10년 동안 그 차를 운전해오고 있었다. (drive, the car)

= He _____
when his first car accident happened.

짝문제로 마무리

16 미국은 1785년 이후로 독립기념일을 기념해오고 있다. (celebrate, Independence Day)

= The US _____
_____ since 1785.

17 너의 선생님은 수업 시간에 다른 학생들을 혼낸 적이 있니? (scold, other students)

= _____
_____ in class?

18 Rachel은 수족관에 가기 전에 해파리를 본 적이 전혀 없었다. (never, see, jellyfish)

= Rachel _____
_____ before she went to the aquarium.

19 나의 아빠는 의사로 20년간 일해왔다. (work, as a doctor)

= My dad _____
_____ for 20 years.

20 나의 여동생은 그녀가 13살이 되기 전까지 산타클로스에게 편지를 써오고 있었다. (write, letters, Santa Claus)

= My sister _____
_____ before she turned 13.

CHAPTER 01

시제 해커스 쓰기 자신감 Level 3

두 문장을 한 문장으로 연결하기
다음 두 문장을 한 문장으로 연결하시오.

21
- Steve and Kate met last year.
- They still know each other.

→ Steve and Kate _____

since _____.

22
- I arrived at the restaurant at 8 P.M.
- My girlfriend left the restaurant at 7 P.M.

→ My girlfriend _____

_____ before _____.

23
- Lisa began to keep a diary when she was five.
- She's still keeping a diary.

→ Lisa _____

since _____.

24
- Joan finished washing her hair.
- She dried her hair after that.

→ Joan _____

after _____.

25
- I started to take dance lessons when I was eight.
- I am still taking dance lessons.

→ I _____

since _____.

26
- Jack lost his wallet at the station.
- He still doesn't have the wallet.

→ Jack _____

_____.

27
- I traveled to Venice five years ago.
- I worked in Venice last year.

→ I _____

before _____.

28
- The children started to build a snowman two hours ago.
- They're still building a snowman.

→ The children _____

_____ for _____.

29
- We went outside.
- We called a taxi before we went out.

→ We _____

before _____.

30
- Anna began cleaning the table 30 minutes ago.
- She is still cleaning the table.

→ Anna _____

_____ for _____.

틀린 부분 고쳐 쓰기
다음 문장에서 어법상 혹은 의미상 틀린 부분을 찾아 바르게 고쳐 쓰시오.

| 기출문제 풀고 | 짝문제로 마무리 |

기출문제 풀고

31 고난도
Jessica believed that her classmates have lied to her.
(Jessica는 그녀의 반 친구가 그녀에게 거짓말을 했다고 믿었다.)

_____ → _____

32
The chef has planning to renovate his restaurant since last year.
(그 요리사는 작년 이후로 그의 식당을 개조하는 것을 계획해왔다.)

_____ → _____

33
I have handed in my assignment yesterday.
(나는 나의 숙제를 어제 제출했다.)

_____ → _____

34
Jerry didn't know Chinese because he has never learned it before.
(Jerry는 중국어를 배운 적이 전혀 없기 때문에 그것을 알지 못했다.)

_____ → _____

35 고난도
My alarm was ringing since 7 in the morning.
(나의 알람이 아침 7시부터 울리는 중이다.)

_____ → _____

짝문제로 마무리

36 고난도
He found out that he has lost his way after walking for an hour.
(그는 한 시간 동안 걸은 후에 그가 길을 잃었다는 것을 알았다.)

_____ → _____

37
Ms. Martin knows about the environmental problem since 1990.
(Martin 씨는 1990년부터 환경 문제에 대해 알아왔다.)

_____ → _____

38
We stayed at this hotel five times before.
(우리는 전에 이 호텔에 다섯 번 묵어본 적이 있다.)

_____ → _____

39
I didn't catch the flu because I have already gotten a flu shot.
(나는 이미 독감 주사를 맞았기 때문에 독감에 걸리지 않았다.)

_____ → _____

40 고난도
The city was building the landmark for five years.
(그 도시는 5년 동안 랜드마크를 지어오는 중이다.)

_____ → _____

CHAPTER 01 시제 해커스 쓰기 자신감 Level 3

그림 보고 영작하기
다음 그림을 보고 주어진 단어를 활용하여 문장을 완성하시오.

기출문제 풀고	짝문제로 마무리

41

He _____ _____ _____
because he _____ _____
_____ _____ _____ a
lock. (lose his bike, forget to put on)

42

It _____ _____ last night and
wet leaves _____ the ground this
morning. (rain, cover)

43

The bus _____ _____ when
he _____ at the bus stop.
(leave, arrive)

44

Dad _____ _____ the dinner
before Mom _____ home.
(prepare, come)

기출문제를 풀었으면 채점한 후, 짝문제를 푸세요. ▶

표 보고 영작하기
다음 표를 보고 빈칸을 채우시오.

기출문제 풀고	짝문제로 마무리

Mandy's Schedule	
7:00 - 8:00	eat breakfast
8:00 - 10:00	do the laundry
10:00 - 12:00	play the piano

45 This morning, Mandy _____
_____ _____ before she
_____ _____ _____.

Peter's Plan	
4:00 - 5:00	run in the park
5:00 - 8:00	practice for the speech contest
8:00 - 8:30	take a shower

46 Today, Peter _____ _____
_____ _____ _____
before he _____ _____
_____ _____ _____.

기출문제를 풀었으면 채점한 후, 짝문제를 푸세요. ▶

CHAPTER

02

조동사

- 🔵 **POINT 1** used to, would
- 🔵 **POINT 2** had better, would rather
- 🔵 **POINT 3** 조동사 + have + p.p.
- 🔵 **POINT 4** should의 생략

기출문제 풀고 짝문제로 마무리!

우리말과 같도록 괄호 안의 말을 활용하여 영작하시오.

나는 TV를 많이 보곤 했지만, 지금은 책을 읽는 것을 더 좋아한다. (watch)

_____ a lot, but I prefer reading books now.

과거의 습관을 나타내고 있으므로 '~하곤 했다'의 의미를 나타내는 used to를 쓴다.

정답: I used to watch TV

과거의 습관이나 상태를 나타낼 때 '~하곤 했다', '전에는 ~이었다'를 의미하는 used to를 쓴다. used to가 과거의 습관을 나타낼 때는 would로 바꿔 쓸 수 있다.

We **used to[would]** go fishing on weekends. 우리는 주말에 낚시하러 가곤 했다.

This building **used to** be a hospital before. 이 건물은 전에는 병원이었다.

TIP used to의 부정형은 didn't use to로 쓴다.

I **didn't use to** like hiking, but I like it these days. 나는 전에는 등산을 좋아하지 않았지만, 요즘은 그것을 좋아한다.

[1-5] 우리말과 같도록 괄호 안의 말을 알맞게 배열하시오.

1 그녀는 중학교에 다닐 때 긴 머리를 가지고 있었다. (long hair, to, she, have, used)

= _____ when she attended middle school.

2 사람들은 지구가 평평하다고 믿곤 했다. (used, people, believe, to)

= _____ that Earth was flat.

3 Emily와 나는 내가 대구로 이사하기 전에 친한 친구였다. (used, Emily and I, to, close friends, be)

= _____ before I moved to Daegu.

4 Donald는 수업 중에 집중하지 않곤 했다. (pay, use, to, Donald, didn't, attention)

= _____ during class.

5 Alice는 어렸을 때 도서관에서 매일 오후를 보내곤 했다. (spend, at the library, Alice, every afternoon, would)

= _____ when she was young.

[6-9] 우리말과 같도록 <보기>의 말을 활용하여 문장을 완성하시오.

<보기>
visit   watch   take   be

6 내 가족은 주말마다 나의 조부모님을 방문하곤 했다.

= My family _____ my grandparents every weekend.

7 Adams 씨는 직장에 버스를 타고 가곤 했다.

= Ms. Adams _____ a bus to work.

8 그 국립공원에는 큰 연못이 있었다.

= _____ in the national park.

9 그의 남동생은 공포 영화를 많이 보곤 했다.

= His brother _____ a lot of scary movies.

우리말과 같도록 괄호 안의 말을 활용하여 영작하시오.

너는 건강한 음식을 먹는 것이 좋겠다. (eat)

You _____ healthy food.

'건강한 음식을 먹는 것이 좋겠다'고 충고하고 있으므로 '~하는 것이 좋다'의 의미를 나타내는 had better 를 쓴다.

정답: had better eat

충고나 권고를 나타낼 때는 '~하는 것이 낫다[좋다]'를 의미하는 had better를 쓰고, 선호나 선택을 나타낼 때는 '(~하느니) 차라리 …하겠다'를 의미하는 would rather … (than ~)를 쓴다.

I **would rather** clean my room **than** do the homework. 나는 숙제를 하느니 차라리 나의 방을 청소하겠다.

TIP had better의 부정형은 had better not으로 쓰고 would rather의 부정형은 would rather not으로 쓴다.
You **had better not** give up your dream. 너는 너의 꿈을 포기하지 않는 것이 좋다.
I **would rather not** go to the museum. 나는 차라리 그 박물관에 가지 않겠다.

[1-5] 우리말과 같도록 괄호 안의 말을 알맞게 배열하시오.

1 나는 차라리 학교에 걸어 가겠다. (school, rather, to, walk, would)

= I _____ .

2 너는 오늘 너의 우산을 가져가는 것이 좋겠다. (better, your umbrella, bring, had)

= You _____ today.

3 나는 교실에 머무느니 차라리 밖에서 놀겠다. (the classroom, outside, than, play, would, stay, rather, in)

= I _____ .

4 너는 얼음이 덮인 인도에서 걷지 않는 것이 좋겠다. (not, better, on, walk, had, the icy sidewalk)

= You _____ .

5 나는 차라리 그의 제안을 받아들이지 않겠다. (rather, his suggestion, not, would, accept)

= I _____ .

[6-10] 우리말과 같도록 괄호 안의 말을 활용하여 영작하시오.

6 나는 집을 청소하느니 차라리 설거지를 하겠다. (wash, the dishes, clean, the house)

= I _____ .

7 너는 내일 Nancy에게 사과하는 것이 좋겠다. (apologize)

= You _____ tomorrow.

8 Sam은 차라리 그의 차를 고치지 않겠다고 말했다. (repair, car)

= Sam said that he _____ .

9 나는 낮잠을 자느니 차라리 운동을 하겠다. (exercise, take, a nap)

= I _____ .

10 너는 해외에서 여행할 때 여권을 잃어버리지 않는 것이 좋겠다. (lose, your passport)

= You _____ when you travel abroad.

우리말과 같도록 괄호 안의 말을 활용하여 영작하시오.

너는 어제 그 약속을 취소했어야 했다. (cancel)

You ＿＿＿＿＿＿＿＿＿ the appointment yesterday.

'약속을 취소했어야 했다'고 유감을 나타내고 있으므로 '~했어야 했다'는 의미를 나타내는 「should + have + p.p.」를 쓴다.

정답: should have canceled

과거 사실에 대한 추측, 후회·유감, 가능성을 나타낼 때 「조동사 + have + p.p.」 형태로 쓴다.

강한 추측	must + have + p.p. ~했음이 틀림없다	후회·가능성	could + have + p.p. ~했을 수도 있었다(하지만 하지 않았다)
	cannot[can't] + have + p.p. ~했을 리가 없다	후회·유감	should + have + p.p. ~했어야 했다(하지만 하지 않았다)
약한 추측	may[might] + have + p.p. ~했을지도 모른다		should not[shouldn't] have + p.p. ~하지 말았어야 했다(하지만 했다)

[1-5] 우리말과 같도록 괄호 안의 말을 알맞게 배열하시오.

1 그는 그 퍼레이드를 즐겼음이 틀림없다. (the parade, enjoyed, must, have)

= He ＿＿＿＿＿＿＿＿＿＿＿＿＿＿＿＿＿.

2 그 고객은 잘못된 제품을 주문했을지도 모른다. (have, the wrong product, ordered, may)

= The customer ＿＿＿＿＿＿＿＿＿＿＿＿＿＿＿.

3 Emily는 그것을 말하지 말았어야 했다. (said, not, that, should, have)

= Emily ＿＿＿＿＿＿＿＿＿＿＿＿＿＿＿.

4 그녀는 오븐을 끔으로써 화재를 막을 수도 있었다. (prevented, have, the fire, could)

= She ＿＿＿＿＿＿＿＿＿＿＿＿＿＿＿ by turning off the oven.

5 그는 큰 소음 때문에 어제 잠을 잘 잤을 리가 없다. (slept, cannot, have, well)

= He ＿＿＿＿＿＿＿＿＿＿＿＿＿＿＿ yesterday because of the loud noise.

[6-10] 우리말과 같도록 괄호 안의 말을 활용하여 영작하시오.

6 너는 어제 너의 숙제를 제출했어야 했다. (submit, your homework)

= You ＿＿＿＿＿＿＿＿＿＿＿＿＿＿＿ yesterday.

7 나는 전에 그의 수업을 들었을지도 모르지만 기억하지 못한다. (take, class)

= I ＿＿＿＿＿＿＿＿＿＿＿＿＿＿＿ before, but I don't remember.

8 그의 자리가 비어 있으므로 Tom은 집에 일찍 간 것이 틀림없다. (go, home, early)

= Tom ＿＿＿＿＿＿＿＿＿＿＿＿＿＿＿ because his seat is empty.

9 그 퍼즐은 매우 어려웠기 때문에, Ashley는 그것을 혼자 풀었을 리가 없다. (solve)

= Since the puzzle was really hard, Ashley ＿＿＿＿＿＿＿＿＿＿＿＿＿＿＿ by herself.

10 네가 큰 상자를 옮길 때 나의 카메라를 떨어뜨렸을 수도 있었다. (drop, camera)

= You ＿＿＿＿＿＿＿＿＿＿＿＿＿＿＿ when you moved the large box.

다음 문장의 밑줄친 부분을 바르게 고쳐 쓰시오.

The doctor suggested that she <u>gets</u> some rest.

→ **The doctor suggested that she _____ some rest.**

의사가 휴식을 취해야 한다고 제안(suggest)했으므로 that절의 동사 자리에는 「(should +) 동사원형」을 쓴다.

정답: (should) get

제안, 주장, 요구, 명령의 의미를 나타내는 동사(suggest, recommend, insist, demand, order 등) 뒤에 오는 that절의 동사 자리에는 「should + 동사원형」을 쓰며, 이때 should를 생략하여 쓸 수 있다.
My parents *suggested* that I **(should) save** more money. 나의 부모님은 내가 더 많은 돈을 모아야 한다고 제안했다.
Billy *insisted* that Mary **(should) apologize** for her mistake. Billy는 Mary가 그녀의 실수에 대해 사과해야 한다고 주장했다.

[1-5] 우리말과 같도록 괄호 안의 말을 알맞게 배열하시오.

1 그 승무원은 우리에게 우리의 좌석으로 돌아가야 한다고 요구했다. (that, demanded, to, our seats, we, return)

= The flight attendant _____.

2 그 선생님은 Tyler가 문학작품을 읽어야 한다고 제안했다. (literature, suggested, Tyler, read, should, that)

= The teacher _____.

3 그 회사는 직원들에게 그들의 일을 지체 없이 끝내라고 명령했다. (ordered, finish, the employees, their work)

= The company _____ without delay.

4 그들은 손님들에게 격식을 차린 복장을 입을 것을 권했다. (wear, that, recommended, guests, formal clothes)

= They _____.

5 Ben은 우리가 비닐봉지 사용을 멈춰야 한다고 주장한다. (using, insists, should, plastic bags, we, stop)

= Ben _____.

[6-10] 우리말과 같도록 괄호 안의 말을 활용하여 빈칸에 쓰시오.

6 나는 우리가 저녁을 먹으러 나가자고 제안했다. (suggest, go out)

= I _____ that _____ _____ _____ to eat dinner.

7 그 일기 예보관은 사람들이 폭풍 동안 집에 머물러야 한다고 주장한다. (insist, stay)

= The weather forecaster _____ that _____ _____ at home during the storm.

8 그 남자는 그들이 라디오 음량을 낮춰야 한다고 요구했다. (demand, lower)

= The man _____ that _____ _____ the radio volume.

9 나의 아버지는 내가 많은 것들을 경험해야 한다고 권했다. (recommend, experience)

= My father _____ that _____ _____ _____ many things.

10 그 경찰은 용의자에게 그의 신분증을 보여주라고 명령했다. (order, the suspect, show)

= The police _____ that _____ _____ _____ his ID card.

기출문제 풀고 짝문제로 마무리!

기출문제를 풀고 정답과 해설을 확인하세요. 짝문제를 풀면서 복습하고, 틀린 문제는 다시 틀리지 않도록 꼼꼼히 점검하세요.

단어 배열하여 영작하기
우리말과 같도록 괄호 안의 말을 알맞게 배열하시오.

기출문제 풀고	짝문제로 마무리

01 그 형사는 그 사고가 밤에 발생했음이 틀림없다고 생각한다. (have, must, during, the accident, the night, happened)

= The detective thinks that _____

_____ .

02 선생님은 한국에서 바나나가 비쌌었다고 말했다. (to, expensive, bananas, used, in Korea, be)

= The teacher said that _____

_____ .

03 내가 어렸을 때 아빠는 나를 많이 간질이곤 했다. (tickle, used, Dad, me, to, a lot)

= _____

_____ when I was little.

04 문이 저절로 닫혔을지도 모른다. (closed, may, itself, by, have)

= The door _____

_____ .

05 그 여행 가이드는 우리가 전통 음식을 맛봐야 한다고 추천했다. (we, the traditional food, recommended, try, that)

= The tour guide _____

_____ .

06 너는 시간이 있을 때 발표를 연습했어야 했다. (practiced, you, the presentation, have, should)

= _____

_____ when you had time.

07 전에는 액자가 벽에 걸려 있었다. (used, hanging, the frame, to, be)

= _____

_____ on the wall before.

08 많은 왕들이 그들 자신을 방어하기 위해 성을 짓곤 했다. (used, many kings, build, to, castles)

= _____

_____ to defend themselves.

09 Aaron이 그런 말을 했을 리가 없다. (such, said, cannot, a thing, have)

= Aaron _____

_____ .

10 그 상담사는 Lisa가 더 높은 수준의 수업을 들어야 한다고 제안했다. (that, take, Lisa, a higher level class, suggested)

= The counselor _____

_____ .

기출문제를 풀었으면 채점한 후, 짝문제를 푸세요. ▶

주어진 단어로 영작하기
우리말과 같도록 괄호 안의 말을 활용하여 영작하시오.

기출문제 풀고	짝문제로 마무리

11

지난 달까지 Marie의 머리는 파란색이었었다. (hair, blue)

= _____

_____ until last month.

16

작년까지 내가 가장 좋아하는 햄버거는 4달러였었다. (favorite, cost four dollars)

= _____

_____ until last year.

12

나의 가족은 여름마다 그 호수에 수영을 하러 가곤 했다. (go swimming)

= _____

_____ at the lake every summer.

17

나는 12월마다 크리스마스트리를 꾸미곤 했다. (decorate the Christmas tree)

= _____

_____ every December.

13

나는 집에서 TV를 보느니 차라리 영화를 보러 가겠다. (go to the movie, watch TV)

= _____

_____ at home.

18

나는 죽을 때까지 가지고 있을 바에는 차라리 나의 돈을 기부하겠다. (donate my money, keep)

= _____

_____ until I die.

14

그들은 동물 보호소에서 봉사활동을 하기로 결정했을지도 모른다. (decide, volunteer)

= _____

_____ at the animal shelter.

19

Adam은 그 책에 대한 너의 의견에 동의했을지도 모른다. (agree with, opinion)

= _____

_____ about the book.

15

너는 Eve에게 진실을 말하지 않는 것이 낫다. (tell the truth)

= _____

_____ to Eve.

20

너는 이슬람 국가에서 악수할 때 왼손을 사용하지 않는 것이 좋다. (use your left hand)

= _____

_____ when you shake hands in Islamic countries.

기출문제를 풀었으면 채점한 후, 짝문제를 푸세요. ▶

틀린 부분 고쳐 쓰기

다음 문장에서 어법상 혹은 의미상 틀린 부분을 찾아 바르게 고쳐 쓰시오.

기출문제 풀고

21

You had not better drink that milk, since it smells bad.
(그 우유는 좋지 않은 냄새가 나니, 너는 그것을 마시지 않는 것이 좋겠다.)

_____ → _____

22

The company demanded that its rival stops the advertisement.
(그 회사는 경쟁사가 그 광고를 중단할 것을 요구했다.)

_____ → _____

23

Ms. Green should have missed the bus since she woke up late this morning.
(Green 씨는 오늘 아침에 늦게 일어나서 버스를 놓쳤을지도 모른다.)

_____ → _____

24

We should have go to more concerts last year.
(우리는 작년에 더 많은 연주회에 갔어야 했다.)

_____ → _____

25

There would be a huge theme park in this city in the 1970s.
(1970년대에 이 도시에는 거대한 놀이공원이 있었다.)

_____ → _____

짝문제로 마무리

26

You hadn't better drive a car tonight, because it will snow heavily.
(눈이 많이 내릴 것이니 오늘 밤에 너는 운전하지 않는 것이 좋겠다.)

_____ → _____

27

The students insisted that the school extended their lunchtime.
(학생들은 학교가 그들의 점심 시간을 늘릴 것을 주장했다.)

_____ → _____

28

Mark must have finished his essay, because he was busy with other homework.
(Mark는 다른 숙제들로 바빴기 때문에 그의 에세이를 끝냈을 리 없다.)

_____ → _____

29

You shouldn't have leave the cake on the dish.
(너는 케이크를 접시에 남겨두지 말았어야 했다.)

_____ → _____

30

We would live in Busan, but we moved to Seoul last month.
(우리는 부산에 살았었지만, 지난달에 서울로 이사했다.)

_____ → _____

기출문제를 풀었으면 채점한 후, 짝문제를 푸세요. ▶

그림 보고 영작하기
괄호 안의 말을 활용하여 그림을 묘사하는 문장을 완성하시오.

기출문제 풀고	짝문제로 마무리

31

_____ every day, but now he never plays it. (practice the guitar)

32 고난도

_____ before I visited the restaurant. (should, make a reservation)

33

_____, _____ but now there are five singers. (there, singers in the choir)

34

_____, _____ but he is retired now. (work at a bank)

35 고난도

_____ instead of playing soccer with her friends. (can, go shopping)

36

_____ when he was ten, but he is tall now. (short)

기출문제를 풀었으면 채점한 후, 짝문제를 푸세요. ▶

CHAPTER 02

조동사 해카스 쓰기 자신감 Level 3

상황에 맞는 말 영작하기
다음 글을 읽고, 괄호 안의 말을 활용하여 각 상황에 알맞은 말을 쓰시오. (단, 축약형을 사용하지 마시오.)

기출문제 풀고

37 고난도
Diane and her friend were going to meet at a café at 2 P.M. However, at 2:30 P.M., Diane's friend still had not arrived. At 3 P.M., she walked in and apologized for being late. She said she got caught in traffic.

In this situation, what would Diane say to her friend?

Diane: _____ _____ _____ _____ your house earlier. (leave)

38 고난도
Kevin ordered a package and had it delivered to his home. But he still had not received the package by Wednesday evening. When he called the company, they told him that it had already been delivered.

In this situation, what would Kevin say to the company?

Kevin: _____ _____ _____ _____ it to the wrong address. (deliver)

기출문제를 풀었으면 채점한 후, 짝문제를 푸세요. ▶

짝문제로 마무리

39 고난도
Paul got a new basketball for his birthday present. It was raining outside, so he played with it inside the house. Mom told him not to throw the ball, but he ended up breaking a vase in the living room.

In this situation, what would Paul say to his mom?

Paul: _____ _____ _____ _____ _____ with the ball in the house. (play)

40 고난도
Ron had left a sandwich in the refrigerator for lunch. When he went to get it, it wasn't there. But there was an empty dish on the table, and his brother was sitting in front of it.

In this situation, what would Ron say to his brother?

Ron: _____ _____ _____ _____ my lunch. (eat)

대화 영작하기
괄호 안의 말을 활용하여 대화를 완성하시오.

기출문제 풀고

41
A: Who is the man holding a hockey stick in the picture?
B: That is my dad. He _____ hockey when he was in college. (play)

42
A: I'm finished with my school project about saving endangered animals.
B: Oh, I _____ you. I'm interested in that issue. (can, help)

기출문제를 풀었으면 채점한 후, 짝문제를 푸세요. ▶

짝문제로 마무리

43
A: According to the brochure, this hotel _____ a king's palace. (be)
B: That's why it looks so fancy.

44
A: I wonder why Joseph is crying now.
B: He _____ the test. The teacher announced the test scores this morning. (fail, must)

CHAPTER

03

수동태

기출문제 풀고 짝문제로 마무리!

다음 주어진 문장과 같은 의미의 수동태 문장을 완성하시오.

You must answer the questions in an hour.

→ _____ **in an hour.**

조동사가 있는 문장의 수동태는 「조동사 + be + p.p.」 형태로 쓴다.

정답: The questions must be answered
해석: 너는 한 시간 내로 그 질문에 답을 해야 한다.
　　→ 그 질문은 한 시간 내로 답해져야 한다.

- 주어가 행위의 대상이 되는 것을 나타내기 위해 「be동사 + p.p.」 형태로 쓴다.
  This letter **was written** by a famous author. 이 편지는 유명한 작가에 의해 쓰였다. ＊ 행위자가 일반인이거나 밝힐 필요가 없을 때는 「by + 행위자」를 생략할 수 있다.
- 수동태는 다음과 같이 다양한 형태로 쓸 수 있다.

미래시제 수동태	will + be + p.p.	The results **will be announced** soon. 결과는 곧 발표되어질 것이다.
진행시제 수동태	be동사 + being + p.p.	The soup **is being cooked** by me. 수프가 나에 의해 요리되어지고 있다.
완료시제 수동태	have/had + been + p.p.	A chair leg **had been broken**. 의자 다리가 부러져 있었다.
조동사가 있는 수동태	조동사 + be + p.p.	This book **can be read** by children. 이 책은 아이들에 의해 읽힐 수 있다.

TIP 조동사가 있는 수동태의 부정문은 조동사 다음에 not을 붙여 「조동사 + not + be + p.p.」의 형태로 쓴다.

[1-5] 다음 능동태 문장을 수동태 문장으로 바꿔 쓰시오.

1 The pianist will play those songs.

→ _____

2 The farmer hasn't planted apple trees in the orchard.

→ _____

3 We must plan the trip today.

→ _____

4 Students should wear the protective gloves during class.

→ _____

5 Ms. Stevens is passing out the tickets.

→ _____

[6-9] 우리말과 같도록 괄호 안의 말을 활용하여 영작하시오.

6 그 선물들은 빨간 종이로 포장될 것이다. (the gifts, wrap)

= _____ **in red paper.**

7 Trent 씨는 그가 누군가에 의해 지켜봐지고 있었다고 했다. (watch)

= Mr. Trent said that _____ .

8 내가 그녀를 만났을 때 그녀의 얼굴은 햇볕에 타있었다. (her face, burn)

= _____ **by the sun when I saw her.**

9 이 난방기는 겨울 동안 계속해서 켜져 있어야 한다. (this heater, keep)

= _____ **on during the winter.**

POINT 2 4형식 문장의 수동태

주어진 문장과 같은 의미가 되도록 문장을 완성하시오.

> **Elisa cooked me fried rice.**
>
> → **Fried rice** _____ **by Elisa.**

직접 목적어가 주어인 수동태 문장은 간접 목적어 앞에 전치사 to/for/of를 쓰며, 이때 cook은 for을 쓴다.

정답: was cooked for me
해석: Elisa는 나에게 볶음밥을 요리해줬다.
　　 → 볶음밥이 Elisa에 의해 나에게 요리되어졌다.

4형식 문장의 수동태는 간접 목적어를 주어로 쓸 때 「간접 목적어 + be + p.p. + 직접 목적어」 형태로 쓰고, 직접 목적어를 주어로 쓸 때 「직접 목적어 + be + p.p. + to/for/of + 간접 목적어」 형태로 쓴다.
The boy **gave** *the singer some flowers*. 그 소년은 그 가수에게 꽃 몇 송이를 주었다.
→ *The singer* **was given** *some flowers* by the boy. 그 가수는 그 소년에 의해 꽃 몇 송이가 주어졌다.
→ *Some flowers* **were given** *to the singer* by the boy. 꽃 몇 송이가 그 소년에 의해 그 가수에게 주어졌다.

[1-6] 밑줄 친 부분이 주어가 되도록 능동태 문장을 수동태 문장으로 바꿔 쓰시오.

1 My dad bought my sister <u>a grey jacket</u>.

→ _____

2 The comedian told <u>the audience</u> a funny story.

→ _____

3 Sumi wrote Mr. Williams <u>a letter</u>.

→ _____

4 They asked <u>the lawyer</u> some questions.

→ _____

5 The police officer showed <u>the old lady</u> the way to the subway.

→ _____

6 Emperor Shah Jahan built the empress <u>the Taj Mahal</u>.

→ _____

[7-10] 우리말과 같도록 괄호 안의 말을 활용하여 영작하시오.

7 이 벙어리 장갑은 나의 할머니에 의해 나에게 만들어졌다. (the mittens, make)

= _____ by my grandmother.

8 나는 점원에 의해 영수증이 주어졌다. (give, a receipt)

= _____ by the clerk.

9 그 안내는 은행으로부터 나에게 보내졌다. (the notice, send)

= _____ by the bank.

10 음식은 로봇에 의해 손님들에게 가져와졌다. (bring, the customers).

= _____ by the robot.

다음 능동태 문장을 수동태로 바꿔 쓰시오.

The shepherd makes sheep follow the path.

→ **Sheep** _____ **by the shepherd.**

사역동사 make가 쓰인 5형식 문장의 수동태에서 목적격 보어는 to부정사로 바꿔야 하므로 to follow를 쓴다.

정답: are made to follow the path
해석: 양치기는 양이 길을 따르도록 만든다.
→ 양은 양치기에 의해 길을 따르도록 만들어진다.

5형식 문장을 수동태로 쓸 때는 목적격 보어를 「be동사 + p.p.」 뒤에 그대로 쓴다. 사역동사나 지각동사가 쓰여 목적격 보어가 동사원형인 5형식 문장을 수동태로 쓸 때는 동사원형을 to부정사로 바꿔 쓴다. 지각동사의 목적격 보어가 현재분사인 경우에는 수동태 문장에서도 현재분사를 그대로 쓸 수 있다.
The long journey made him exhausted. 긴 여행은 그를 지치게 만들었다.
→ He **was made exhausted** by the long journey. 그는 긴 여행에 의해 지쳤다.
The teacher saw the students clean the classroom. 선생님은 학생들이 교실을 청소하는 것을 봤다.
→ The students **were seen to clean** the classroom by the teacher. 학생들은 선생님에 의해 교실을 청소하는 것이 보아졌다.

[1-6] 다음 능동태 문장을 수동태 문장으로 바꿔 쓰시오.

1 I found the box empty.

→ _____

2 The owner told the dog to sit.

→ _____

3 People called the man a national hero.

→ _____

4 Many people heard the choir sing.

→ _____

5 The doctor advised him to start exercising.

→ _____

6 Economists expected housing prices to rise.

→ _____

[7-10] 우리말과 같도록 괄호 안의 말을 활용하여 영작하시오.

7 아기는 담요에 의해 따뜻하게 유지되었다. (the baby, keep, warm)

= _____ by the blanket.

8 Maria는 학생들에 의해 학급 회장으로 선출되었다. (elect, the class president)

= _____ by the students.

9 손님들은 현관에 그들의 우산을 둘 것을 요청받았다. (guests, ask, leave, umbrellas)

= _____ at the door.

10 아이들은 그들의 엄마에 의해 그들의 손을 닦게 되었다. (the children, make, wash, hands)

= _____ by their mom.

POINT 4 목적어가 that절인 문장의 수동태

다음 능동태 문장을 수동태로 바꿔 쓰시오.

People say that breakfast is the most important meal.

→ _____ **that breakfast is the most important meal.**

that절 전체를 수동태 문장의 주어로 쓰는 경우 가주어 it을 쓰고 that절은 수동태 동사 뒤에 쓴다.

정답: It is said
해석: 사람들은 아침이 가장 중요한 식사라고 말한다.
→ 아침은 가장 중요한 식사라고 말해진다.

---

that절 전체를 수동태 문장의 주어로 쓸 때는 「It + be동사 + p.p. + that절」 형태로 쓰고, that절의 주어를 수동태 문장의 주어로 쓸 때는 「that절의 주어 + be동사 + p.p. + to부정사 ~」 형태로 쓴다.

People say **that Usain Bolt is the fastest runner**. 사람들은 Usain Bolt가 가장 빠른 주자라고 말한다.

→ **It is said that** Usain Bolt is the fastest runner. Usain Bolt는 가장 빠른 주자라고 말해진다.

→ **Usain Bolt is said to be** the fastest runner.

[1-5] 다음 능동태 문장을 수동태로 바꿔 쓰시오.

1 Everyone knows that Earth travels around the Sun.

→ Earth _____.

2 Some people say that aliens exist.

→ Aliens _____ by some people.

3 Scientists expect that all the ice caps will melt soon.

→ _____ that all the ice caps will melt soon by scientists.

4 People believe that gold is a symbol of wealth.

→ Gold is _____.

5 Some people think that exercising is important for health.

→ _____ that exercising is important for health by some people.

[6-10] 다음 문장에서 틀린 부분을 바르게 고쳐 완전한 문장을 쓰시오.

6 26 million babies expect to be born this year.

→ _____

7 Bananas are said lowering blood pressure.

→ _____

8 It believes that Columbus found the Americas in 1492.

→ _____

9 It is knowing that the seas around Dokdo are rich in natural resources.

→ _____

10 The advance in technology expects to make our lives convenient.

→ _____

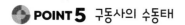
우리말과 같도록 괄호 안의 말을 활용하여 영작하시오.

그녀는 그들에 의해 무시되었다. (look down on)

She _____ **by them.**

두 개 이상의 단어로 이루어진 동사 look down on을 수동태로 써야 하므로, 동사 look을 「be동사 + p.p.」 형태로 쓰고 나머지 down on을 동사 뒤에 쓴다.

정답: was looked down on

두 개 이상의 단어로 이루어진 구동사를 수동태로 쓸 때 동사는 「be동사 + p.p.」 형태로 쓰고, 나머지 부분은 동사 뒤에 그대로 쓴다.

put off ~을 미루다	take care of ~을 돌보다	look after ~을 돌보다
turn down ~을 거절하다	make use of ~을 이용하다	deal with ~을 다루다, 처리하다
look down on ~을 무시하다	look up to ~을 존경하다	turn on/off ~을 켜다/끄다

[1-11] 우리말과 같도록 괄호 안의 말을 활용하여 영작하시오.

1 그 제안은 Jason에 의해 거절되었다. (the offer)

= _____ by Jason.

2 그 문제는 경찰관에 의해 처리될 것이다. (the problem)

= _____ by the police officer.

3 아이들은 그들의 아빠에 의해 돌봐졌다. (the children)

= _____ by their dad.

4 축제는 비 때문에 미뤄졌다. (the festival)

= _____ because of rain.

5 인도인들은 1800년대에 영국인들에 의해 무시되었다. (the Indians)

= _____ by the British in the 1800s.

6 오븐은 요리사에 의해 꺼졌다. (the oven)

= _____ by the chef.

7 Wilson 선생님은 그의 학생들에 의해 존경받았다. (Mr. Wilson)

= _____ by his students.

8 그 새끼 고양이들은 나의 엄마에 의해 돌봐졌다. (those kittens)

= _____ by my mom.

9 미디어는 정부에 의해 이용될 수 있다. (media)

= _____ by government.

10 불이 켜졌고, 그것들은 별들처럼 보였다. (the lights)

= _____ and they looked like stars.

11 회의에서 여러 가지의 주제들이 다뤄졌다. (various topics)

= _____ at the meeting.

POINT 6 by 이외의 전치사를 쓰는 수동태

우리말과 같도록 괄호 안의 말을 활용하여 영작하시오.

나는 나의 성적에 만족한다. (satisfy)

I _____ my grade.

'~에 만족하다'는 의미를 나타내야 하므로 be satisfied with를 쓴다.

정답: am satisfied with

수동태에서 행위자는 보통 by와 함께 쓰지만, 다음과 같이 by 이외의 전치사를 쓰는 경우도 있다.

be pleased with ~에 기뻐하다	be surprised at ~에 놀라다	be worried about ~에 대해 걱정하다
be satisfied with ~에 만족하다	be disappointed with ~에 실망하다	be interested in ~에 관심이 있다
be made of[from] ~으로 만들어지다	be covered with ~으로 덮여 있다	be filled with ~으로 가득 차 있다
be crowded with ~으로 붐비다	be known to ~에게 알려져 있다	be known as ~으로 알려져 있다

[1-11] 우리말과 같도록 괄호 안의 말을 활용하여 영작하시오.

1 그 산은 일 년 내내 눈으로 덮여 있다. (snow)

= The mountain _____ all year.

2 Kevin은 수학 시험에 대해 걱정했다. (the math exam)

= Kevin _____.

3 마오리족은 사나운 전사로 알려져 있다. (fierce warriors)

= The Maori _____.

4 도서관은 학생들로 붐비고 있었다. (students)

= The library _____.

5 저 버거들은 콩고기 패티로 만들어져 있다. (soy patties)

= Those burgers _____.

6 Jenna는 케이크의 가격에 놀랐다. (the price)

= Jenna _____ of the cake.

7 나의 개는 새 장난감에 기뻐했다. (the new toy)

= My dog _____.

8 명상의 효과는 많은 사람들에게 알려져 있다. (a lot of people)

= Meditation's effect _____.

9 그 꽃병은 모래와 자갈로 가득 차 있다. (sand)

= The vase _____ and pebbles.

10 모든 사람들은 영화의 결말에 실망했다. (the ending of the movie)

= Everyone _____.

11 나의 남동생은 암벽 등반에 관심이 있다. (rock climbing)

= My brother _____.

기출문제 풀고 짝문제로 마무리!

기출문제를 풀고 정답과 해설을 확인하세요. 짝문제를 풀면서 복습하고, 틀린 문제는 다시 틀리지 않도록 꼼꼼히 점검하세요.

단어 배열하여 영작하기
우리말과 같도록 괄호 안의 말을 알맞게 배열하시오.

기출문제 풀고

01 자전거는 Diana에게 그녀의 친구에 의해 빌려졌다. (lent, the bicycle, Diana, was, to)

= _____
_____ by her friend.

02 저 종이 가방들은 재활용 상자에 넣어져야 한다. (put, those, should, paper bags, be)

= _____
_____ in the recycling box.

03 그 정치인은 선거 결과에 놀랐다. (the result, was, at, the politician, surprised)

= _____
_____ of the election.

04 깨진 접시들은 새것들로 교체될 것이다. (replaced, the broken plates, be, will)

= _____
_____ with new ones.

05 그 도둑은 Tom에 의해 은행을 터는 것이 보아졌다. (to, the bank, the thief, seen, was, rob)

= _____
_____ by Tom.

짝문제로 마무리

06 눈사람이 소녀를 위해 그녀의 부모에 의해 만들어졌다. (built, the girl, the snowman, was, for)

= _____
_____ by her parents.

07 세균은 비누를 사용함으로써 쉽게 제거될 수 있다. (removed, germs, easily, be, can)

= _____
_____ by using soap.

08 고객들은 새 제품의 질에 실망했다. (the quality, customers, with, were, disappointed)

= _____
_____ of the new product.

09 나의 머리는 미용사에 의해 잘리고 있다. (being, is, my hair, cut)

= _____
_____ by the hairdresser.

10 감자 싹은 독성이 있다고 여겨진다. (considered, be, are, to, poisonous)

= Potato sprouts _____
_____ .

기출문제를 풀었으면 채점한 후, 짝문제를 푸세요. ▶

주어진 단어로 영작하기
우리말과 같도록 괄호 안의 말을 활용하여 영작하시오.

기출문제 풀고

11 그 소포는 Fred에 의해 나에게 보내졌다. (send)

= The package _____

_____ .

12 스트레스는 운동하는 것으로 완화될 수 있다. (relieve, exercising)

= Stress _____

_____ .

13 시험이 취소되었다고 공지되어졌다. (notice, the exam, canceled)

= It _____

_____ .

14 Margaret Thatcher는 Iron Lady로 알려져 있다. (the Iron Lady)

= Margaret Thatcher _____

_____ .

15 아기는 바깥의 소음에 의해 울게 되었다. (make, cry, the noise)

= The baby _____

_____ outside.

짝문제로 마무리

16 목걸이는 아빠에 의해 엄마에게 주어졌다. (give)

= The necklace _____

_____ .

17 그 사건은 판사에 의해 결정되어야 한다. (decide, the judge)

= The case _____

_____ .

18 한강이 서울의 상징이라고 말해졌다. (say, the Hangang, the symbol of Seoul)

= It _____

_____ .

19 공항은 프랑스에서 온 관광객으로 붐볐다. (tourists from France)

= The airport _____

_____ .

20 멸종 위기에 처한 동물들을 구하기 위해 많은 노력이 이루어졌다. (the endangered animals, were, save, to, made)

= A lot of efforts _____

_____ .

문장 바꿔 쓰기

다음 능동태 문장을 수동태 문장으로 바꿔 쓰시오.

21

Rachel had opened the window before she swept the floor.

→ _____

_____ before she swept the floor.

22

Anna and her friends will prepare the surprise party tomorrow.

→ _____

_____ tomorrow.

23

Everyone thinks that James is a smart student.

→ _____

_____ by everyone.

24

The plumber has repaired the faucet for two hours.

→ _____

_____ by the plumber.

25

People know that smoking is really bad for health.

→ It is _____

_____ .

26

My dad had grown the rose tree since I was five years old.

→ _____

_____ since I was five years old.

27

We should wash the dishes before we cook dinner.

→ _____

_____ before we cook dinner.

28

People believe that a four-leaf-clover brings good luck.

→ _____

_____ by people.

29

They have painted the old door blue since yesterday.

→ _____

_____ by them since yesterday.

30

People say that working four days a week will improve work efficiency.

→ It is _____

_____ .

틀린 부분 고쳐 쓰기
다음 문장에서 틀린 부분을 바르게 고쳐 완전한 문장을 쓰시오.

기출문제 풀고

31
> Marie Curie is known to the mother of modern physics.

→ _____

32
> The patient was given to some pills by the doctor.

→ _____

33
> Hanna made a suggestion, but it was turned down as the committee.

→ _____

34
> Brian was pleased of his favorite author's new novel.

→ _____

35 고난도
> Everyone was asked take off their shoes by the instructor.

→ _____

36
> The customers were satisfied to the restaurant's service.

→ _____

짝문제로 마무리

37
> Everyone should be interested with environmental problems.

→ _____

38
> The pyramids were built to dead pharaohs in the past.

→ _____

39
> This project has been put off the CEO until next year.

→ _____

40
> The bottom of the lake was covered on plastic waste.

→ _____

41 고난도
> People were advised remaining indoors for safety by the government.

→ _____

42
> The old buildings of the temple were made by wood.

→ _____

CHAPTER 03

수동태 해카스 쓰기 자신감 Level 3

조건에 맞게 영작하기
우리말과 같도록 주어진 <조건>에 맞게 영작하시오.

기출문제 풀고	짝문제로 마무리

43 학교에서 역사는 Riley 선생님에 의해 학생들에게 가르쳐졌다.

— <조건> —
1. history, teach, student, Mr. Riley를 활용하시오.
2. 7단어로 쓰시오.

= _____

_____ at school.

45 그 미술 작품은 20년 후에 박물관에 의해 대중에 보여졌다.

— <조건> —
1. the artwork, show, the public을 활용하시오.
2. 7단어로 쓰시오.

= _____

_____ by the museum after 20 years.

44 고난도 많은 질문들이 기자들에 의해 대통령에게 질문되어야 한다.

— <조건> —
1. many questions, should, ask, the president을 활용하시오.
2. 8단어로 쓰시오.

= _____

_____ by the reporters.

46 고난도 이 차들은 전문적인 정비공들에 의해 카레이서들을 위해 수리되어야만 한다.

— <조건> —
1. these cars, must, fix, the car racers를 활용하시오.
2. 9단어로 쓰시오.

= _____

_____ by professional mechanics.

기출문제를 풀었으면 채점한 후, 짝문제를 푸세요. ▶

대화 영작하기
괄호 안의 말을 활용하여 대화를 완성하시오.

기출문제 풀고	짝문제로 마무리

47 A: Did you use any butter to bake this cake?
B: No. It _____ _____ _____ coconut oil. (make)

49 A: How did you like the movie you watched yesterday?
B: My friends and I _____ _____ _____ it. Its plot was ridiculous. (disappoint)

48 A: When should we turn in our homework?
B: The reports _____ _____ _____ by the teacher already. (collect)

50 A: Has there been an increase in car accidents lately?
B: Many accidents _____ _____ _____ by careless driving. (cause)

기출문제를 풀었으면 채점한 후, 짝문제를 푸세요. ▶

CHAPTER

04

부정사

기출문제 풀고 짝문제로 마무리!

우리말과 같도록 괄호 안의 말을 활용하여 영작하시오.

모래를 가지고 노는 것은 재미있다. (play)

_____ **is fun** _____ **with sand.**

to부정사가 주어로 쓰일 때 주어 자리에 가주어 it을 쓰고 진주어 to play는 뒤로 보낼 수 있다.

정답: It, to play

- 명사 역할을 하는 to부정사가 주어로 쓰이면 주어 자리에 가주어 it을, 5형식 문장의 목적어로 쓰이면 목적어 자리에 가목적어 it을 쓰고 진주어/진목적어 to부정사(구)를 뒤로 보낼 수 있다.

  I found **it** difficult **to keep a diary** everyday. 나는 매일 일기를 쓰는 것이 어렵다는 것을 알았다.

- 「의문사 + to부정사」는 문장 안에서 명사처럼 쓰이며, 「의문사 + 주어 + should + 동사원형」으로 바꿔 쓸 수 있다.

  I don't know **where to park** my car. 나는 나의 차를 어디에 주차할지 모르겠다.

  → I don't know **where I should park** my car.

[1-5] 우리말과 같도록 괄호 안의 말을 알맞게 배열하시오.

1 오리발을 끼고 수영하는 것은 쉽다. (swim, easy, it, to, is)

= _____ with flippers.

2 그녀는 감자들로 무엇을 해야 할지 확실하지 않았다. (should, wasn't, do, sure, what, she, she)

= _____ with the potatoes.

3 아빠는 열 시까지 집에 오는 것을 규칙으로 만들었다. (a rule, made, Dad, come, it, home, to)

= _____ by 10.

4 너는 휴일에 어디에 갈지 정했니? (where, decide, did, go, to, you)

= _____ for the holidays?

5 나는 마을을 가로질러 걷고 있는 곰을 보는 것이 이상하다고 생각했다. (strange, thought, I, a bear, to see, it)

= _____ walking through the town.

[6-10] 우리말과 같도록 괄호 안의 말을 활용하여 영작하시오.

6 그 제과점은 빵들의 가격을 올리는 것이 필요하다고 생각했다. (find, necessary, raise the price)

= The bakery _____ of its bread.

7 약사가 너에게 언제 약을 먹어야 할지 말해줬니? (tell, take the pill)

= Did the pharmacist _____?

8 너는 공항에 어떻게 가는지 아니? (know, get to the airport)

= Do you _____?

9 1980년대까지는 외국을 방문하는 것이 어려웠다. (difficult, visit foreign countries)

= _____ until the 1980s.

10 나는 영어 문법을 배우는 것이 쉽다고 생각했다. (easy, learn English grammar)

= I found _____.

 POINT 2 형용사/부사 역할을 하는 to부정사

우리말과 같도록 괄호 안의 말을 활용하여 영작하시오.

> 나는 좋은 소식을 들어서 기뻤다. (pleased, hear)
>
> # I was _____ the good news.

'들어서 기뻤다'라는 의미의 형용사 pleased를 수식하는 부사적 용법의 to부정사를 써야 하므로 pleased to hear를 쓴다.

정답: pleased to hear

- 형용사 역할을 하는 to부정사는 '~할, ~하는'의 의미로, (대)명사를 뒤에서 수식한다. 수식을 받는 명사가 전치사의 목적어인 경우 to부정사 뒤에 반드시 전치사를 쓴다.
  He purchased *a house* **to live in**.(← live in a house) 그는 살 집을 구매했다.
- 부사 역할을 하는 to부정사는 목적(~하기 위해), 감정의 원인(~해서, ~하니), 판단의 근거(~하다니), 결과(···해서 결국) ~하다)의 의미를 나타내거나 형용사를 수식(~하기에)할 때 쓴다.
  The coach selected talented players **to win** the game. 그 감독은 경기를 이기기 위해 재능있는 선수들을 선발했다.
  I feel sad **to hear** that you are having a hard time. 나는 네가 힘든 시간을 보내고 있다는 것을 들으니 슬프다.

[1-5] 우리말과 같도록 괄호 안의 말을 알맞게 배열하시오.

1 이 산은 오르기에 힘들다. (climb, hard, is, to)

= This mountain _____.

2 Amy는 그녀의 실수에 대해 사과하기 위해 그에게 편지를 썼다. (apologize, wrote, to, to, a letter, him)

= Amy _____ for her mistake.

3 저 교복을 입다니 그들은 학생임에 틀림없다. (students, be, to, those uniforms, must, wear)

= They _____.

4 나에게 먹을 숟가락을 가져다주겠니? (with, a spoon, me, eat, bring, to)

= Will you _____?

5 우리는 숲속에서 코알라를 봐서 놀랐다. (the koala, surprised, were, see, we, to)

= _____ in the forest.

[6-10] 우리말과 같도록 괄호 안의 말을 활용하여 영작하시오.

6 레오나르도 다 빈치는 67살까지 살았다. (live, be 67 years old)

= Leonardo da Vinci _____.

7 나는 옷장에 입을 것이 아무것도 없다. (have anything, wear)

= _____ in the closet.

8 그 요리사는 신선한 재료를 보고 만족했다. (satisfied, see the fresh ingredients)

= The chef was _____.

9 화장실에 쓸 수건이 하나도 없다. (any towels, use)

= _____ in the bathroom.

10 우리는 교통 체증을 피하기 위해 일찍 떠나야 한다. (leave early, avoid the traffic)

= We should _____.

다음 주어진 문장의 밑줄친 부분을 바르게 고쳐 쓰시오.

The doctor told him take the medicine once a day.

→ **The doctor told him _____ once a day.**

tell은 to부정사를 목적격 보어로 쓰는 동사이므로 목적격 보어 자리에 to take를 쓴다.

정답: to take the medicine
해석: 의사는 그에게 하루에 한 번 그 약을 먹으라고 말했다.

다음 동사들은 목적격 보어로 to부정사를 쓴다.

want ~가 …하기를 원하다	tell ~에게 …하라고 말하다	ask ~에게 …하라고 요청하다
expect ~가 …하는 것을 기대하다	advise ~에게 …하라고 조언하다	allow ~가 …하는 것을 허락하다(가능하게 하다)
order ~에게 …하라고 명령하다	enable ~가 …할 수 있게 해주다	encourage ~가 …하는 것을 격려하다

[1-5] 우리말과 같도록 괄호 안의 말을 알맞게 배열하시오.

1 Sam은 그의 친구가 토요일에 그를 방문하길 원했다. (to, him, his friend, wanted, visit)

= Sam _____ on Saturday.

2 나의 할머니는 나에게 그녀의 안경을 찾아달라고 요청했다. (find, asked, to, her glasses, me)

= My grandmother _____.

3 선생님은 아이들이 그들의 생각을 쓰는 것을 격려했다. (the children, their ideas, encouraged, write down, to)

= The teacher _____.

4 그 판사는 그에게 재판정을 떠나라고 명령했다. (leave, him, ordered, to, the court)

= The judge _____.

5 팀 스포츠는 우리가 팀워크의 가치를 이해할 수 있게 해준다. (the value, to, allow, us, understand)

= Team sports _____ of teamwork.

[6-10] 우리말과 같도록 괄호 안의 말을 활용하여 영작하시오.

6 Foster 의사 선생님은 그의 환자에게 더 많이 자라고 조언했다. (his patient, sleep more)

= Dr. Foster _____.

7 모든 사람들은 Fiona가 우리 반 반장이 되는 것을 기대했다. (become our class president)

= Everyone _____.

8 그의 경험들은 그가 CEO로 선택되는 것을 가능하게 했다. (be chosen)

= His experiences _____ as CEO.

9 나는 그들에게 쿠키를 가지고 싸우는 것을 멈추라고 말했다. (stop fighting)

= I _____ over the cookies.

10 대량 생산은 산업화가 가속화하는 것을 가능하게 했다. (industrialization, speed up)

= Mass production _____.

POINT 4 목적격 보어로 쓰이는 원형부정사

우리말과 같도록 괄호 안의 말을 활용하여 영작하시오.

Brian은 그의 여동생이 그녀의 숙제를 하게 했다. (make, do, homework)

Brian _____ .

'하게 했다'는 의미의 동사 make는 목적격 보어로 원형부정사를 써야 하므로 목적격 보어 자리에 do를 쓴다.

정답: made his sister do her homework

사역동사(make, have, let)와 지각동사(see, hear, smell, feel 등)는 목적격 보어로 원형부정사를 쓴다. 지각동사는 진행 중인 동작을 강조할 때 목적격 보어 자리에 현재분사를 쓸 수 있고, 사역동사와 지각동사의 목적어와 목적격 보어의 관계가 수동일 때는 목적격 보어 자리에 과거분사를 쓴다.
The musician *heard* Tony **practice[practicing]** the violin. 그 음악가는 Tony가 바이올린 연습하는(하고 있는) 것을 들었다.
The engineer *had* my computer **repaired**. 그 기술자는 나의 컴퓨터가 고쳐지게 했다.

TIP 준사역동사인 help는 to부정사와 원형부정사 둘 다 목적격 보어로 쓸 수 있으며, get의 목적격 보어 자리에는 to부정사만 쓴다.

[1-5] 다음 문장에서 틀린 부분을 바르게 고쳐 완전한 문장을 쓰시오.

1 On the cruise, we will watch the dolphins to swim.

→

2 Mr. Jordan allowed the students use laptops in class.

→

3 The police got the driver stop the car.

→

4 The lawyer had his client to wait during the phone call.

→

5 I felt my eyes swollen while I was crying.

→

[6-10] 우리말과 같도록 괄호 안의 말을 활용하여 영작하시오.

6 우리는 바람 때문에 나무가 넘어지는 것을 봤다. (the tree, fall)

= _____ because of the wind.

7 Andrew는 그 할머니께서 길 건너시는 것을 도와드렸다. (the old lady, walk)

= _____ across the street.

8 코치는 우리가 몇 시간 동안 연습을 하게 만드셨다. (the coach, practice)

= _____ for several hours.

9 그들은 간호사에 의해 그들의 이름이 불리는 것을 들었다. (their names, call)

= _____ by the nurse.

10 Chloe는 부엌에서 무언가 타는 냄새를 맡았다. (something, burn)

= _____ in the kitchen.

우리말과 같도록 괄호 안의 말을 활용하여 영작하시오.

그녀가 나를 도와주다니 친절했다. (assist)

It was nice _____ me.

일을 도와주는 주체(그녀)가 주어(It)와 다르고, 사람의 성격을 나타내는 형용사 nice가 있으므로 「of + 목적격」의 형태로 쓴다.

정답: of her to assist

- to부정사가 나타내는 행위의 주체가 문장의 주어와 다를 때 「for + 목적격」 형태의 의미상 주어를 to부정사 앞에 쓴다.
  This puzzle is easy **for her** *to solve*. 이 퍼즐은 그녀가 풀기에 쉽다.
- to부정사의 의미상 주어가 사람의 성격이나 성질을 나타내는 형용사 뒤에 쓰일 때는 「of + 목적격」 형태로 쓴다.
  It was *silly* **of him** *to swim* in a cold lake. 그가 차가운 호수에서 수영하다니 어리석었다.

[1-5] 다음 두 문장을 한 문장으로 연결하시오.

1 You helped my grandfather. It was kind.

→ It _____ .

2 The roller coaster is dangerous. Children can't ride it.

→ The roller coaster _____ .

3 He admitted his mistake. It was honest.

→ It _____ .

4 You told everyone the secret. It was careless.

→ It _____ .

5 James made me a pancake. I had it.

→ James _____ .

[6-10] 우리말과 같도록 괄호 안의 말을 활용하여 영작하시오.

6 농부들은 새들이 먹도록 약간의 열매들을 남겼다. (leave, some berries, eat)

= Farmers _____ .

7 그녀가 미리 계획하다니 현명했다. (wise, plan)

= _____ ahead.

8 네가 우리를 저녁에 초대하다니 친절했다. (nice, invite)

= _____ to dinner.

9 과일 스무디는 우리가 마시기에 건강하다. (healthy, drink)

= Fruit smoothies _____ .

10 나는 네가 입을 따뜻한 코트를 샀다. (buy, a warm coat, wear)

= I _____ .

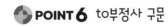
두 문장의 의미가 같도록 to부정사를 활용하여 문장을 완성하시오.

> It seemed that Ken liked Sora.
>
> → **Ken seemed** _____ **Sora.**

「주어 + seem/seemed + to부정사」는 「It + seems/ seemed (that) ~」 형태로 바꿔 쓸 수 있다.

정답: to like
해석: Ken은 소라를 좋아하는 것 같아 보였다.

to부정사 구문으로 다양한 의미를 나타낼 수 있으며, that절을 포함한 문장으로 바꿔 쓸 수 있다.

- 「주어 + seem/seemed + to부정사」: ~인 것 같다, ~해 보인다 (= It + seems/seemed (that) + 주어 + 동사)
  Paul **seems to be** happy today. → **It seems (that)** Paul **is** happy today. Paul은 오늘 행복해 보인다.

- 「too + 형용사/부사 + to부정사」: …하기에 너무 ~한/하게 (= so + 형용사/부사 + that + 주어 + can't/couldn't + 동사원형)
  The question was **too** difficult *for her* **to solve**. 그 질문은 그녀가 풀기에 너무 어려웠다.
  → The question was **so** difficult **that** *she* **couldn't solve** it. 그 질문은 너무 어려워서 그녀는 그것을 풀 수 없었다.

  * 문장의 주어가 to부정사의 목적어인 경우 that절에 반드시 목적어를 쓴다.

- 「형용사/부사 + enough + to부정사」: …할 만큼 충분히 ~한 (= so + 형용사/부사 + that + 주어 + can/could + 동사원형)
  Jane studied hard **enough to get** good grades. Jane은 좋은 성적을 받을 만큼 열심히 공부했다.
  → Jane studied **so** hard **that** she **could get** good grades. Jane은 정말 열심히 공부해서 좋은 성적을 받을 수 있었다.

[1-10] 다음 두 문장의 의미가 같도록 문장을 완성하시오.

1 Jamie is so tall that she can't wear that coat.

   → Jamie _____.

2 It seemed that the suspect was lying.

   → The suspect _____.

3 The lake was so warm that we could swim in it.

   → The lake _____.

4 This land is fertile enough for plants to grow.

   → This land _____.

5 It was too cold for us to play outside.

   → It _____.

6 Steven was too tired to stay up.

   → Steven _____.

7 The trash can was too dirty for us to touch.

   → The trash can _____.

8 It seems that the customer is satisfied with the product.

   → The customer _____.

9 The lock was so weak that thieves could break in.

   → The lock _____.

10 Fish are becoming so expensive that we can't feed them to the penguins.

   → Fish _____.

기출문제 풀고 짝문제로 마무리!

기출문제를 풀고 정답과 해설을 확인하세요. 짝문제를 풀면서 복습하고, 틀린 문제는 다시 틀리지 않도록 꼼꼼히 점검하세요.

단어 배열하여 영작하기

우리말과 같도록 괄호 안의 말을 알맞게 배열하시오.

기출문제 풀고

01 그 잠자리는 잡기에 너무 높이 날고 있다. (flying, catch, is, high, to, too)

= The dragonfly _____

_____ .

02 기술의 발달은 우리가 집에서 일하는 것을 가능하게 했다. (work, us, from home, allowed, to)

= Technological advances _____

_____ .

03 그는 이메일로 나에게 읽을 시를 보내 주었다. (a poem, read, sent, to, me)

= He _____

_____ by email.

04 기차표를 어디에서 사야하는지 당신이 제게 말씀해주시겠어요? (the train tickets, me, where, tell, buy, to)

= Would you _____

_____ ?

05 우리가 새로운 것들을 경험하는 것은 중요하다. (is, for, to, important, experience, us, it)

= _____

_____ new things.

짝문제로 마무리

06 그 말은 경주에서 이기기에 너무 느렸다. (the race, too, win, slow, was, to)

= The horse _____

_____ .

07 아무도 경제가 그렇게 빠르게 붕괴할 것이라고 예상하지 못했다. (to, the economy, expected, crash)

= No one _____

_____ so fast.

08 나에게 쓸 종이를 주겠니? (a piece of paper, on, give, write, me, to)

= Will you _____

_____ ?

09 이 안내 책자는 이 기계를 어떻게 쓰는지 자세히 설명한다. (use, explains, to, this machine, how)

= This brochure _____

_____ in detail.

10 네가 그의 약속을 다시 믿다니 어리석었다. (silly, of, it, trust, you, was, to)

= _____

_____ his promises again.

기출문제를 풀었으면 채점한 후, 짝문제를 푸세요. ▶

주어진 단어로 영작하기
우리말과 같도록 괄호 안의 말을 활용하여 영작하시오.

기출문제 풀고	짝문제로 마무리

11 화학 실험실에서는 조심하는 것이 필요하다. (necessary, be careful)

= _____

_____ in a chemical laboratory.

12 나는 너에게 말할 흥미로운 소식을 가지고 있다. (interesting news, tell)

= _____

_____ you.

13 우리는 나무 뒤에 누군가가 숨은 것을 봤다. (someone, hide)

= _____

_____ behind the tree.

14 관광객은 길을 묻기 위해 안내소에 들렀다. (the information center, ask for directions)

= The tourist stopped by _____

_____ .

15 그 노인은 앉을 의자를 찾고 있었다. (look for, sit on)

= The old man _____

_____ .

16 새로운 사람을 만나는 것은 항상 신이 난다. (always, exciting, meet)

= _____

_____ new people.

17 내 집 주변에는 등록할 체육관이 하나도 없다. (any gym, sign up for)

= _____

_____ near my house.

18 나는 그가 전화로 화가 나서 소리치는 것을 들었다. (shout angrily)

= _____

_____ on the phone.

19 시민 대표는 문제를 논의하기 위해 회의를 요청했다. (a meeting, discuss the matter)

= The citizen representatives asked for

_____ .

20 너는 너의 문제에 대해 이야기할 친구가 필요하다. (need, talk to)

= You _____

_____ about your problem.

문장 바꿔 쓰기

다음 두 문장의 의미가 같도록 주어진 주어로 시작하는 문장을 완성하시오.

21 To protect wild animals is important for the future.

→ It _____

_____ for the future.

26 To plan our trip to Europe took a long time for me.

→ It _____

_____ .

22 It seems that the water is leaking from the pipe.

→ The water _____

_____ .

27 The rain seemed to fall all night long.

→ It _____

_____ .

23 고난도 The weather is so humid that laundry can't dry.

→ The weather _____

_____ .

28 고난도 The job offer was too good for Larry to refuse.

→ The job offer _____

_____ .

24 The door isn't wide enough for the refrigerator to pass through.

→ The door _____

_____ .

29 My grandmother is healthy enough to travel long distances.

→ My grandmother _____

_____ .

25 The man seemed to be pleased with his new pants.

→ It _____

_____ .

30 It seemed that Harry was lying about his grade.

→ Harry _____

_____ .

기출문제를 풀었으면 채점한 후, 짝문제를 푸세요. ▶

두 문장을 한 문장으로 연결하기
다음 두 문장을 한 문장으로 연결하시오.

기출문제 풀고	짝문제로 마무리

31

They finished their homework. They were happy.

→ They _____

_____ .

36

The ballerina will perform on the stage. She is excited.

→ The ballerina _____

_____ .

32

I will stay in London. I am searching for a place there.

→ I _____

_____ .

37

There are many balls. The dog can play with them.

→ There _____

_____ .

33 고난도

A human can't run faster than a cheetah. It is impossible.

→ It _____

_____ .

38 고난도

You studied physics in college. Was it interesting?

→ Was _____

_____ ?

34

When should he visit the dentist? He forgot.

→ He _____

_____ .

39

How should I pay the rent? Let me know.

→ Let _____

_____ .

35 고난도

The sea is so rough. We can't swim in it.

→ The sea _____

_____ .

40 고난도

The fork is so dirty. I can't eat with it.

→ The fork _____

_____ .

틀린 부분 고쳐 쓰기

다음 문장에서 틀린 부분을 바르게 고쳐 완전한 문장을 쓰시오.

기출문제 풀고	짝문제로 마무리

41 It was foolish for you to walk barefoot.

→ _____

_____

42 Everyone heard the man to complain.

→ _____

_____

43 Is it difficult for you live without a cell phone these days?

→ _____

_____

44 He made us to clean the gym after class.

→ _____

_____

45 The sun was enough hot to cook an egg on the street.

→ _____

_____

46 It is hard of me to get up early.

→ _____

_____

47 Bella expects her friend call her soon.

→ _____

_____

48 It is dangerous drive on an icy road in winter.

→ _____

_____

49 Jenny told me not believe superstitions.

→ _____

_____

50 The math question was enough complicated for me to give up.

→ _____

_____

기출문제를 풀었으면 채점한 후, 짝문제를 푸세요. ▶

CHAPTER

05

동명사

- 🔵 **POINT 1**   동명사의 형태와 쓰임
- 🔵 **POINT 2**   동명사나 to부정사만 목적어로 쓰는 동사
- 🔵 **POINT 3**   동명사와 to부정사를 모두 목적어로 쓰는 동사
- 🔵 **POINT 4**   동명사 관용 표현

기출문제 **풀고** 짝문제**로 마무리!**

POINT 1 동명사의 형태와 쓰임

우리말과 같도록 괄호 안의 단어와 동명사를 활용하여 영작하시오.

사업을 운영하는 것은 어렵다. (run, a business)

_____ **is difficult.**

'운영하는 것'이라는 의미를 나타내기 위해 V-ing 형태의 동명사를 쓴다.

정답: Running a business

동명사는 V-ing의 형태로 '~하기, ~하는 것'을 의미한다. 동명사는 명사처럼 쓰여 문장 안에서 주어, 목적어, 보어 자리에 쓴다.

Wendy loves **doing yoga** for health. <동사의 목적어> Wendy는 건강을 위해 요가 하는 것을 좋아한다.

Thank you for **inviting** me. <전치사의 목적어> 저를 초대해 주신 것에 대해 감사드립니다.

Eric's hobby is **playing** basketball. <보어> Eric의 취미는 농구를 하는 것이다.

TIP 동명사의 부정형은 동명사 앞에 not이나 never를 붙인 형태로 쓴다.

Not answering the phone caused a problem. 전화에 응답하지 않은 것은 문제를 일으켰다.

[1-5] 다음 문장에서 틀린 부분을 바르게 고쳐 완전한 문장을 쓰시오.

1 Getting enough not sleep can make people tired.

→ _____

2 I am sorry for to bother you.

→ _____

3 Taking pictures of birds are my hobby.

→ _____

4 Tony apologized for spill coffee on the table.

→ _____

5 Michael enjoys surf on huge waves.

→ _____

[6-10] 주어진 단어와 동명사를 활용하여 우리말을 영어 문장으로 쓰시오.

6 나는 소문을 퍼트리는 데 나의 시간을 낭비하는 것을 그만뒀다. (quit, waste, time)

= _____ on spreading gossip.

7 문제를 피하는 것은 상황을 더 나쁘게 만들 것이다. (avoid, the problem, make, the situation)

= _____ worse.

8 그들의 목표는 달에 우주선을 착륙시키는 것이었다. (their goal, land, the spacecraft)

= _____ on the moon.

9 David는 그의 친구를 돕지 않은 것을 후회했다. (regret, help, friend)

= David _____.

10 Janice는 내가 왜 늦었는지 계속해서 물었다. (keep, ask, why, late)

= Janice _____.

POINT 2 동명사나 to부정사만 목적어로 쓰는 동사

우리말과 같도록 괄호 안의 말을 활용하여 영작하시오.

사람들은 그들의 약점에 대해 말하는 것을 피한다. (talk)

People _____ about their weakness.

'피하다'라는 의미의 동사 avoid는 동명사를 목적어로 쓰므로 목적어 자리에는 talk의 동명사 형태인 talking을 쓴다.

정답: avoid talking

- 다음 동사들은 동명사를 목적어로 쓴다.

enjoy	finish	avoid	mind	give up	keep	stop	quit	practice	consider

I *finished* **cleaning** my bedroom last night.   나는 어젯밤에 나의 침실을 청소하는 것을 끝냈다.

- 다음 동사들은 to부정사를 목적어로 쓴다.

want	decide	wish	plan	hope	expect	promise	need	agree	learn

The company *decided* **to launch** a new service.   그 회사는 새로운 서비스를 출시하기로 결정했다.

[1-4] 우리말과 같도록 괄호 안의 말을 알맞게 배열하시오.

1 나의 개는 신발 끈을 씹는 것을 즐긴다. (chewing, enjoys, the shoelaces)

= My dog _____.

2 Swan 씨는 그의 딸을 공원에 데려가기로 약속했다. (take, promised, his daughter, the park, to, to)

= Mr. Swan _____.

3 그 보험 회사는 그 손해에 대해 지불하는 것에 동의했다. (pay, agreed, for, to, the damages)

= The insurance company _____.

4 우리는 겨울 전에 우리 집을 개조하는 것을 고려했다. (remodeling, before, considered, our house, winter)

= We _____.

[5-9] 우리말과 같도록 괄호 안의 말을 활용하여 문장을 완성하시오.

5 Sarah는 학생회장으로 입후보하는 것을 포기했다. (give up, run, for student president)

= Sarah _____.

6 어린이들은 식탁에서 예의 바르게 행동하는 것을 배워야만 한다. (must learn, behave, at the table)

= Children _____.

7 우리는 우리의 제품을 더 적극적으로 광고할 계획이다. (plan, advertise, our product)

= We _____ more actively.

8 그는 침대 위에서 뛰는 것을 계속했다. (keep, jump, on the bed)

= He _____.

9 우리 반은 장기 자랑을 위해 노래 부르는 것을 연습했다. (practice, sing, for the talent show)

= Our class _____.

우리말과 같도록 괄호 안의 말을 활용하여 영작하시오.

그는 오늘 그의 지갑을 가져올 것을 잊었다. (bring, wallet)

He _____ **today.**

'가져 올 것을 잊었다'는 의미를 나타내기 위해 동사 forget 뒤에 to부정사를 쓴다.

정답: forgot to bring his wallet

- 다음 동사들은 동명사와 to부정사를 모두 목적어로 쓸 수 있지만, 무엇을 쓰는지에 따라 의미가 달라진다.

forget + 동명사	(과거에) ~한 것을 잊다	regret + 동명사	~한 것을 후회하다
forget + to부정사	(미래에) ~할 것을 잊다	regret + to부정사	~하게 되어 유감이다
remember + 동명사	(과거에) ~한 것을 기억하다	try + 동명사	(시험 삼아) ~해보다
remember + to부정사	(미래에) ~할 것을 기억하다	try + to부정사	~하려고 노력하다

- like, love, hate, begin, start, continue 등의 동사들은 동명사와 to부정사를 모두 목적어로 쓸 수 있으며 형태와 상관없이 의미가 같다.

[1-5] 우리말과 같도록 괄호 안의 말을 알맞게 배열하시오.

1 그들은 사전에 그 기계를 시험 삼아 사용해 봤다. (tried, the machine, they, using)

= _____ beforehand.

2 당신의 비행편이 지연되었다는 것을 알리게 되어 유감이다. (to, you, I, inform, regret)

= _____ that your flight has been delayed.

3 너의 성적을 향상시키려고 노력하는 것을 절대 멈추지 말아라. (trying, your grades, stop, improve, to)

= Never _____ .

4 그녀는 횡단보도를 볼 때까지 계속해서 뛰었다. (running, she, continued)

= _____ until she saw the crosswalk.

5 그는 그가 아이였을 때 뉴욕을 방문한 것을 기억한다. (New York, remembers, he, visiting)

= _____ when he was a kid.

[6-10] 우리말과 같도록 괄호 안의 말을 활용하여 영작하시오.

6 나는 전화로 일찍 너와 이야기한 것을 잊었다. (speak to you)

= I _____ earlier on the phone.

7 마라톤 선수들은 경주를 끝내려고 노력하고 있다. (finish the race)

= Marathoners are _____ .

8 그녀는 항상 떠나기 전에 불 끌 것을 기억한다. (turn off the lights)

= She always _____ before leaving.

9 그 범죄자는 그 그림을 훔친 것을 후회했다. (steal the painting)

= The criminal _____ .

10 나의 고양이는 뒷마당에서 새들을 뒤쫓는 것을 좋아한다. (chase birds)

= My cat _____ in the backyard.

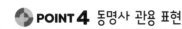
우리말과 같도록 괄호 안의 말을 활용하여 영작하시오.

그는 그의 첫 현장 학습에 가는 것을 기대하고 있었다. (go)

He _____ _____ _____ _____
_____ **to his first field trip.**

'~하는 것을 기대하다'라는 의미를 동명사를 쓰는 관용
표현으로 나타낼 수 있어요.

정답: was looking forward to going

동명사를 쓰는 관용 표현으로 다양한 의미를 나타낼 수 있다.

by + V-ing ~함으로써, ~해서	thank … for + V-ing ~한 것에 대해 …에게 감사하다
on[upon] + V-ing ~하자마자	have trouble[difficulty] + V-ing ~하는 데 어려움을 겪다
feel like + V-ing ~하고 싶다	be worth + V-ing ~할 가치가 있다
be used to + V-ing ~하는 데 익숙하다	cannot help + V-ing ~하지 않을 수 없다
look forward to + V-ing ~하는 것을 기대하다	spend + 시간/돈 + V-ing ~하는 데 시간/돈을 쓰다
keep[stop/prevent] … from + V-ing …가 ~하지 못하게 하다	be busy + V-ing ~하느라 바쁘다

[1-10] 우리말과 같도록 괄호 안의 말을 활용하여 영작하시오.

1 나는 새로 개봉한 영화를 보고 싶다. (watch the newly released movie)

= I _____ .

2 Ben의 엄마는 그가 컴퓨터 게임을 하지 못하게 하셨다. (play computer games)

= Ben's mom _____ .

3 Henry는 그의 가족을 위해 저녁 식사를 준비하느라 바빴다. (prepare dinner)

= Henry _____ for his family.

4 너는 약간의 그림을 걸어서 방을 장식할 수 있다. (decorate the room, hang some pictures)

= You can _____ .

5 문을 열자마자, 나는 나의 친구를 맞이했다. (open the door)

= _____ , I greeted my friend.

6 나는 화장을 하는 데 익숙하지 않다. (wear makeup)

= I'm _____ .

7 Anne은 수업 시간에 집중하는 데 어려움을 겪었다. (concentrate in class)

= Anne _____ .

8 나는 선물을 봤을 때, 미소를 짓지 않을 수 없었다. (smile)

= _____ when I saw the present.

9 우리는 소풍에 우리를 초대해 준 것에 대해 Noah에게 감사했다. (invite)

= _____ to the picnic.

10 소년들은 만화책을 읽는 데 하루를 썼다. (read comic books)

= The boys _____ .

기출문제 풀고 짝문제로 마무리!

기출문제를 풀고 정답과 해설을 확인하세요. 짝문제를 풀면서 복습하고, 틀린 문제는 다시 틀리지 않도록 꼼꼼히 점검하세요.

단어 배열하여 영작하기

우리말과 같도록 괄호 안의 말을 알맞게 배열하시오.

기출문제 풀고	짝문제로 마무리

01 배드민턴 치는 것은 항상 재미있다. (fun, badminton, always, playing, is)

= _____
_____

06 정원 가꾸기는 나의 엄마의 취미이다. (is, hobby, gardening, my mom's)

= _____
_____

02 나의 여동생은 아침에 신발 묶는 것에 어려움을 겪었다. (tying, my little sister, trouble, her shoes, had)

= _____
_____ in the morning.

07 Matt은 그가 없던 동안 그의 개를 돌봐준 것에 대해 나에게 감사했다. (thanked, taking care of, Matt, his dog, me, for)

= _____
_____ while he was away.

03 나는 찬물에서 수영하는 것을 꺼리지 않는다. (mind, in, I, swimming, cold water, don't)

= _____
_____

08 그녀는 주말에 영화 보는 것을 즐긴다. (movies, watching, she, the weekend, enjoys, on)

= _____
_____

04 Chris는 올해 가난한 사람들을 돕는 것에 그의 모든 저축을 썼다. (spent, helping, all his savings, the poor, Chris)

= _____
_____ this year.

09 그는 내일 생일 파티를 준비하느라 바쁠 것이다. (busy, for, will, the birthday party, he, preparing, be)

= _____
_____ tomorrow.

05 경주를 끝내는 것은 나 자신을 자랑스럽게 만들었다. (the race, proud of, me, myself, made, finishing)

= _____
_____

10 야생 버섯을 먹은 것은 식중독을 일으켰다. (the wild mushroom, food poisoning, eating, caused)

= _____
_____

기출문제를 풀었으면 채점한 후, 짝문제를 푸세요. ▶

주어진 단어로 영작하기
우리말과 같도록 괄호 안의 말을 활용하여 영작하시오.

기출문제 풀고

11 Carol은 어제 나에게 그녀의 모자를 빌려준 것을 잊었다. (forget, lend, hat)

= Carol _____

_____ yesterday.

12 Rick은 수업 시간 동안 계속해서 기침을 했다. (keep, cough)

= Rick _____

_____ during the class.

13 우리는 소음에도 불구하고 공부하는 것을 계속했다. (continue, study)

= We _____

_____ despite the noise.

14 그들은 James가 그들의 동아리에 들도록 설득하는 것을 포기했다. (give up, persuade)

= They _____

_____ to join their club.

15 저희는 엘리베이터가 고장 났음을 알리게 되어 유감입니다. (regret, inform)

= We _____

_____ that the elevator is out of order.

짝문제로 마무리

16 나는 내가 떠나기 전에 식물에 물을 줄 것을 잊었다. (forget, water the plants)

= I _____

_____ before I left.

17 Smith 씨는 회의를 위해 통역사를 고용하는 것을 고려했다. (consider, hire, an interpreter)

= Mr. Smith _____

_____ for the meeting.

18 쌍둥이들은 그들이 가장 좋아하는 축구팀에 대해 논쟁하기 시작했다. (start, argue)

= The twins _____

_____ about their favorite soccer teams.

19 그 도둑은 경찰서에서 질문에 답하는 것을 피했다. (avoid, answer questions)

= The thief _____

_____ at the police station.

20 George는 그의 과학 선생님께 무례하게 군 것을 후회했다. (regret, be rude)

= George _____

_____ to his science teacher.

틀린 부분 고쳐 쓰기

다음 문장에서 틀린 부분을 바르게 고쳐 완전한 문장을 쓰시오.

21

Aaron needs talking about his grade with his parents.

→ _____

_____

22

Making a campfire with wood aren't difficult.

→ _____

_____

23

On arrive at the airport, I saw my family.

→ _____

_____

24

Sarah promised keeping in touch with me when she travels in Canada.

→ _____

_____

25

I look forward to get your postcard.

→ _____

_____

26

Britney finished to draw beautiful flowers on the wall.

→ _____

_____

27

Baking cookies and cakes for my friends are always fun.

→ _____

_____

28

Mr. Klein's idea is worth to consider.

→ _____

_____

29

They hope improving their health by exercising regularly.

→ _____

_____

30

Dave is used to have dinner by himself.

→ _____

_____

기출문제를 풀었으면 채점한 후, 짝문제를 푸세요. ▶

조건에 맞게 영작하기

우리말과 같도록 주어진 <조건>에 맞게 영작하시오.

기출문제 풀고

31

나는 오늘 집에서 쉬고 싶다.

<조건>
1. feel, relax를 활용하시오.
2. 4단어로 쓰시오.

= _____

_____ at home today.

32 고난도

Henry는 사실을 말하지 않은 것에 대해 내게 화가 났다.

<조건>
1. tell the truth를 활용하시오.
2. 4단어로 쓰시오.

= Henry got angry at me for _____

_____ .

33

아이들은 그 과자 집을 먹지 않을 수 없었다.

<조건>
1. the children, eat을 활용하시오.
2. 5단어로 쓰시오.

= _____

_____ the cookie house.

34 고난도

Holmes 씨는 범죄를 해결하는 것에 관심이 있었다.

<조건>
1. interested in, solve, crimes를 활용하시오.
2. 5단어로 쓰시오.

= Mr. Holmes _____

_____ .

짝문제로 마무리

35

그 학급은 지금 시험을 보느라 바쁘다.

<조건>
1. the class, take a test를 활용하시오.
2. 7단어로 쓰시오.

= _____

_____ now.

36 고난도

샴푸를 쓰지 않는 것은 환경을 보호하는 쉬운 방법이다.

<조건>
1. use, an easy way를 활용하시오.
2. 7단어로 쓰시오.

= _____

_____ to protect the environment.

37

그 체조 선수는 균형을 잡는 데 어려움을 겪었다.

<조건>
1. the gymnast, keep을 활용하시오.
2. 5단어로 쓰시오.

= _____

_____ the balance.

38 고난도

Hannah는 스케이트를 타러 가는 대신 스키를 타러 갔다.

<조건>
1. go, ski, instead of, skate를 활용하시오.
2. 5단어로 쓰시오.

= Hannah _____

_____ .

기출문제를 풀었으면 채점한 후, 짝문제를 푸세요. ▶

CHAPTER 05

동명사 해카스 쓰기 자신감 Level 3

대화 영작하기
괄호 안의 말을 활용하여 대화를 완성하시오.

기출문제 풀고

39 A: Jack, did you throw out the trash?

B: Oops, I _____ _____ _____ it out. I'll do it now. (forget, throw)

40 A: The sun is so strong today.

B: You can protect your skin _____ _____ sunscreen. (use)

짝문제로 마무리

41 A: Do you remember the trip to Gyeongju?

B: Yeah. I _____ _____ Cheomseongdae there. (remember, see)

42 A: The cream soup is boiling.

B: Keep stirring to _____ _____ _____ _____. (prevent, burn)

기출문제를 풀었으면 채점한 후, 짝문제를 푸세요. ▶

상황에 맞는 말 영작하기
다음 글을 읽고, 동명사 관용 표현과 괄호 안의 말을 활용하여 각 상황에 알맞은 말을 쓰시오.

기출문제 풀고

43

Nate is an exchange student from Germany. He doesn't know many people in Korea yet. So, Sora decided to invite him to have dinner with her family.

In this situation, what would Nate say to Sora?

Nate: _____ _____ _____ _____ _____ to dinner. (invite)

44 고난도

Jess has an important math exam next week, so she studied with her cell phone turned off. When she checked her cell phone later, her friend Amy had sent her an angry message for not answering.

In this situation, what would Jess say to Amy?

Jess: I _____ _____ for the math exam. (study)

짝문제로 마무리

45

Yesterday, Anne's dad promised to go fishing with her at the lake on the weekend. She told the plan to her mom, and she asked how Anne felt.

In this situation, what would Anne say to her mom?

Anne: I'm _____ _____ _____ _____ on the weekend. (go fishing)

46 고난도

Eric is at a theme park with his friends. His friends want to ride bumper cars now. But Eric feels sick after riding a scary roller coaster, so he wants to take a break before riding bumper cars.

In this situation, what would Eric say to his friends?

Eric: I _____ _____ _____ _____ _____ before riding bumper cars. (take a break)

기출문제를 풀었으면 채점한 후, 짝문제를 푸세요. ▶

CHAPTER

06

분사

POINT 1 현재분사와 과거분사

POINT 2 감정을 나타내는 분사

POINT 3 분사구문 만드는 법

POINT 4 분사구문의 다양한 의미

POINT 5 with + 명사 + 분사

POINT 6 독립분사구문

기출문제 풀고 짝문제로 마무리!

POINT 1 현재분사와 과거분사

우리말과 같도록 괄호 안의 말을 활용하여 문장을 완성하시오.

나는 울고 있는 아이에게 약간의 초콜릿을 줬다. (cry, child)

I gave some chocolate to a _____.

'울고 있는'이라는 진행의 의미를 나타내야 하므로 현재분사 crying을 쓴다.

정답: crying child

분사는 V-ing(현재분사)나 p.p.(과거분사)의 형태로 명사를 수식하거나 주어나 목적어를 보충 설명할 때 쓴다. 능동(~하는)이나 진행(~하고 있는)의 의미를 나타낼 때는 현재분사를 쓰고, 수동(~된, 당한)이나 완료(~된)의 의미를 나타낼 때는 과거분사를 쓴다.

TIP 분사가 단독으로 명사를 수식할 때는 명사 앞에 쓰지만, 분사구가 명사를 수식할 때는 수식하는 명사 뒤에 쓴다.
The students **wearing school uniforms** are waiting in line. 교복을 입은 학생들이 줄을 서서 기다리고 있다.

[1-5] 우리말과 같도록 괄호 안의 말을 알맞게 배열하시오.

1 소방관들이 타고 있는 건물로 들어갔다. (the, entered, building, burning)

= The firefighters _____.

2 Jeremy는 썩은 당근을 버렸다. (the, threw out, carrot, rotten)

= Jeremy _____.

3 그 집은 두 명의 도둑들에 의해 털렸다. (was, by, two burglars, robbed)

= The house _____.

4 우리는 무대에서 춤추는 가수들을 보았다. (the singers, on the stage, saw, dancing)

= We _____.

5 아이들은 방에 숨겨진 선물들을 찾고 있다. (the presents, in the room, hidden, are looking for)

= The children _____.

[6-11] 우리말과 같도록 괄호 안의 말을 활용하여 영작하시오.

6 그릇에 끓는 물을 부어라. (pour, boil, water)

= _____ into the bowl.

7 하늘을 날고 있는 저 연은 내 것이다. (the kite, fly, in the sky)

= _____ is mine.

8 David는 다이아몬드 모양으로 다듬어진 그 나무를 원했다. (want, tree, trim, in a diamond shape)

= David _____.

9 Bailey의 과제는 흥미로운 관점들을 포함했다. (include, interest, perspective)

= Bailey's essay _____.

10 Stevens 선생님이 주신 시험은 매우 헷갈렸다. (the quiz, give, Mr. Stevens)

= _____ was very confusing.

11 손상된 물품들은 환불하실 수 없습니다. (refund, damage, the items)

= You _____.

POINT 2 감정을 나타내는 분사

다음 대화에서 어법상 잘못된 부분을 찾아 바르게 고쳐 쓰시오.

I was so disappointing when my favorite team lost the final.

_____ → _____

분사 disappointing이 수식하는 대상 I는 감정을 일으키는 주체가 아니라 감정을 느끼는 대상이므로 과거분사를 쓴다.

정답: disappointing → disappointed
해석: 나는 내가 가장 좋아하는 팀이 결승전에서 졌을 때 매우 실망스러웠다.

분사가 수식하거나 설명하는 대상이 감정을 일으키는 주체일 때는 현재분사를, 감정을 느끼는 대상일 때는 과거분사를 쓴다.

satisfying 만족스럽게 하는 - satisfied 만족스러워하는	touching 감동스러운 - touched 감동한
disappointing 실망스럽게 하는 - disappointed 실망스러운	boring 지루한 - bored 지루해하는
surprising 놀라게 하는 - surprised 놀란	interesting 흥미로운 - interested 흥미로워하는
amazing 놀라게 하는 - amazed 놀란	exciting 신나는 - excited 신이 난
shocking 충격을 주는 - shocked 충격을 받은	pleasing 기쁜 - pleased 기뻐하는
annoying 짜증나게 하는 - annoyed 짜증이 난	embarrassing 당황스러운 - embarrassed 당황해하는

[1-5] <보기>의 단어를 활용하여 대화를 완성하시오. (단, <보기>의 단어를 한 번씩만 쓰시오.)

<보기>
excite   annoy   shock   touch   embarrass

1   A: Did you hear that Mr. Harris had a heart attack? He looked so healthy.

　　B: Yeah. I was _____ by the news.

2   A: I wish they didn't send spam messages by phone. They irritate me so much.

　　B: I know. They are so _____.

3   A: Did you know that dogs wag their tails when they are _____?

　　B: That's right. My dog Max does that when I come home from school.

4   A: Did you watch the speech given by the new president? It was great.

　　B: Yes. Her speech about the country's future was very _____.

5   A: I heard that you slipped on the ice yesterday.

　　B: Yeah. Falling in front of my classmates was so _____.

[6-9] 우리말과 같도록 괄호 안의 말을 활용하여 영작하시오.

6   Neal은 그가 새로 산 소파의 질에 만족한다. (satisfy, with the quality)

　　= _____ of the new sofa he purchased.

7   나의 조부모님은 우리가 지난 주말에 그들을 방문했을 때 기뻐하셨다. (grandparents, please)

　　= _____ when we visited them last weekend.

8   나는 아프가니스탄의 역사에 대한 흥미로운 기사를 읽었다. (read, interest, article)

　　= _____ about the history of Afghanistan.

9   이 놀라운 발명품들이 산업혁명을 야기시켰다. (amaze, inventions, cause)

　　= _____ the Industrial Revolution.

다음 밑줄 친 부사절을 분사구문으로 바꿀 때, 빈칸에 알맞은 말을 쓰시오.

When I walked down the street, I saw a dog.

→ _____ _____ _____ _____, I
saw a dog.

접속사와 주어를 생략하고 동사 walked를 현재분사 walking으로 바꿔 쓴다.

정답: Walking down the street
해석: 거리를 걸어 갈 때, 나는 개를 봤다.

분사구문은 부사절과 주절의 주어가 같을 때, 부사절의 접속사와 주어를 생략하고 동사를 현재분사로 바꿔서 만든다. 분사구문의 의미를 분명히 하기 위해서는 접속사를 분사 앞에 쓸 수 있다.

Because they were touched by the movie, they clapped their hands. 그들은 영화에 감동받아서, 박수를 쳤다.

= **(Being) Touched** by the movie, they clapped their hands. *「Being + p.p」형태의 수동형 분사구문에서 Being은 생략할 수 있다.

TIP 분사구문의 부정형은 분사 앞에 not이나 never를 붙여 만든다.

[1-5] 다음 두 문장의 의미가 같도록 분사구문을 이용하여 문장을 완성하시오. (단, 접속사를 생략하시오.)

1 While she was watching the news, Ms. Wilson drank the rest of the coffee.

   → _____, Ms. Wilson drank the rest of the coffee.

2 Because the lion ran slowly, it could not catch the antelope.

   → _____, the lion could not catch the antelope.

3 When we finished the test, we handed it in to the teacher.

   → _____, we handed it in to the teacher.

4 Since she was nervous about the contest, Amy couldn't sleep last night.

   → _____, Amy couldn't sleep last night.

5 As he didn't know what to do, he stood still.

   → _____, he stood still.

[6-10] 우리말과 같도록 괄호 안의 말을 활용하여 문장을 영작하시오.

6 화재 경보를 듣고, 나는 바로 건물에서 나갔다. (hear the fire alarm, exit the building)

   = _____, _____ right away.

7 우산이 없어서, Brian은 비에 젖었다. (have an umbrella, get wet)

   = _____, _____ in the rain.

8 아침 식사를 요리하면서, 나는 라디오에서 뉴스를 들었다. (cook breakfast, listen to the news)

   = _____, _____ on the radio.

9 그녀의 가방들을 들고, Benson 씨는 바로 버스에 탔다. (carry her bag, Ms. Benson, get on the bus)

   = _____, _____ immediately.

10 Elm가에서 좌회전하면, 너의 오른편에 은행을 볼 것이다. (turn left on Elm Street, see the bank)

   = _____, _____ on your right.

다음 밑줄 친 부분을 부사절로 바꿔 쓰시오.

Waking up late, I ran to school.

→ _____ _____ _____ _____

_____, **I ran to school.**

'내가 늦잠을 잤기 때문에, 나는 학교에 뛰어갔다.'라는 의미이므로 이유를 나타내는 접속사 because/as/since로 시작하는 문장으로 바꿔 쓴다.

정답: Because[As/Since] I woke up late
해석: 내가 늦잠을 잤기 때문에, 나는 학교에 뛰어갔다.

분사구문은 생략된 접속사에 따라 다양한 의미를 나타낸다.

시간	when ~할 때 after ~한 후에	while ~하는 동안 before ~하기 전에	동시동작	while/as ~하면서
이유	because/since/as ~이기 때문에		조건	if ~라면

[1-6] 주어진 문장을 괄호 안의 접속사를 이용하여 부사절로 바꿔 쓰시오.

1 Getting lost, we checked the directions. (After)

→ _____

2 Feeling tired, I went to bed early last night. (Because)

→ _____

3 Watching the soccer game, I cheered for my team. (While)

→ _____

4 Slamming the door, he woke the sleeping baby. (When)

→ _____

5 Doing homework, they did not have time to watch TV. (Since)

→ _____

6 Looking out the window, Beth saw snow falling. (As)

→ _____

[7-9] <보기>의 접속사를 한 번씩만 활용하여 밑줄 친 부분을 부사절로 바꿔 쓰시오.

┌─────── <보기> ───────┐
│ since   if   while │
└──────────────────────┘

7 Turning right, you'll see the children's park.

→ _____, you'll see the children's park.

8 Needing help with his homework, he called a friend.

→ _____, he called a friend.

9 Waiting for the bus, I read a book about pirates.

→ _____, I read a book about pirates.

POINT 5 with + 명사 + 분사

우리말과 같도록 괄호 안의 말을 활용하여 문장을 완성하시오.

그는 에어컨을 켠 채로 일을 하러 갔다. (the air conditioner, turn on)

He went to work _____.

'~한 채로'라는 의미를 나타내기 위해 「with + 명사 + 분사」의 형태로 쓴다. 에어컨은 켜지는 행위의 대상이므로 수동의 의미를 가진 과거분사 turned on을 쓴다.

정답: with the air conditioner turned on

'…이 ~한 채로/하면서'라는 의미로 동시에 일어나는 동작이나 상황을 나타낼 때 「with + 명사 + 분사」 형태로 쓴다. 이때 명사와 분사의 관계가 능동이면 현재분사, 수동이면 과거분사를 쓴다.

[1-5] 우리말과 같도록 괄호 안의 말을 알맞게 배열하시오.

1 Jane은 그녀의 개가 그녀를 따르는 채로 달리고 있다. (her dog, with, running, following, her, is)

= Jane _____.

2 그 무용수는 관객이 보는 채로 공연을 했다. (the audience, with, performed, watching)

= The dancer _____.

3 우리는 우리 위로 태양이 내리쬐는 채로 모래성을 쌓았다. (a sandcastle, the sun, with, built, shining down)

= We _____ on us.

4 Chad는 TV가 켜진 채로 소파에서 잤다. (with, on the sofa, the TV, slept, turned on)

= Chad _____.

5 그 농부는 농작물이 수확된 채로 휴식할 수 있었다. (relax, the crops, was able to, harvested, with)

= The farmer _____.

[6-11] 우리말과 같도록 괄호 안의 말을 활용하여 영작하시오.

6 너는 다리를 꼰 채로 운전하면 안 된다. (drive, legs, cross)

= You should not _____.

7 너는 눈을 감은 채로 걸어본 적이 있니? (walk, eyes, close)

= Have you ever tried to _____?

8 우리는 비행기가 지연된 채로 공항에서 기다려야 했다. (wait, the airport, our flight, delay)

= We had to _____.

9 나는 나의 친구가 문에 서있는 채로 집으로 뛰어 들어갔다. (run into, the house, friend, stand)

= I _____ at the door.

10 그 남자는 눈물이 그의 얼굴에서 흐르는 채로 그 편지를 읽었다. (read, the letter, tears, run)

= The man _____ down his face.

11 Sam은 그의 창문이 열린 채로 크게 노래를 불렀다. (sing loudly, a song, windows, open)

= Sam _____.

우리말과 같도록 괄호 안의 말을 활용하여 비인칭 독립분사구문을 완성하시오.

엄밀히 말하면, 너의 의견은 도움이 되지 않았다. (speak)

_____, your opinion wasn't helpful.

'엄밀히 말하면'의 의미를 나타내야 하므로 strictly speaking을 쓴다.

정답: Strictly speaking

- 분사구문을 만들 때 부사절의 주어와 주절의 주어가 다르면 부사절의 주어를 생략하지 않고 쓰며, 이를 독립분사구문이라고 한다.
  It being sunny, _we_ went swimming. (← As it is sunny, we went swimming.) 날씨가 좋기 때문에, 우리는 수영을 하러 갔다.
- 분사구문의 주어가 불특정한 일반인이면 관용적으로 주어를 생략하여 쓰며, 이를 비인칭 독립분사구문이라고 한다.

Generally speaking 일반적으로 말하면	Strictly speaking 엄밀히 말하면	Frankly speaking 솔직히 말하면
Speaking of ~에 대해 말하자면	Judging from ~으로 판단하건대	Considering ~을 고려하면

[1-4] 우리말과 같도록 괄호 안의 말을 활용하여 영작하시오.

1 차가 고장 나서, Brown 씨는 오늘 직장에 지하철을 타고 갔다. (the car, break)

= _____, Mr. Brown took the subway to work today.

2 경찰들이 집에 도착했을 때, 도둑들은 도망갔다. (the police, arrive, at the house)

= _____, the thieves ran away.

3 그 스웨터는 양털로 만들어져서, 너는 그것을 빨기 위해 세탁기를 쓸 수 없다. (the sweater, made of wool)

= _____, you can't use a washing machine to wash it.

4 내일은 토요일이므로, 나는 11시까지 컴퓨터 게임을 할 것이다. (tomorrow, Saturday)

= _____, I will play computer games until 11 o'clock.

[5-10] 우리말과 같도록 비인칭 독립분사구문과 괄호 안의 말을 활용하여 문장을 완성하시오.

5 솔직히 말하자면, 나는 그 책이 매우 지루하다고 생각했다.

= _____, I thought that book was very boring.

6 일반적으로 말하면, 아이들은 모든 것을 쉽게 배울 수 있다.

= _____, children can learn everything easily.

7 이 노트북의 높은 가격을 고려하면, 이것은 더 잘 작동해야 한다. (the high cost, this laptop)

= _____, it should work better.

8 Kelly의 반응으로 판단하건대, 그녀는 생일 선물에 만족했다. (Kelly's reaction)

= _____, she was satisfied with the birthday present.

9 엄밀히 말하면, 너는 수영모 없이 수영장에 들어갈 수 없다.

= _____, you can't go in the pool without a swimming cap.

10 Robertson 씨에 대해 말하자면, 나는 그녀가 곧 은퇴할 것이라고 들었다. (Ms. Robertson)

= _____, I heard she will be retiring soon.

기출문제 풀고 짝문제로 마무리!

기출문제를 풀고 정답과 해설을 확인하세요. 짝문제를 풀면서 복습하고, 틀린 문제는 다시 틀리지 않도록 꼼꼼히 점검하세요.

단어 배열하여 영작하기
우리말과 같도록 괄호 안의 말을 알맞게 배열하시오.

기출문제 풀고	짝문제로 마무리

01 그 축제는 한강 공원에서 열릴 것이다. (held, will be, the festival, Hangang Park, at)

= _____

06 Owen은 달에서 뛰고 있는 토끼를 그렸다. (a rabbit, Owen, jumping, drew, on the moon)

= _____

02 그 책의 결말은 실망스러웠다. (the book, disappointing, was, of, the conclusion)

= _____

07 Christine은 넘어졌을 때 부끄러웠다. (when, felt, embarrassed, she, Christine, fell)

= _____

03 좌회전을 하면, 너는 부산으로 가는 고속도로를 탈 수 있다. (take, to Busan, left, you, turning, can, the highway)

= _____

08 방에 들어가면서, Kevin은 깨진 램프를 알아차렸다. (the room, Kevin, the, lamp, walking, noticed, into, broken)

= _____

04 그 앰뷸런스는 그것의 사이렌이 울리는 채로 운전했다. (with, the ambulance, ringing, drove, its siren)

= _____

09 눈이 조용히 내리는 아름다운 아침이었다. (quietly, with, was, falling, a beautiful morning, it, the snow)

= _____

05 그 남자를 보지 못해서, 그 버스 운전사는 지나쳐 갔다. (seeing, the bus driver, the man, not, passed by)

= _____

10 시간이 없었기 때문에, 나는 나의 머리를 감지 않았다. (having, didn't wash, not, I, my hair, much time)

= _____

기출문제를 풀었으면 채점한 후, 짝문제를 푸세요. ▶

주어진 단어로 영작하기

우리말과 같도록 괄호 안의 말을 활용하여 영작하시오.

기출문제 풀고

11

나의 엄마는 팔짱을 낀 채로 문에 서있었다.
(stand at the door, arm, cross)

= My mom _____

_____.

12 고난도

할머니는 우리에게 사랑에 대한 감동적인
이야기를 해주셨다. (tell a story, touch)

= Grandmother _____

_____ about love.

13 고난도

시험을 위한 준비가 되지 않아서, Amy는
중간고사에서 F를 받았다. (be ready for)

= _____

_____, Amy got an F on the midterm.

14

그 소년은 둥지를 짓고 있는 그 새를 봤다. (see
the bird, build a nest)

= The boy _____

_____.

15

산을 오르면서, Jerry는 다채로운 나뭇잎들을
모았다. (climb the mountain, collect colorful
leaves)

= _____

_____

짝문제로 마무리

16

그 조종사는 그의 안전벨트를 맨 채로 비행기를
착륙시켰다. (land the plane, seatbelt, fasten)

= The pilot _____

_____.

17 고난도

Nathan은 방에서 노래하고 있는 그의 여동생에
의해 짜증이 났다. (annoy, sing)

= Nathan _____

_____ in the room.

18 고난도

정치에 흥미가 없어서, 그는 대통령이 되길
거절했다. (be interested in)

= _____,

he refused to become a president.

19

Kelly가 벽에 걸려있는 그림을 칠했다. (paint the
picture, hang on the wall)

= Kelly _____

_____.

20

영화를 보면서, Beth는 혼자 한 봉지의 팝콘을
먹었다. (watch a movie, eat a bag of
popcorn, by oneself)

= _____

_____

CHAPTER 06

분사 해카스 쓰기 자신감 Level 3

문장 바꿔 쓰기

다음 두 문장의 의미가 같도록 분사구문을 이용하여 문장을 완성하시오. (단, 접속사를 생략하시오.)

21 If you drive past the store, you'll see the restaurant.

→ _____,
you'll see the restaurant.

22 While I cleaned the bathroom, I found my ring.

→ _____,
I found my ring.

23 Since she didn't feel sleepy, Chloe watched TV.

→ _____,
Chloe watched TV.

24 Before he left for school, Liam closed the door.

→ _____,
Liam closed the door.

25 When it heard the thunder, my dog started barking.

→ _____,
my dog started barking.

26 If you go straight two blocks, you will reach the park.

→ _____,
you will reach the park.

27 When he cooks steak, he adds a lot of pepper.

→ _____,
he adds a lot of pepper.

28 Because she was scared, she cried like a baby.

→ _____,
she cried like a baby.

29 After I turned off the light, I went to the bed.

→ _____,
I went to the bed.

30 While he played the new video game, he felt sick.

→ _____,
he felt sick.

틀린 부분 고쳐 쓰기
어법상 틀린 부분을 찾아 바르게 고쳐 쓰시오.

기출문제 풀고	짝문제로 마무리

31 Rebecca's answer to the question was surprised to hear.

_____ → _____

37 Watching the documentary made the students boring.

_____ → _____

32 We had trouble digging in the freezing ground.

_____ → _____

38 I took a picture of a man ridden a horse in the field.

_____ → _____

33 Smiling not while I was taking a picture, I looked angry.

_____ → _____

39 Didn't doing the homework, I got scolded by my teacher.

_____ → _____

34 The truck driving by the farmer is full of pumpkins.

_____ → _____

40 The boy worn sunglasses was talking to Regina.

_____ → _____

35 Write in his diary, Spencer listened to the radio.

_____ → _____

41 Entered the kitchen, I smelled something burning on the stove.

_____ → _____

36 고난도 The police caught the thief with the stealing wallets.

_____ → _____

42 고난도 Brian was sitting in the chair painting in blue.

_____ → _____

기출문제를 풀었으면 채점한 후, 짝문제를 푸세요. ▶

CHAPTER 06

분사 해커스 쓰기 자신감 Level 3

그림 보고 영작하기
괄호 안의 말을 활용하여 그림을 묘사하는 문장을 완성하시오.

기출문제 풀고	짝문제로 마무리

43

(Listen to music, water)

_____,

_____ the plants.

46

(sit on the sofa, talk)

_____,

_____ about cats.

44

(fall asleep, mouth, open)

Ben _____

_____ .

47

(should leave, untie)

You _____

_____ .

45

(have a meal, satisfy)

Everyone _____

_____ .

48

(feel, excite, go camping)

She _____

_____ .

기출문제를 풀었으면 채점한 후, 짝문제를 푸세요. ▶

CHAPTER

07

관계사

기출문제 풀고 짝문제로 마무리!

POINT 1 관계대명사의 역할과 종류

관계대명사를 이용하여 다음 두 문장을 한 문장으로 연결하시오.

A writer wrote the book. The writer's name is unknown.

→ **A writer** _____
   wrote the book.

두 번째 문장은 첫 번째 문장의 주어 the writer에 대한 보충 설명을 하고 있고, 두 번째 문장의 's는 소유격의 역할을 하고 있으므로 소유격 관계대명사 whose를 쓴다.

정답: whose name is unknown
해석: 한 작가는 그 책을 썼다. 그 작가의 이름은 알려져 있지 않다.
→ 이름이 알려져 있지 않은 한 작가가 그 책을 썼다.

관계대명사는 접속사와 대명사 역할을 하며, 관계대명사가 이끄는 절은 선행사를 수식한다.

선행사 \ 격	주격	목적격	소유격
사람	who	who(m)	whose
사물, 동물	which	which	whose
사람, 사물, 동물	that	that	-

TIP 선행사가 「사람 + 사물/동물」, -thing으로 끝나는 대명사이거나 선행사에 최상급, 서수, the only, the same, the very, all 등이 포함될 때 주로 관계대명사 that을 쓴다.

[1-5] 관계대명사를 이용하여 다음 두 문장을 한 문장으로 연결하시오.

1 My friend jogs every morning. He lives next door.

→ My friend _____.

2 Linda was the first person. She arrived at the meeting.

→ Linda _____.

3 She has a cat. The cat's fur is black.

→ She _____.

4 I found the key. You lost it in the park.

→ I _____.

5 There is a man and a dog. They are sitting under the tree.

→ There _____.

[6-9] 우리말과 같도록 관계대명사와 괄호 안의 말을 활용하여 영작하시오.

6 나는 어젯밤에 나에게 전화한 남자를 모른다. (know, call)

= _____ last night.

7 나는 정원이 장미 나무로 가득 찬 그 집이 좋다. (the house, be full of, garden)

= I like _____.

8 점원이 추천해준 바로 그 모자를 사자. (the very hat, the clerk, recommend)

= Let's buy _____.

9 거실에 있는 그 텔레비전은 작동하지 않는다. (the television, the living room)

= _____ isn't working.

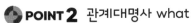
우리말과 같도록 괄호 안의 말과 관계대명사를 활용하여 영작하시오.

나는 네가 어제 나에게 말했던 것을 기억하지 못한다. (tell, yesterday)

I don't remember _____.

선행사가 없고 '~한 것'이라는 의미를 나타내야 하므로 관계대명사 what을 쓴다.

정답: what you told me yesterday

관계대명사 what은 '~한 것'이라는 의미로 선행사를 포함하고 있으며, the thing(s) which[that]로 바꿔 쓸 수 있다. what이 이끄는 절은 명사절로 문장 안에서 주어, 목적어, 보어 역할을 한다.

[1-5] 우리말과 같도록 괄호 안의 말을 알맞게 배열하시오.

1 Jerry가 선생님께 말씀드린 것은 거짓말이었다. (told, Jerry, the teacher, what)

= _____ was a lie.

2 스케치북에 무엇을 그렸는지 보여줄 수 있니? (drew, what, me, you, show)

= Can you _____ in the sketchbook?

3 그 시계는 내가 찾던 것이다. (looking for, was, is, I, what)

= That watch _____.

4 제가 무엇을 해드릴 수 있는지 확인해 보겠습니다. (what, I, check, do, I'll, can)

= _____ for you.

5 그녀가 생일 선물로 원한 것은 새 자전거였다. (a birthday present, she, what, was, for, wanted)

= _____ a new bike.

[6-11] 우리말과 같도록 괄호 안의 말을 활용하여 영작하시오.

6 네가 필요한 것은 겨울을 위한 새 외투이다. (need, a new coat)

= _____ for the winter.

7 오늘 우리가 배운 것은 초보자를 위한 기본적인 프랑스어 표현이었다. (learn, basic French expressions)

= _____ for beginners.

8 산타클로스는 네가 크리스마스에 바라는 것을 알 것이다. (know, wish)

= Santa Claus _____ for Christmas.

9 그들이 요리한 것이 식탁 위에 차려져 있었다. (cook, set)

= _____ on the table.

10 나는 널 돕기 위해 내가 할 수 있는 것을 묻고 싶었다. (want, ask, do)

= _____ to help you.

11 Sam은 Ricky에게 여행을 위해 챙겨야 하는 것을 말했다. (tell, pack)

= _____ for the trip.

우리말과 같도록 관계대명사와 괄호 안의 말을 활용하여 영작하시오.

Amy는 꽃병을 깼는데, 그것은 Ben을 화나게 만들었다. (make, angry)

Amy broke a vase, _____ .

'그것은'은 Amy가 꽃병을 깨뜨린 행위를 말하며 그 행위가 Ben을 화나게 만들었다는 부가적인 설명을 덧붙이고 있으므로, 계속적 용법의 관계대명사 which로 시작하는 문장을 콤마 뒤에 쓴다.

정답: which made Ben angry

관계대명사의 계속적 용법은 선행사에 대한 추가적인 정보를 보충할 때 사용하며, 관계사 앞에 콤마(,)를 붙여 쓴다. 계속적 용법에서 관계대명사는 who와 which만 쓰며,「접속사 + 대명사」로 바꿔 쓸 수 있다.

She has *an older brother*, **who[and he]** is an athlete. 그녀는 오빠가 한 명 있는데, 그는 운동선수이다. * 계속적 용법으로 쓰인 관계대명사는 생략할 수 없다.

TIP 관계대명사 which는 계속적 용법으로 쓸 때 앞에 나온 구나 절을 선행사로 취할 수 있다.
Kate shouted at Daniel, **which** surprised him. Kate는 Daniel에게 소리를 질렀는데, 그것은 그를 놀라게 했다.

[1-5] 관계대명사를 활용하여 다음 두 문장을 한 문장으로 연결하시오.

1 The flight was delayed. It annoyed passengers.

→ The flight _____ .

2 They went to the supermarket. It was full of people.

→ They _____ .

3 The gold medal was given to Steven. He was the fastest in the competition.

→ The gold medal _____ .

4 He works at the post office. It was built in 1989.

→ He _____ .

5 Mr. Erickson teaches social studies at our school. He majored in journalism.

→ _____ at our school.

[6-10] 우리말과 같도록 괄호 안의 말을 활용하여 영작하시오.

6 Tina는 Wright 씨를 만났는데, 그녀는 유명한 피아니스트이다. (meet, a famous pianist)

= Tina _____ .

7 오후에는 비가 내리기 시작했는데, 그것은 홍수를 일으켰다. (start, rain, cause, the flood)

= It _____ .

8 나는 다큐멘터리를 봤는데, 그것은 200분 동안 계속되었다. (watch, a documentary, last for)

= I _____ .

9 나는 실수로 꽃을 만졌는데, 그것은 민들레였다. (touch, a dandelion)

= I accidently _____ .

10 모든 사람들은 Julia에 대해 이야기했는데, 그녀는 학생회장이 되었다. (talk about, become, student president)

= Everyone _____ .

POINT 4 전치사 + 관계대명사

다음 두 문장을 한 문장으로 바꿀 때 빈칸에 들어갈 말을 쓰시오.

The house had a garden. My grandparents lived in the house.

→ **The house ＿＿＿＿＿ ＿＿＿＿＿ my grandparents lived had a garden.**

선행사 the house가 전치사 in의 목적어로 쓰였으므로, 전치사 in을 관계대명사 which의 앞에 쓴다.

정답: in which
해석: 그 집은 정원이 있었다. 나의 조부모님이 그 집에 사셨다.
→ 나의 조부모님이 사셨던 집에는 정원이 있었다.

관계대명사가 전치사의 목적어로 쓰일 때는 전치사를 관계대명사절의 맨 뒤나 관계대명사 바로 앞에 쓴다. 전치사를 관계대명사 바로 앞에 쓸 때는 whom이나 which를 쓰며, 이때 관계대명사는 생략할 수 없다.

[1-5] 관계대명사를 활용하여 다음 두 문장을 한 문장으로 연결하시오.

1 Who was the man? You were talking to him.

→ ＿＿＿＿＿＿＿＿＿＿＿＿＿＿＿＿＿＿＿＿＿＿＿＿＿＿＿＿

2 The chair is comfortable. I am sitting in it.

→ ＿＿＿＿＿＿＿＿＿＿＿＿＿＿＿＿＿＿＿＿＿＿＿＿＿＿＿＿

3 Ron liked the people. He played soccer with them.

→ ＿＿＿＿＿＿＿＿＿＿＿＿＿＿＿＿＿＿＿＿＿＿＿＿＿＿＿＿

4 The umbrella was small. They stood under it.

→ ＿＿＿＿＿＿＿＿＿＿＿＿＿＿＿＿＿＿＿＿＿＿＿＿＿＿＿＿

5 The photo is beautiful. Jane is looking at it.

→ ＿＿＿＿＿＿＿＿＿＿＿＿＿＿＿＿＿＿＿＿＿＿＿＿＿＿＿＿

[6-10] 주어진 단어를 활용하여 우리말을 영어 문장으로 쓰시오. (단, 「전치사 + 관계대명사」 형태를 활용하시오.)

6 그들이 사는 집은 노란 지붕이 있다. (the house, live in)

= ＿＿＿＿＿＿＿＿＿＿＿＿＿＿＿＿＿＿＿＿＿＿＿＿＿＿ has a yellow roof.

7 네가 그렇게 관심을 가지는 스포츠 팀이 무엇이니? (the sports team, care about)

= ＿＿＿＿＿＿＿＿＿＿＿＿＿＿＿＿＿＿＿＿＿＿＿＿＿＿ so much?

8 그녀가 지불할 그 티켓은 55달러이다. (the ticket, pay for)

= ＿＿＿＿＿＿＿＿＿＿＿＿＿＿＿＿＿＿＿＿＿＿＿＿＿＿ is $55.

9 네가 쓰고 있는 주제는 무엇에 대한 것이니? (the topic, write about)

= What ＿＿＿＿＿＿＿＿＿＿＿＿＿＿＿＿＿＿＿＿＿＿＿＿ ?

10 Tom이 듣고 있는 노래는 내가 가장 좋아하는 것이다. (the song, listen to)

= ＿＿＿＿＿＿＿＿＿＿＿＿＿＿＿＿＿＿＿＿＿＿＿＿＿＿ is my favorite.

다음 두 문장을 관계부사를 이용하여 한 문장으로 만드시오.

The gas station has a small store. People buy snacks there.

→ **The gas station has a small store**

_____ .

선행사 a small store를 수식하는 장소를 나타내는 관계부사 where를 쓴다.

정답: where people buy snacks
해석: 그 주유소는 작은 가게가 있다. 사람들은 거기서 간식을 산다.
→ 그 주유소는 사람들이 간식을 사는 작은 가게가 있다.

관계부사는 접속사와 부사 역할을 하며, 관계부사가 이끄는 절은 선행사를 수식한다. 관계부사 where, when, why, how는 장소, 시간, 이유, 방법을 나타내며 「전치사 + 관계대명사」로 바꿔 쓸 수 있다.

TIP 관계부사의 선행사가 the place, the time, the reason과 같이 장소, 시간, 이유를 나타내는 일반적인 명사인 경우 선행사와 관계부사 중 하나를 생략하여 쓸 수 있다.
선행사 the way와 관계부사 how는 둘 중 하나만 쓴다.
Do you know (the reason) **why** Joe quit the club? = Do you know **the reason** (why) Joe quit the club? 너는 Joe가 동아리를 그만둔 이유를 아니?

[1-4] 관계부사를 활용하여 다음 두 문장을 한 문장으로 연결하시오.

1 Can you explain the reason? You missed class today for that reason.

→ _____

2 That's the lake. I learned how to swim at the lake.

→ _____

3 I forgot the day. She was born on that day.

→ _____

4 Children need to learn the way. They should behave in public places in that way.

→ _____

[5-10] 우리말과 같도록 관계부사와 괄호 안의 말을 활용하여 영작하시오.

5 가을은 나뭇잎이 색을 바꾸는 계절이다. (the season, change colors)

= Fall _____ .

6 나는 우리가 공부할 수 있는 장소를 안다. (a place, study)

= I _____ .

7 너는 그녀가 왜 축구 팀을 그만뒀는지 아니? (know, quit the soccer team)

= Do _____ ?

8 저기 Harry와 Sally가 만난 카페가 있다. (the café, meet)

= There _____ .

9 네가 문제를 어떻게 풀었는지 서술해라. (solve the problem)

= Describe _____ .

10 그는 왜 그가 은행을 방문했는지 말하지 않았다. (say, visit the bank)

= He _____ .

우리말과 같도록 복합관계사와 괄호 안의 말을 활용하여 문장을 완성하시오.

나의 도움이 필요할 때는 언제나 연락해라. (need, help)

Contact me _____.

'~할 때는 언제나'라는 의미를 나타내야 하므로 시간을 나타내는 복합관계사 whenever를 쓴다.

정답: whenever you need my help

복합관계대명사(「관계대명사 + -ever」)는 명사절이나 부사절을 이끌고, 복합관계부사(「관계부사 + -ever」)는 장소·시간이나 양보의 부사절을 이끈다.

복합관계대명사	명사절	부사절	복합관계부사	시간·장소 부사절	양보 부사절
who(m)ever	~하는 누구든지	누가 ~하더라도	wherever	~하는 곳은 어디든지	어디서 ~하더라도
whichever	~하는 어느 것이든지	어느 것이[을] ~하더라도	whenever	~할 때는 언제나	언제 ~하더라도
whatever	~하는 무엇이든지	무엇이[을] ~하더라도	however	-	아무리 ~하더라도

TIP 복합관계부사 however 뒤에는 형용사나 부사를 쓴다.

[1–10] 우리말과 같도록 복합관계사와 괄호 안의 말을 활용하여 문장을 영작하시오.

1 너는 네가 원하는 것은 무엇이든지 가져도 된다. (have, want)

= You _____.

2 나는 네가 주는 케이크 조각을 어느 것이든지 먹겠다. (eat, piece of cake)

= _____ you give me.

3 대회에서 무슨 일이 생기더라도, 우리는 우리가 최선을 다했음을 안다. (happen in the contest)

= _____, we know we tried our best.

4 너는 내가 필요할 때는 언제나 전화해도 된다. (call, need)

= You _____.

5 너는 어느 셔츠든지 네가 가장 좋아하는 것을 입어야 한다. (wear, like)

= You _____ the most.

6 시험이 아무리 어려워 보일지라도 나는 포기하지 않을 것이다. (hard, the test, may seem)

= _____, I will not give up.

7 커피를 쏟은 사람이 누구든지 그것을 치워야만 한다. (spill the coffee, clean)

= _____ it up.

8 아무리 추워지더라도, 나는 여전히 조깅을 하러 갈 것이다. (cold, get)

= _____, I will still go jogging.

9 그가 어디서 여행을 하더라도, 그는 새로운 친구를 만든다. (travel, make)

= _____ new friends.

10 그녀의 개는 그녀가 가는 곳은 어디든지 그녀를 따라다닌다. (follow, go)

= Her dog _____.

기출문제 풀고 짝문제로 마무리!

기출문제를 풀고 정답과 해설을 확인하세요. 짝문제를 풀면서 복습하고, 틀린 문제는 다시 틀리지 않도록 꼼꼼히 점검하세요.

단어 배열하여 영작하기
우리말과 같도록 괄호 안의 말을 알맞게 배열하시오.

기출문제 풀고	짝문제로 마무리

01 샌프란시스코는 내가 태어난 도시이다. (the city, born, San Francisco, was, is, I, where)

= _____

_____

02 우리는 우리가 말하는 것에 대해 주의해야만 한다. (careful, what, be, must, we, we, about, say)

= _____

_____

03 나와 사진을 찍은 배우는 프랑스인이다. (took, with me, the actor, French, a picture, is, who)

= _____

_____

04 우리는 어제 네가 잃어버린 양말을 찾았다. (the sock, lost, we, yesterday, which, found, you)

= _____

_____

05 무엇을 하더라도, 항상 너의 최선을 다하려고 노력해라. (do, always, do, you, your best, whatever, to, try)

= _____

_____

06 너는 우리가 만났던 식당을 기억하니? (you, we, the restaurant, do, where, met, remember)

= _____

_____

07 손에 가지고 있는 것을 보여주겠니? (show, have, can, what, you, you, in your hand, me)

= _____

_____

08 자전거를 타고 있었던 내 친구는 운동선수이다. (who, an athlete, my friend, the bicycle, is, was riding)

= _____

_____

09 네가 좋아했던 시계는 품절이다. (which, the watch, is, you, sold out, liked)

= _____

_____

10 나의 아빠는 내가 말하는 것은 무엇이든지 내게 사주셨다. (I, bought, told, my dad, me, whatever, him)

= _____

_____

기출문제를 풀었으면 채점한 후, 짝문제를 푸세요. ▶

두 문장을 한 문장으로 연결하기
다음 두 문장을 한 문장으로 연결하시오.

| 기출문제 풀고 | 짝문제로 마무리 |

11

The children played with mud. It made their clothes dirty.

→ The children _____

_____.

17

People talked about the festival. It will start on Wednesday.

→ People _____

_____.

12 고난도

Emily is the very girl in our theater class. She is good at acting.

→ Emily _____

_____.

18 고난도

The boy and the horse look tired. They are sitting under the tree.

→ The boy and the horse _____

_____.

13

The man made a bowl of salad. He will eat a sandwich with it.

→ The man _____

_____.

19

Anna spilled vinegar on the shirt. The shirt was my favorite.

→ The shirt _____

_____.

14 고난도

Joe changed the time. He will take a train at that time.

→ Joe _____

_____.

20 고난도

Do you remember the night? Shooting stars fell on that night.

→ Do you _____

_____?

15

The customers complained about the service. Their orders were missing.

→ The customers _____

_____.

21

A city was destroyed by an earthquake. The city's population was 35,000.

→ A city _____

_____.

16

The students asked the reason. The icebergs are melting for that reason.

→ The students _____

_____.

22

Brian didn't tell us the reason. He quit the baseball team for that reason.

→ Brian _____

_____.

기출문제를 풀었으면 채점한 후, 짝문제를 푸세요. ▶

기출문제 풀고

23

이탈리아는 Sarah가 가고 싶었던 나라이다. (the country, want to go)

= Italy _____

_____ .

24 고난도

대회에서 우승하는 사람은 누구든지 상금을 받을 것이다. (win the competition, get)

= _____

_____ the prize money.

25

너는 Eric이 Amy를 위해 해준 것을 들었니? (hear, do)

= Did you _____

_____ for Amy?

26

Mariah는 색이 보라색인 드레스를 사는 것을 고려했다. (consider, buy a dress, purple)

= Mariah _____

_____ .

27

어젯밤에 눈이 왔는데, 그것은 길을 미끄럽게 만들었다. (snow, make, the road, slippery)

= It _____

_____ .

28 고난도

네가 이야기하고 있었던 낯선 사람은 누구니? (the stranger, talk to)

= Who _____

_____ ?

짝문제로 마무리

29

그 박물관이 내가 그를 처음으로 만난 장소이다. (meet, for the first time)

= The museum _____

_____ .

30 고난도

저 책들 중에서 네가 좋아하는 어느 것이든지 나에게 가져다 줘. (bring, like)

= _____

_____ from those books.

31

너는 선생님이 제안한 것에 대해 생각해봤니? (think about, suggest)

= Did you _____

_____ ?

32

Aaron은 건축가가 상을 탄 건물에서 일한다. (work in a building, win an award)

= Aaron _____

_____ .

33

George는 그의 엄마에게 거짓말을 했는데, 그것은 그녀를 실망시켰다. (lie, disappoint)

= George _____

_____ .

34 고난도

그 노인은 앉을 수 있는 의자를 찾았다. (look for, sit on)

= The old man _____

_____ .

틀린 부분 고쳐 쓰기
어법상 틀린 부분을 찾아 바르게 고쳐 쓰시오.

| 기출문제 풀고 | 짝문제로 마무리 |

35 Minsu asked that was in my pocket.

_____ → _____

36 The jungle in that the plane crashed is unexplored.

_____ → _____

37 The train whom we will take to Berlin was delayed.

_____ → _____

38 The thing what made tourists excited was the traditional Korean food.

_____ → _____

39 What's the name of the school where you went to?

_____ → _____

40 고난도 The only problem why bothered me was the bad weather.

_____ → _____

41 That we need is some more time.

_____ → _____

42 The subject in that I am interested is computer science.

_____ → _____

43 Janet drew a picture of the singer which she met at the fan meeting.

_____ → _____

44 Daniel doesn't remember the thing what he said before the race.

_____ → _____

45 Look at the flower where my dad and I planted.

_____ → _____

46 고난도 The park was closed the very day whom we visited.

_____ → _____

기출문제를 풀었으면 채점한 후, 짝문제를 푸세요. ▶

조건에 맞게 영작하기
우리말과 같도록 주어진 <조건>에 맞게 영작하시오.

기출문제 풀고	짝문제로 마무리

47

네가 파스타를 요리한 방법은 쉬워 보였다.

─── <조건> ───
1. how를 쓰지 마시오.
2. cook the pasta, seem, easy를 활용하시오.
3. 8단어로 쓰시오.

= _____

_____

49

Eugene은 어떻게 책이 편집되는지 설명했다.

─── <조건> ───
1. the way를 쓰지 마시오.
2. explain, the books, edit을 활용하시오.
3. 7단어로 쓰시오.

= _____

_____

48 고난도

여기 Matt가 오는데, 그는 옆집에 산다.

─── <조건> ───
1. here, come, live next door를 활용하시오.
2. 7단어로 쓰시오.

= _____

_____

50 고난도

Tim은 여동생이 있는데, 그녀는 재능있는 예술가이다.

─── <조건> ───
1. talented artist를 활용하시오.
2. 9단어로 쓰시오.

= _____

_____

기출문제를 풀었으면 채점한 후, 짝문제를 푸세요. ▶

그림 보고 영작하기
괄호 안의 말을 활용하여 그림을 묘사하는 문장을 완성하시오.

기출문제 풀고	짝문제로 마무리

51

(student, study)

A library is a place _____

_____ .

52

(have a sandwich)

Noon was the time _____

_____ .

기출문제를 풀었으면 채점한 후, 짝문제를 푸세요. ▶

CHAPTER

08

<u>접속사</u>

기출문제 풀고 짝문제로 마무리!

우리말과 같도록 괄호 안의 말을 활용하여 빈칸을 채우시오.

나는 피곤했기 때문에 어젯밤에 일찍 자러 갔다. (tired)

I went to bed early last night _____ _____ _____ _____.

어젯밤에 일찍 자러간 이유를 말하고 있으므로 '~하기 때문에'라는 의미를 나타내는 because[since]를 쓴다.

정답: because[since/as] I was tired

시간, 이유, 양보, 조건의 부사절을 나타낼 때 다음과 같은 접속사를 쓴다.

시간	when ~할 때 until[till] ~할 때까지	while ~하는 동안 before ~하기 전에	since ~한 이후로 after ~한 후에	as soon as ~하자마자 as ~하고 있을 때, ~하면서
이유	because, since, as ~하기 때문에			
양보	although, though, even though 비록 ~이지만		even if 비록 ~일지라도	
조건	if 만약 ~한다면	unless(= if ~ not) 만약 ~하지 않는다면		

TIP 시간이나 조건을 나타내는 부사절에서는 미래를 표현할 때 미래시제가 아닌 현재시제를 쓴다.

[1-4] 우리말과 같도록 괄호 안의 말을 알맞게 배열하시오.

1 Jerry는 아팠음에도 불구하고, 체육관에 갔다. (to the gym, felt, went, sick, Jerry, he, although)

= _____ , _____

2 그는 약속했기 때문에, 나에게 새 자전거를 사주었다. (promised, a new bicycle, he, he, me, bought, because)

= _____ , _____

3 만약 더 많은 정보를 원한다면, 웹사이트를 확인하세요. (more information, the website, want, if, you, check)

= _____ , _____

4 초록 불이 켜질 때까지 버튼을 눌러라. (the green light, until, press, turns on, the button)

= _____

[5-8] 우리말과 같도록 <보기>와 괄호 안의 말을 활용하여 영작하시오.

<보기>
unless   since   before   even though

5 만약 따뜻한 옷을 입지 않는다면, 너는 감기에 걸릴 것이다. (wear warm clothes, catch a cold)

= _____

6 Smith 씨는 비록 두통이 있었지만 병원에 가지 않았다. (Mr. Smith, go, the hospital, have a headache)

= _____

7 냄비를 열기 전에, 너는 요리용 장갑을 껴야 한다. (open the pot, put on cooking gloves)

= _____

8 비가 세차게 오고 있었기 때문에, 우리는 실내에 머무르기로 결정했다. (rain heavily, decide, stay indoors)

= _____

POINT 2 부사절을 이끄는 접속사: 목적, 결과

우리말과 같도록 괄호 안의 말을 알맞게 배열하시오.

날씨가 너무 추워서 나는 집에 머물렀다. (cold, stayed at, that, home, I, so)

It was _____ .

'너무 추워서 집에 머물렀다'라는 원인에 대한 결과를 나타내고 있으므로 so ~ that을 쓴다.

정답: so cold that I stayed at home

- 목적의 부사절을 나타낼 때 '~하기 위해', '~할 수 있도록'이라는 의미의 접속사 so that ~을 쓴다
  He practiced hard **so that** he could become the captain of soccer team. 그는 축구팀의 주장이 될 수 있도록 열심히 연습했다.

- 결과의 부사절을 나타낼 때 '너무 ~해서 …한'이라는 의미의 접속사 so ~ that을 쓴다.
  It was **so** cold **that** everyone wore long sleeves. 너무 추워서 모든 사람들이 긴팔을 입었다.

[1-5] so와 that을 활용하여 다음 두 문장을 한 문장으로 연결하시오.

1 The food was very delicious. He ordered more.

→ _____

2 He will save money. He can buy a smartphone.

→ _____

3 The author wrote every night. She could finish her book.

→ _____

4 The room was very dark. He couldn't see anything.

→ _____

5 I wear glasses. I can see things better.

→ _____

[6-10] 우리말과 같도록 괄호 안의 말을 활영하여 영작하시오.

6 나는 너무 피곤해서 낮잠을 잤다. (tired, take a nap)

= I _____ .

7 그 농담은 너무 웃겨서 우리는 웃었다. (funny, laugh)

= The joke _____ .

8 그녀는 깨어있을 수 있도록 커피를 마셨다. (drink coffee, stay awake)

= She _____ .

9 그 신발이 너무 편안해서 그는 그것들을 샀다. (comfortable, buy)

= The shoes _____ .

10 George는 물을 끓이기 위해 불을 지폈다. (start a fire, boil the water)

= George _____ .

POINT 3 명사절을 이끄는 접속사: 의문사

우리말과 같도록 괄호 안의 말을 활용하여 문장을 완성하시오.

너의 목적지가 어디인지 나에게 말해주겠니? (destination)

Can you tell me _____?

'너의 목적지가 어디니?'라는 질문의 내용을 간접적으로 묻고 있으므로 「의문사 + 주어 + 동사」의 형태로 의문사가 이끄는 명사절을 쓴다.

정답: where your destination is

의문사가 이끄는 명사절은 「의문사 + 주어 + 동사」의 형태로 쓰며, 의문사절은 문장 안에서 주어, 목적어, 보어 역할을 한다. 단, 의문사가 이끄는 명사절 안에서 의문사가 주어인 경우 「의문사 + 동사」의 형태로 쓴다.

Why *he committed the crime* is unclear. <주어> 왜 그가 범죄를 저질렀는지는 불분명하다.

My question is **who** *is playing* the piano now. <보어> 내 질문은 누가 지금 피아노를 연주하고 있는지이다.

TIP 의문사가 이끄는 명사절을 쓸 때 주절의 동사가 생각이나 추측을 나타내는 think, believe, guess, suppose 등인 경우, 의문사를 문장 맨 앞에 쓴다. 단, 주절이 'Can you guess?'로 시작할 때는 의문사를 문장 맨 앞에 쓰지 않는다.

When do you *think* we can finish the homework? 너는 언제 우리가 그 숙제를 끝낼 수 있다고 생각하니?

[1-5] 우리말과 같도록 괄호 안의 말을 알맞게 배열하시오.

1 너는 어제 Emily가 어디를 방문했는지 아니? (Emily, yesterday, where, visited)

= Do you know _____?

2 문제는 누가 그 피해를 보상할 것인가이다. (who, the problem, pay, is, will)

= _____ for the damage.

3 너는 어디가 결혼식을 위한 완벽한 장소라고 믿니? (believe, the perfect place, do, is, where, you)

= _____ for the wedding?

4 나는 왜 내 노트북이 그렇게 느려졌는지 모른다. (why, don't know, my laptop, so slow, became)

= I _____.

5 나는 시장이 어디에 있는지 너에게 보여줄 것이다. (is, where, will, the market, you, show)

= I _____

[6-10] 우리말과 같도록 괄호 안의 말을 활용하여 영작하시오.

6 Regina가 나에게 준 것은 사탕이었다. (give, candy)

= _____

7 그 경찰관은 누가 범죄를 신고했는지 물었다. (the police officer, ask, report the crime)

= _____

8 내가 무당벌레를 본 곳은 창문 위였다. (see the ladybugs, the window)

= _____

9 너는 왜 Amy가 집에 일찍 올 것이라고 생각하니? (think, come home early)

= _____

10 그 의사는 환자들이 어떤지 확인할 것이다. (the doctor, check, the patients)

= _____

POINT 4 명사절을 이끄는 접속사: that

우리말과 같도록 괄호 안의 말과 알맞은 접속사를 활용하여 문장을 완성하시오.

Eric은 그가 실수를 했다는 것을 안다. (make a mistake)

Eric knows _____.

'~했다는 것'이라는 의미를 나타내고 있으므로 접속사 that을 쓴다.

정답: that he made a mistake

'~이라는 것, ~하다는 것'이라는 의미로 주어, 목적어, 보어 역할을 하는 명사절을 이끄는 접속사 that을 쓴다. that절이 주어 역할을 할 때는 주로 가주어 it을 대신 쓰고 진주어 that절을 뒤로 보낸다.

It is clear **that** *he is lying.* <주어> 그가 거짓말을 하고 있는 것이 분명하다.

Some people believe **(that)** *Earth is flat.* <목적어> 몇몇 사람들은 지구가 평평하다는 것을 믿는다.   * that절이 목적어 역할을 할 때는 that을 생략하여 쓸 수 있다.

[1-5] 우리말과 같도록 괄호 안의 말을 알맞게 배열하시오.

1 그녀가 다섯 개의 언어를 말할 수 있는 것은 인상 깊다. (can speak, is, that, she, five languages)

= _____ impressive.

2 모든 사람이 지수가 시험을 위해 열심히 공부한다는 것을 안다. (that, knows, studies hard, everyone, Jisoo)

= _____ for tests.

3 Jenny가 다음 달에 뉴욕으로 이사 갈 것이라는 것은 진짜다. (that, is, will move, it, true, Jenny)

= _____ to New York next month.

4 그들은 여행을 가게 되어 신이 난다고 말했다. (they, that, they, were, said, excited)

= _____ to go on the trip.

5 사실은 공룡이 운석 충돌 때문에 멸종되었다는 것이다. (the dinosaurs, that, became, is, extinct, the fact)

= _____ because of a meteor crash.

[6-11] 우리말과 같도록 괄호 안의 말을 활용하여 영작하시오.

6 요점은 몇 가지 질병들이 음식과 연관이 있다는 것이다. (the point, some diseases, related to food)

= _____

7 우리가 더 많은 도움이 필요하다는 것은 명백하다. (need more help, clear)

= _____

8 그녀는 오늘 공원이 붐빌 것이라고 예상한다. (predict, the park, be crowded)

= _____

9 나는 Sam이 그의 커피에 설탕을 넣고 싶어한다고 생각했다. (think, want, put sugar, coffee)

= _____

10 사실은 아무도 사실을 모른다는 것이다. (the fact, nobody, know the truth)

= _____

11 그가 모든 사람에게 내 비밀을 말한 것이 날 짜증 나게 했다. (annoy, tell, everyone, secret)

= _____

우리말과 같도록 괄호 안의 말을 활용하여 영작하시오.

나는 내가 그 시험을 통과할 수 있는지 궁금하다. (wonder, pass)

_____ **the test.**

'~인지'라는 의미를 나타내고 있으므로 명사절을 이끄는 접속사 if나 whether을 쓴다.

정답: I wonder if[whether] I can pass

'~인지'라는 의미로 명사절을 이끄는 접속사 if나 whether를 쓴다. if가 이끄는 명사절은 주로 동사의 목적어로 쓰이지만, whether가 이끄는 명사절은 주어, 목적어, 보어로 모두 쓴다.

I don't know **if**[**whether**] my mom will go out today. 나는 오늘 나의 엄마가 외출할 것인지 모른다.

The problem is **whether** we can survive there. 문제는 우리가 그곳에서 생존할 수 있는지이다.

TIP if[whether]와 함께 쓰는 or not은 주로 문장 끝에 쓰며, whether의 바로 뒤에 붙여서도 쓸 수 있다.
He wants to check **if**[**whether**] his answer is correct **or not**. 그는 그의 답이 옳은지 옳지 않은지 확인하기를 원한다.
Alice forgot **whether or not** she brought the laptop. Alice는 노트북을 가져왔는지 가져오지 않았는지 잊었다.

[1-5] 우리말과 같도록 괄호 안의 말을 알맞게 배열하시오.

1 나는 우리 팀이 이길지 궁금하다. (our team, the game, I, if, will win, wonder)

= _____

2 등산객들은 비가 올지에 대해 이야기했다. (whether, the hikers, would rain, it, talked about)

= _____

3 그들은 내가 저녁 식사에 그들과 함께할 것인지 물었다. (I, them, would join, they, if, for dinner, asked)

= _____

4 그가 이야기를 믿는지는 중요하지 않다. (important, believes, not, whether, he, is, the story)

= _____

5 그들은 그녀가 문을 열어 뒀는지에 대해 언쟁을 했다. (open, about, argued, had left, she, they, the door, whether)

= _____

[6-10] 우리말과 같도록 괄호 안의 말을 활용하여 영작하시오.

6 컴퓨터가 작동하는지 나에게 알려줘. (let, know, the computer, work)

= _____

7 의문은 그가 거짓말을 하고 있는지 하고 있지 않은지이다. (the question, lie)

= _____

8 나의 관심은 부유한 것이 사람들을 더 행복하게 만드는지이다. (concern, being rich, make, happier)

= _____

9 나는 내가 불을 껐는지 기억나지 않는다. (remember, turn off, the lights)

= _____

10 경찰은 그가 무언가를 봤었는지에 대해 관심이 있었다. (the police, interested in, see anything)

= _____

 **POINT 6** 상관접속사

괄호 안의 말을 활용하여 다음 두 문장을 한 문장으로 연결하시오.

I like strawberries. I like cherries too. (not, but)

→ **I like** _____ .

not, but과 짝을 이루는 단어를 활용하여 'A뿐만 아니라 B도'라는 의미의 not only A but also B를 쓴다.

정답: not only strawberries but also cherries
해석: 나는 딸기를 좋아한다. 나는 체리도 좋아한다.
→ 나는 딸기뿐만 아니라 체리도 좋아한다.

상관접속사는 두 개 이상의 단어가 짝을 이뤄 문법적으로 대등한 단어와 단어, 구와 구, 절과 절을 연결할 때 쓴다.

both A and B A와 B 둘 다	either A or B A나 B 둘 중 하나	neither A nor B A도 B도 아닌
not A but B A가 아니라 B	not only A but (also) B(= B as well as A) A뿐만 아니라 B도	

Not only *I* **but** (**also**) *my sister* likes playing soccer. 나뿐만 아니라 나의 여동생도 축구하는 것을 좋아한다.
(= *My sister* **as well as** *I* likes playing soccer.)

TIP 「both A and B」로 연결된 주어 뒤에는 항상 복수동사를 쓰고, 나머지 상관접속사로 연결된 동사는 B에 수일치하여 쓴다.
Both Hanna **and** *I have practiced* the violin for two years. 한나와 나 둘 다 2년 동안 바이올린을 연습해왔다.
Neither this movie **nor** that movie *seems* exciting. 이 영화도 저 영화도 흥미롭지 않은 것 같다.

[1-10] 우리말과 같도록 괄호 안의 말을 활용하여 영작하시오.

1 소뿐만 아니라 말도 저 농장에 산다. (live)

= _____ on that farm.

2 그는 일을 위해 이탈리아 혹은 프랑스로 이주할 것이다. (move)

= He _____ for work.

3 너는 수업 시간에 핸드폰을 사용하는 것이 아니라 강의를 들어야 한다. (use your phone, listen to the lecture)

= You should _____ in class.

4 나는 딸기와 바나나 모두 맛있다고 생각한다. (delicious)

= I think _____ .

5 그녀는 아침에 커피나 차 둘 중 하나를 마실 것이다. (drink)

= She _____ in the morning.

6 나의 할머니의 수프 요리법에서는 당근도 감자도 사용되지 않는다. (the carrots, the potatoes)

= _____ in my grandmother's soup recipe.

7 너는 교차로에서 좌회전이 아니라 우회전을 해야 한다. (left, right)

= You should turn _____ at the intersection.

8 생존을 위해 물과 음식 둘 다 필요하다. (need)

= _____ for survival.

9 봄뿐만 아니라 가을도 아름다운 계절이다. (spring, fall)

= _____ a beautiful season.

10 그는 물에서 수영하고 있는 것이 아니라 모래 위에 누워있다. (swim in the water, lie on the sand)

= He _____ .

기출문제 풀고 짝문제로 마무리!

기출문제를 풀고 정답과 해설을 확인하세요. 짝문제를 풀면서 복습하고, 틀린 문제는 다시 틀리지 않도록 꼼꼼히 점검하세요.

단어 배열하여 영작하기
우리말과 같도록 괄호 안의 말을 알맞게 배열하시오.

기출문제 풀고	짝문제로 마무리

01
우리는 그 정답이 맞는지 확인해야 한다.
(correct, should check, we, is, whether, the answer)

= _____

_____

06
우리가 제 시간에 도착할지는 교통량에 달려있다.
(depends on, will arrive, the traffic, whether, we, on time)

= _____

_____

02
너는 세상에서 가장 큰 동물이 무엇인지 맞힐 수 있니? (the world's largest, you, is, guess, can, animal, what)

= _____

_____

07
왜 사람들이 마을을 떠났는지는 여전히 알려지지 않았다. (the town, unknown, people, why, is, left, still)

= _____

_____

03
Julie는 수영 수업에서 돌아온 후 잠들었다.
(came back, she, after, from, fell asleep, the swimming lesson, Julie)

= _____

_____

08
요리사는 파스타가 삶아지는 동안 소스를 준비했다. (prepared, while, the chef, the pasta, the sauce, was boiling)

= _____

_____

04
아빠는 우리가 따뜻하게 있을 수 있도록 불을 지폈다. (the fire, could stay, so, Dad, we, warm, that, started)

= _____

_____

09
Laura는 Benjamin이 앉을 수 있도록 작은 의자를 꺼냈다. (Benjamin, Laura, so, took out, could sit down, a little chair, that)

= _____

_____

05
Ryan은 비록 비가 예상되었지만 식물에 물을 줬다. (rain, the plants, although, Ryan, was expected, watered)

= _____

_____

10
미나와 소희는 비록 자매이지만, 그들은 닮지 않았다. (Mina and Sohee, don't look, even though, sisters, alike, are, they)

= _____

_____

기출문제를 풀었으면 채점한 후, 짝문제를 푸세요. ▶

두 문장을 한 문장으로 연결하기
다음 두 문장을 한 문장으로 연결하시오.

기출문제 풀고

11
- I'd like to know.
- Why can't we cross the street here?

→ I'd like to know _____

_____.

12
- Aaron asked me.
- Is the Eiffel Tower in London?

→ Aaron asked me _____

_____.

13 고난도
- Exercising influences physical health.
- It influences mental health, too.

→ Exercising influences _____

_____.

14 고난도
- I'm not sure.
- Who brought these books?

→ I'm not sure _____

_____.

15
- Can you explain?
- How can we get to the theater?

→ Can you explain _____

_____?

16
- Do you remember?
- Did you lock the safe?

→ Do you remember _____

_____?

짝문제로 마무리

17
- Do you understand?
- Why is Sarah angry with me?

→ Do you understand _____

_____?

18
- The patient wondered.
- Could doctors remove the scar?

→ The patient wondered _____

_____.

19 고난도
- Daegu is known for its hot weather.
- It is known for its delicious food, too.

→ Daegu is known _____

_____.

20 고난도
- Should we check?
- Who is absent from class?

→ Should we check _____

_____?

21
- Will you tell me?
- Where are you?

→ Will you tell me _____

_____?

22
- We don't know.
- Does Erica need a new wallet?

→ We don't know _____

_____.

기출문제를 풀었으면 채점한 후, 짝문제를 푸세요. ▶

기출문제 풀고	짝문제로 마무리

23 Paul은 기차가 사라질 때까지 그의 손을 흔들었다. (keep, wave, disappear)

= _____

_____

24 [고난도] Jenny는 그녀가 그것들을 쓸 수 있도록 접시들을 닦았다. (wash the dishes, use)

= _____

_____

25 내 개는 너무 무거워서 빨리 뛸 수 없다. (heavy, run fast)

= _____

_____

26 [고난도] 모든 사람이 해리포터가 최고의 소설 시리즈라는 것에 동의한다. (everyone, agree, *Harry Potter*, the best novel series)

= _____

_____

27 남자와 여자 둘 다 동등한 권리를 가지고 있다. (have equal rights)

= _____

_____

28 Jack도 Fred도 그들의 숙제를 하지 않았다. (do their homework)

= _____

_____

29 나는 네가 준비될 때까지 기다릴 수 있다. (wait, be ready)

= _____

_____

30 [고난도] 학생들은 나중에 그것을 공부할 수 있도록 필기를 했다. (take notes, study later)

= _____

_____

31 그 공연은 너무 길어서 나는 지루하게 느꼈다. (the performance, long, feel bored)

= _____

_____

32 [고난도] 모든 사람들은 Rachel이 좋은 친구라는 것을 알고 있다. (everybody, know, a good friend)

= _____

_____

33 식물과 동물 모두 많은 보살핌을 필요로 한다. (plants, animals, require much care)

= _____

_____

34 Kelly는 오는 것을 잊었거나 오지 않기로 결정했다. (forget to come, decide not to come)

= _____

_____

기출문제를 풀었으면 채점한 후, **짝문제**를 푸세요. ▶

조건에 맞게 영작하기
우리말과 같도록 주어진 <조건>에 맞게 영작하시오.

기출문제 풀고

35 원숭이들은 바나나뿐만 아니라 곤충도 먹는다.

—<조건>—
1. as, well을 사용하시오.
2. insect, banana를 활용하시오.
3. 6단어로 쓰시오.

= Monkeys _____

_____ .

36 나는 그들이 벽에 그래피티를 칠했는지 궁금하다.

—<조건>—
1. if를 사용하시오.
2. paint, the graffiti, on the wall을 활용하시오.
3. 8단어로 쓰시오.

= I wonder _____

_____ .

37 소년은 TV를 보는 동안 전화를 했다.

—<조건>—
1. while을 사용하시오.
2. talk on the phone, watch TV를 활용하시오.
3. 8단어로 쓰시오.

= The boy _____

_____ .

38 한국의 날씨는 작년에 너무 추워서 강이 얼었다.

—<조건>—
1. so와 that을 사용하시오.
2. cold, last year, the river, freeze를 활용하시오.
3. 9단어로 쓰시오.

= The weather in Korea _____

_____ .

짝문제로 마무리

39 밴드는 클래식뿐만 아니라 재즈도 연주했다.

—<조건>—
1. not, but을 사용하시오.
2. classical music, jazz music을 활용하시오.
3. 8단어로 쓰시오.

= The band played _____

_____ .

40 그는 넥타이를 매야 할지 결정할 수 없었다.

—<조건>—
1. whether을 사용하시오.
2. decide, wear a tie를 활용하시오.
3. 7단어로 쓰시오.

= He couldn't _____

_____ .

41 그는 비록 가난했지만 슬프지 않았다.

—<조건>—
1. although를 사용하시오.
2. poor를 활용하시오.
3. 4단어로 쓰시오.

= _____

_____ , he wasn't sad.

42 나는 시간을 절약할 수 있도록 미리 재료를 준비했다.

—<조건>—
1. so와 that을 사용하시오.
2. the ingredients, in advance, save time을 활용하시오.
3. 10단어로 쓰시오.

= I prepared _____

_____ .

기출문제를 풀었으면 채점한 후, 짝문제를 푸세요. ▶

정답 및 해설 p. 24

틀린 부분 고쳐 쓰기
다음 문장에서 어법상 혹은 의미상 틀린 부분을 바르게 고쳐 완전한 문장을 쓰시오.

기출문제 풀고	짝문제로 마무리

43

A hot bath is what need I.
(뜨거운 목욕이 내가 필요한 것이다.)

→ _____

_____

44 고난도

Do you think where you will stay in Germany?
(너는 독일에서 네가 어디에 머무를 것이라고 생각하니?)

→ _____

_____

45

It is important what we don't make the same mistakes.
(우리가 같은 실수를 하지 않는 것이 중요하다.)

→ _____

_____

46

Do you remember what was the thief wearing?
(너는 도둑이 무엇을 입고 있었는지 기억하니?)

→ _____

_____

47 고난도

Do you guess what the weather will be like tomorrow?
(너는 내일 날씨가 어떨 것이라고 추측하니?)

→ _____

_____

48

I wonder who the window cleaned.
(나는 누가 창문을 닦았는지 궁금하다.)

→ _____

_____

49 고난도

Do you believe when you can visit me this week?
(너는 이번 주에 언제 나를 방문할 수 있을 것 같니?)

→ _____

_____

50

He hoped what his sister would get well soon.
(그는 그의 여동생이 곧 나아지기를 바랐다.)

→ _____

_____

51

Will you tell us how can we help you?
(너는 우리가 너를 어떻게 도울 수 있는지 말해주 겠니?)

→ _____

_____

52 고난도

Do you suppose what the best way to start a conversation is?
(너는 대화를 시작하는 가장 좋은 방법이 무엇이라고 생각하니?)

→ _____

_____

기출문제를 풀었으면 채점한 후, 짝문제를 푸세요. ▶

CHAPTER

09

가정법

기출문제 풀고 짝문제로 마무리!

다음 두 문장의 의미가 같도록 가정법을 활용하여 문장을 완성하시오.

Because she doesn't live nearby, we can't go to school together.

→ _____ nearby, _____
to school together.

'가까이 살지 않는다'는 현재 사실과 반대되는 일을 가정하고 있으므로 가정법 과거 「If + 주어 + 동사의 과거형 ~, 주어 + would/could/might + 동사원형 …」를 쓴다.

정답: If she lived, we could go
해석: 그녀는 가까이 살지 않기 때문에, 우리는 함께 학교에 갈 수 없다.
→ 만약 그녀가 가까이 산다면, 우리는 함께 학교에 갈 수 있을 텐데.

가정법 과거는 '만약 ~한다면 …할 텐데'라는 의미로 현재의 사실과 반대되거나 실현 가능성이 매우 적은 일을 가정할 때 「If + 주어 + 동사의 과거형 ~, 주어 + would/could/might + 동사원형 …」의 형태로 쓴다.

If Jane **were** here, she **could help** me. 만약 Jane이 여기에 있다면, 그녀가 날 도울 수 있을 텐데.
→ As Jane isn't here, she can't help me. Jane이 여기 없기 때문에, 그녀는 날 도울 수 없다.

[1-5] 다음 문장을 가정법 문장으로 바꿔 쓰시오.

1 As it isn't snowing, we can't make a snowman.

→ If _____.

2 As it isn't my laptop, I can't lend it to you.

→ If _____.

3 As I don't have a driver's license, I won't drive you home.

→ If _____.

4 As I'm not in Spain, I can't meet you.

→ If _____.

5 As she doesn't have enough money, she won't buy the purse.

→ If _____.

[6-10] 우리말과 같도록 괄호 안의 말을 활용하여 영작하시오.

6 만약 여름이라면, 우리는 수영을 하러 갈 수 있을 텐데. (summer, go swimming)

= If _____.

7 만약 John이 바이올린을 켠다면, 그는 오케스트라에 가입할 수 있을 텐데. (play the violin, join the orchestra)

= If _____.

8 만약 내가 프랑스어를 한다면, 내가 그녀를 이해할 텐데. (speak French, understand)

= If _____.

9 만약 줄이 있다면, 우리는 기다려야 할 텐데. (a line, wait)

= If _____.

10 만약 그의 생일이라면, 그는 선물을 받을 텐데. (birthday, get a present)

= If _____.

POINT 2 가정법 과거완료

정답 및 해설 p. 26

다음 문장을 가정법 문장으로 바르게 고쳐 빈칸에 쓰시오.

As Cathy didn't sleep, she could watch the soccer game.

→ If Cathy had slept, she _____ _____ the soccer game.

'Cathy가 자지 않았다'는 과거 사실과 반대되는 일을 가정하고 있으므로 가정법 과거완료 「If + 주어 + had p.p. ~, 주어 + would/could/might + have p.p. …」를 쓴다.

정답: couldn't have watched
해석: Cathy가 잠을 자지 않았기 때문에, 그녀는 축구 경기를 볼 수 있었다.
→ 만약 Cathy가 잠을 잤더라면, 그녀는 축구 경기를 볼 수 없었을 텐데.

가정법 과거완료는 '만약 ~했더라면 …했을 텐데'라는 의미로 과거의 사실과 반대되는 일을 가정할 때 「If + 주어 + had p.p. ~, 주어 + would/could/might + have p.p. …」의 형태로 쓴다.

[1-5] 다음 문장을 가정법 문장으로 바꿔 쓰시오.

1 As the cook wasn't careful, he cut his finger with a knife.

→ If _____.

2 As the police didn't find him, the criminal got away.

→ If _____.

3 As she didn't win the contest, she went home without a prize.

→ If _____.

4 As Mark was late to the meeting, he couldn't watch the presentation.

→ If _____.

5 As I didn't bring an umbrella, I got wet on my way here.

→ If _____.

[6-11] 우리말과 같도록 괄호 안의 말을 활용하여 영작하시오.

6 만약 내가 배가 고팠더라면, 나는 그 샌드위치를 먹었을 텐데. (hungry, eat the sandwich)

= If _____.

7 만약 가게가 열었더라면, 우리는 약간의 과일을 살 수 있었을 텐데. (the store, open, buy some fruit)

= If _____.

8 만약 Lisa가 휴대폰이 있었더라면, 그녀는 우리에게 전화를 할 수 있었을 텐데. (a cell phone, call)

= If _____.

9 만약 내가 공부를 더 열심히 했더라면, 나는 시험에 떨어지지 않았을 텐데. (study harder, fail the test)

= If _____.

10 만약 우리가 바쁘지 않았더라면, 우리는 파티에 참석했을 텐데. (busy, attend the party)

= If _____.

11 만약 내가 내 돈을 모두 쓰지 않았더라면, 나는 그 치마를 살 수 있었을 텐데. (spend all my money, buy the skirt)

= If _____.

우리말과 같도록 괄호 안의 말을 활용하여 영작하시오.

> 내가 말이 있다면 좋을 텐데. (have, a horse)
>
> **I wish** ＿＿＿＿＿ ＿＿＿＿＿ ＿＿＿＿＿ ＿＿＿＿＿.

'말이 있다면 좋을 텐데'의 의미로 현재 실현 가능성이 없는 일을 소망하고 있으므로 「I wish + 주어 + 동사의 과거형」의 형태로 쓴다.

정답: I had a horse

I wish 가정법은 '~한다면/했더라면 좋을 텐데'라는 의미로 현재 실현 가능성이 매우 낮거나 없는 일을 소망할 때는 「I wish + 주어 + 동사의 과거형」, 과거에 이루지 못한 일에 대한 아쉬움을 나타낼 때는 「I wish + 주어 + had p.p.」의 형태로 쓴다.

I wish I **could** go back to my childhood. 내가 나의 어린 시절로 돌아갈 수 있다면 좋을 텐데.

→ I'm sorry that I can't go back to my childhood. 내가 나의 어린 시절로 돌아갈 수 없어서 유감이다.

I wish she **had listened** to the teacher's advice. 그녀가 선생님의 조언을 들었더라면 좋을 텐데.

→ I'm sorry that she didn't listen to the teacher's advice. 그녀가 선생님의 조언을 듣지 않아 유감이다.

[1-5] 다음 문장을 I wish 가정법 문장으로 바꿔 쓰시오.

1   I'm sorry that my sister wasn't at the concert with me.

　　→ I wish ＿＿＿＿＿＿＿＿＿＿＿＿＿＿＿＿＿＿＿＿＿＿＿＿＿.

2   I'm sorry that you didn't tell me the truth.

　　→ I wish ＿＿＿＿＿＿＿＿＿＿＿＿＿＿＿＿＿＿＿＿＿＿＿＿＿.

3   I'm sorry that the bus won't arrive soon.

　　→ I wish ＿＿＿＿＿＿＿＿＿＿＿＿＿＿＿＿＿＿＿＿＿＿＿＿＿.

4   I'm sorry that my friends weren't nicer to one another.

　　→ I wish ＿＿＿＿＿＿＿＿＿＿＿＿＿＿＿＿＿＿＿＿＿＿＿＿＿.

5   I'm sorry that I don't speak Spanish.

　　→ I wish ＿＿＿＿＿＿＿＿＿＿＿＿＿＿＿＿＿＿＿＿＿＿＿＿＿.

[6-10] 우리말과 같도록 괄호 안의 말을 활용하여 영작하시오.

6   내가 수학을 더 잘한다면 좋을 텐데. (better at math)

　　= I wish ＿＿＿＿＿＿＿＿＿＿＿＿＿＿＿＿＿＿＿＿＿＿＿＿＿.

7   버스가 제시간에 도착했더라면 좋을 텐데. (arrive on time)

　　= I wish ＿＿＿＿＿＿＿＿＿＿＿＿＿＿＿＿＿＿＿＿＿＿＿＿＿.

8   내가 오늘 편한 옷을 입었더라면 좋을 텐데. (wear comfortable clothes)

　　= I wish ＿＿＿＿＿＿＿＿＿＿＿＿＿＿＿＿＿＿＿＿＿＿＿＿＿.

9   우리가 지금 해변에 간다면 좋을 텐데. (go to the beach)

　　= I wish ＿＿＿＿＿＿＿＿＿＿＿＿＿＿＿＿＿＿＿＿＿＿＿＿＿.

10 사람들이 동물과 말할 수 있다면 좋을 텐데. (talk to animals)

　　= I wish ＿＿＿＿＿＿＿＿＿＿＿＿＿＿＿＿＿＿＿＿＿＿＿＿＿.

POINT 4 as if 가정법

다음 문장을 as if 가정법 문장으로 바꿔 쓰시오.

> In fact, Brian didn't watch the movie.
>
> → **Brian talks** _____ .

'마치 그가 영화를 봤던 것처럼'이라는 의미로 주절의 시제보다 앞선 과거 시점과 반대되는 일을 가정하고 있으므로 「as if + 주어 + had p.p.」의 형태로 쓴다.

정답: as if he had watched the movie
해석: 사실, Brian은 그 영화를 보지 않았다.
　　→ Brian은 마치 그가 그 영화를 봤던 것처럼 말한다.

'마치 ~인/이었던 것처럼'이라는 의미로 주절과 같은 시점의 사실과 반대되는 일을 가정할 때는 「as if + 주어 + 동사의 과거형」, 주절의 시제보다 앞선 시점의 사실과 반대되는 일을 가정할 때는 「as if + 주어 + had p.p.」의 형태로 쓴다.
Jeremy acts **as if** he **were** popular. Jeremy는 마치 인기가 많은 것처럼 행동한다.
→ In fact, Jeremy isn't popular. 사실, Jeremy는 인기가 많지 않다.

[1-5] 다음 문장을 as if 가정법 문장으로 바꿔 쓰시오.

1 In fact, George didn't get an A on his math test.

　→ George talks as if _____ .

2 In fact, Lisa doesn't live in England.

　→ Lisa speaks as if _____ .

3 In fact, I wasn't sick.

　→ I look as if _____ .

4 In fact, he is not a professional author.

　→ He writes as if _____ .

5 In fact, Kate broke the vase.

　→ Kate acts as if _____ .

[6-10] 우리말과 같도록 괄호 안의 말을 활용하여 영작하시오.

6 그 팀은 마치 그들이 시합에서 이긴 것처럼 축하한다. (celebrate, win the tournament)

　= The team _____ .

7 Ron은 그가 백만 달러를 가진 것처럼 쇼핑한다. (shop, have a million dollars)

　= Ron _____ .

8 그녀는 물속에 상어가 있는 것처럼 수영한다. (swim, a shark in the water)

　= She _____ .

9 나는 한 주 내내 깨어있었던 것처럼 잔다. (sleep, awake for an entire week)

　= I _____ .

10 그는 몇 년 동안 연습했던 것처럼 테니스를 친다. (play tennis, practice for years)

　= He _____ .

POINT 5 without 가정법

우리말과 같도록 괄호 안의 말을 활용하여 가정법 문장을 완성하시오.

나의 남동생이 없다면, 나는 외로울 텐데. (brother, be)

_____ _____ _____, I _____
_____ lonely.

'나의 남동생이 없다면'의 의미로 가정법 과거의 if절을 대신하여 「Without + 명사(구)」를 쓴다.

정답: Without my brother, would be

Without 가정법은 '~가 없다면/없었다면'이라는 의미로 가정법 과거나 가정법 과거완료의 if절을 대신해서 「Without + 명사(구)」의 형태로 쓴다.
Without your help, I **would have given** up easily. 너의 도움이 없었다면, 나는 쉽게 포기했을 텐데.
→ If it had not been for your help, I would have given up easily.

[1–11] 우리말과 같도록 괄호 안의 말을 활용하여 영작하시오.

1 너의 도움이 없었다면, 나는 혼란스러웠을 텐데. (help, confused)

= Without _____, _____.

2 Jerry의 조언이 없었다면, Kate는 잘못된 수업에 등록했을 텐데. (advice, register)

= Without _____, _____ for the wrong class.

3 비행기가 없다면, 여행은 더 오래 걸릴 텐데. (planes, journey, take longer)

= Without _____, _____.

4 코트가 없다면, 나는 추울 텐데. (a coat, cold)

= Without _____, _____.

5 한 잔의 커피가 없다면, 그는 졸릴지도 모를 텐데. (a cup of coffee, sleepy)

= Without _____, _____.

6 자전거가 없었다면, 나는 공원에 걸어가야 했을 텐데. (a bicycle, walk)

= Without _____, _____ to the park.

7 지도가 없다면, 우리는 길을 물어볼 텐데. (a map, ask for directions)

= Without _____, _____.

8 비누가 없었다면, 내 손은 더러웠을 텐데. (soap, hands, dirty)

= Without _____, _____.

9 약이 없다면, 사람들은 더 쉽게 아플지도 모를 텐데. (medicine, get sick)

= Without _____, _____ more easily.

10 그의 보살핌이 없었다면, 그 식물은 일주일 내로 죽었을 텐데. (care, the plant, die)

= Without _____, _____ within a week.

11 그 개가 없었다면, 경찰은 그 소녀를 찾지 못했을 텐데. (the dog, the police, find the girl)

= Without _____, _____.

POINT 6 It's time 가정법

우리말과 같도록 괄호 안의 말을 활용하여 문장을 완성하시오.

이미 오후 11시다. 네가 자러 갈 때이다. (go to bed)

It's already 11 P.M. It's time _____

_____ _____ _____.

'네가 자러 갈 때이다'라는 의미로 했어야 하는 일을 하지 않은 것에 대한 재촉을 나타내고 있으므로 「It's time + 주어 + 동사의 과거형」을 쓴다.

정답: you went to bed

It's time 가정법은 '(이제) ~해야 할 때이다'라는 의미로 했어야 하는 일을 하지 않은 것에 대한 유감이나 재촉을 나타낼 때 「It's (about) time + 주어 + 동사의 과거형」의 형태로 쓴다.

[1–12] 우리말과 같도록 괄호 안의 말을 활용하여 영작하시오.

1 네가 너의 방을 청소해야 할 때이다. (clean, room)

= It's time _____.

2 그는 몇 시간 동안 일했으므로 그가 쉬어야 할 때이다. (rest)

= It's time _____, since he worked for hours.

3 네가 너의 마음을 정할 때이다. (make up, mind)

= It's time _____.

4 네가 치과에 갈 때이다. (go, the dentist)

= It's time _____.

5 우리가 우리의 조부모님을 방문할 때이다. (visit, grandparents)

= It's time _____.

6 내가 이 낡은 신발들을 버려야 할 때이다. (throw out, these old shoes)

= It's time _____.

7 우리가 너의 미래에 대해 이야기 할 때이다. (speak)

= It's time _____ about your future.

8 그녀가 또 다른 언어를 배울 때이다. (learn, another language)

= It's time _____.

9 네가 새 안경을 맞출 때이다. (get, new glasses)

= It's time _____.

10 내가 널 내 친구들에게 소개할 때이다. (introduce, friends)

= It's time _____.

11 우리가 저 식당을 시도해 볼 때이다. (try, that restaurant)

= It's time _____.

12 내가 휴가를 갈 때이다. (go on a vacation)

= It's time _____.

기출문제 풀고 짝문제로 마무리!

기출문제를 풀고 정답과 해설을 확인하세요. 짝문제를 풀면서 복습하고, 틀린 문제는 다시 틀리지 않도록 꼼꼼히 점검하세요.

단어 배열하여 영작하기
우리말과 같도록 괄호 안의 말을 알맞게 배열하시오.

기출문제 풀고	짝문제로 마무리

01 내가 만약 가방이 있다면, 집에 저 책들을 가져갈 텐데. (had, I, I, take, if, those books, would, a bag)

= _____

_____ home.

06 만약 Jared가 여기 있다면, 그가 지금 병을 열 수 있을 텐데. (Jared, he, open, were, the jar, if, here, could)

= _____

_____ now.

02 만약 Anna가 뉴스를 들었다면, 그녀는 폭풍을 위해 준비할 수 있었을 텐데. (had, have, listened to, prepared, the news, if, she, Anna, could)

= _____

_____ for the storm.

07 만약 네가 너의 옷을 말렸다면, 너는 바닥에 물을 떨어뜨리지 않았을 텐데. (you, you, water, dried, have, had, if, dripped, wouldn't, your clothes)

= _____

_____ on the floor.

03 네가 저 의뢰인의 변호사라면 좋을 텐데. (a lawyer, I, you, were, wish)

= _____

_____ for that client.

08 내가 크리스마스에 새 컴퓨터를 받으면 좋을 텐데. (I, a new computer, got, wish, I)

= _____

_____ for Christmas.

04 저 남자는 마치 나의 아버지를 잘 아는 것처럼 말한다. (talks, my father, he, as if, knew, that man)

= _____

_____ well.

09 우리 개는 항상 정원에서 유령을 본 것처럼 짖는다. (as if, a ghost, our dog, it, saw, barks, always)

= _____

_____ in the garden.

05 이제는 우리가 우리의 숙제를 할 때이다. (our homework, did, we)

= It's time _____

_____ .

10 이제는 네가 너의 책상을 치울 때이다. (cleaned, you, your desk)

= It's time _____

_____ .

기출문제를 풀었으면 채점한 후, 짝문제를 푸세요. ▶

문장 바꿔 쓰기

다음 두 문장의 의미가 같도록 가정법 문장을 완성하시오.

| 기출문제 풀고 | 짝문제로 마무리 |

11 As I didn't have enough money, I didn't buy that house.

→ If _____

_____ .

17 As we didn't cheer for the team, they weren't confident.

→ If _____

_____ .

12 I am sorry that we were not best friends before.

→ I wish _____

_____ .

18 I am sorry that I didn't travel around the world.

→ I wish _____

_____ .

13 The bank looks like it is closed, but in fact, it isn't closed.

→ _____ as if _____

_____ .

19 James pretends like he is a king, but in fact, he isn't a king.

→ _____ as if _____

_____ .

14 If it were not for air, we couldn't live on the earth.

→ Without _____

_____ .

20 If it were not for the sofa, we would have to sit on the floor.

→ Without _____

_____ .

15 고난도 They didn't watch the movie last week, but they talk like they did.

→ _____ as if _____

_____ .

21 고난도 Helena was not a ballerina when she was little, but she acts like she was one.

→ _____ as if _____

_____ .

16 Since the weather is great, I will stay outside.

→ If _____

_____ .

22 Since he doesn't have a reservation, he can't eat in the restaurant.

→ If _____

_____ .

CHAPTER 09

가정법 해커스 쓰기 자신감 Level 3

주어진 단어로 영작하기

우리말과 같도록 괄호 안의 말을 활용하여 영작하시오.

23

만약 네가 오후 10시까지 집에 왔더라면, 엄마는 화가 나지 않으셨을 텐데. (come home by 10 P.M., angry)

= If _____

_____ .

24

내가 케이크를 어떻게 만드는지 알면 좋을 텐데. (know, how to make a cake)

= I wish _____

_____ .

25

만약 Tom이 더 크다면, 그는 농구 팀에 가입할 수 있을지도 모를 텐데. (taller, join the basketball team)

= If _____

_____ .

26

그 변명은 마치 그것이 거짓말인 것처럼 들린다. (sound, a lie)

= The excuse _____

_____ .

27 고난도

그 열쇠가 없었다면, 우리는 방 안에 갇혀 있었을 텐데. (the key, locked in the room)

= Without _____

_____ .

28

나무에서 사과가 떨어지지 않았더라면, 뉴턴은 중력을 발견할 수 없었을지도 모를 텐데. (fall from the tree, discover gravity)

= If _____

_____ .

29

그들이 위층에서 뛰는 것을 멈춘다면 좋을 텐데. (stop jumping upstairs)

= I wish _____

_____ .

30

만약 눈이 많이 내린다면, 아이들은 커다란 눈사람을 만들 수 있을 텐데. (snow a lot, make a huge snowman)

= If _____

_____ .

31

그 고양이는 마치 그것이 말하고 있는 것처럼 보인다. (seem, talk)

= The cat _____

_____ .

32 고난도

헬리콥터가 없었다면, 여기에 약을 가져오는 것은 불가능했을 텐데. (the helicopter, bringing medicine here, impossible)

= Without _____

_____ .

기출문제를 풀었으면 채점한 후, 짝문제를 푸세요. ▶

틀린 부분 고쳐 쓰기
다음 문장에서 어법상 혹은 의미상 틀린 부분을 찾아 바르게 고쳐 쓰시오.

기출문제 풀고

33
If Joe is here, I would go fishing with him.
(만약 Joe가 여기 있다면, 나는 그와 함께 낚시를 갈 텐데.)

_____ → _____

34
I wish Ben sends me the pictures we took at the park.
(Ben이 우리가 공원에서 찍은 사진을 나에게 보내준다면 좋을 텐데.)

_____ → _____

35
If I brought the umbrella, I wouldn't have bought a new one yesterday.
(만약 내가 우산을 가져갔었다면, 나는 어제 새 것을 사지 않았을 텐데.)

_____ → _____

36
My grandmother talks to me as if I am a baby.
(내 할머니는 마치 내가 아기인 것처럼 내게 말하신다.)

_____ → _____

37 고난도
If we didn't have the map, we would have never made it out of the maze.
(만약 우리가 지도를 가지고 있지 않았더라면, 우리는 그 미로에서 절대 벗어나지 못했을 텐데.)

_____ → _____

짝문제로 마무리

38
If it were spring, it will be much warmer now.
(만약 봄이었다면, 지금 훨씬 더 따뜻할 텐데.)

_____ → _____

39
I wish Mom cooks pancakes instead of waffles.
(엄마가 와플 대신 팬케이크를 요리해 주신다면 좋을 텐데.)

_____ → _____

40
If I woke up early, I wouldn't have been late to school this morning.
(만약 내가 일찍 일어났더라면, 나는 오늘 아침에 학교에 늦지 않았을 텐데.)

_____ → _____

41
The wind blows as if it will break the window.
(바람이 마치 창문을 깰 것처럼 분다.)

_____ → _____

42 고난도
If we studied instead of playing games last night, we would have gotten better grades.
(만약 우리가 어젯밤에 게임을 하는 대신 공부를 했다면, 우리는 더 좋은 성적을 받았을 텐데.)

_____ → _____

대화 영작하기

괄호 안의 말을 활용하여 문장을 완성하시오.

기출문제 풀고	짝문제로 마무리

43 A: What would you do if you could spend a day with your favorite actor?

B: If _____,

_____ with him. (have dinner)

46 A: What would you do if a time machine were invented?

B: If _____,

_____ 30 years in the future. (visit myself)

44 A: If you could have any special talent, what would it be?

B: I wish _____

like Mozart. (play the piano)

47 A: Mom, what would you like me to do?

B: I wish _____

_____ first. (get a haircut)

45 A: My shoes smell so bad.

B: It's time _____

_____. (wash)

48 A: We haven't called our grandparents for a while.

B: I know. It's time _____

_____. (call)

기출문제를 풀었으면 채점한 후, 짝문제를 푸세요. ▶

상황에 맞는 말 영작하기

다음 글을 읽고 괄호 안의 말을 활용하여 문장을 완성하시오.

기출문제 풀고	짝문제로 마무리

49

Jeremy always stays up late so that he can watch TV. Sometimes, he goes to school and sleeps in class.

In this situation, what would his teacher say to him?

Teacher: If I were you, _____

_____.

(go to bed early)

50

Carol had a big fight with her best friend, Sally, because she lost Sally's favorite ring. So she asked for advice from her dad.

In this situation, what would her dad say to her?

Dad: If I were you, _____

_____.

(apologize to her first)

기출문제를 풀었으면 채점한 후, 짝문제를 푸세요. ▶

CHAPTER

10

<u>비교구문</u>

기출문제 풀고 짝문제로 마무리!

우리말과 같도록 괄호 안의 말을 활용하여 영작하시오.

은색 안경은 검은색 안경만큼 비싸다. (as, expensive)

Silver glasses are _____ _____ _____ black glasses.

두 대상의 정도가 같음을 나타내기 위해 '···만큼 ~한'을 의미하는 「as + 원급 + as」를 쓴다.

정답: as expensive as

- 「as + 원급 + as」: ···만큼 ~한/하게
  Today is **as sunny as** yesterday. 오늘은 어제만큼 화창하다.
  I can**not** skate **as[so] well as** Yuna. 나는 유나만큼 스케이트를 잘 타지 못한다.

- 「배수사 + as + 원급 + as」: ···보다 -배 더 ~한/하게
  This book is **twice as thick as** that book. (= This book is **twice thicker than** that book.) 이 책은 저 책보다 두 배 더 두껍다.

- 「as + 원급 + as + possible」: 가능한 한 ~한/하게
  You should rest **as much as possible**. (= You should rest **as much as you can**.) 너는 가능한 한 많이 쉬어야 한다.

[1-10] 우리말과 같도록 괄호 안의 말을 활용하여 영작하시오.

1 Wesley는 뉴스 진행자만큼 빠르게 말한다. (talk, fast, a news anchor)

= Wesley _____.

2 저 나무는 이 나무보다 두 배 더 크다. (tall)

= That tree _____.

3 케이크는 쿠키만큼 맛있지 않았다. (delicious, the cookie)

= The cake _____.

4 Rick의 스마트폰은 내 것만큼 새것이다. (new)

= Rick's smartphone _____.

5 나의 그림은 너의 것만큼 아름답지 않다. (beautiful)

= My painting _____.

6 나는 나의 남동생만큼 많이 자지 않는다. (sleep, much)

= I _____.

7 Julie는 Michael보다 열 배 더 노래를 잘 부른다. (sing, well)

= Julie _____.

8 Beth는 지진 동안 가능한 한 침착함을 유지하려고 노력했다. (stay, calm)

= Beth _____ during the earthquake.

9 그는 가능한 한 자연스럽게 미소를 지었다. (smile, naturally)

= He _____.

10 그 집은 아파트보다 세 배 더 크다. (large, the apartment)

= The house _____.

POINT 2 비교급 비교와 비교급 관련 표현

우리말과 같도록 괄호 안의 말을 활용하여 영작하시오.

그가 더 빨리 말할수록 우리는 더 헷갈렸다. (fast, confused)

_____ _____ **he spoke,** _____
_____ _____ **we became.**

'~하면 할수록 더 …하다'를 의미하는 「the + 비교급, the + 비교급」을 쓴다.

정답: The faster, the more confused

- 「비교급 + than」: …보다 더 ~한/하게　　　*비교급 앞에 much, even, far, a lot등을 써서 비교급을 강조할 수 있다.
  The lemon pie was *much* **more delicious than** the apple pie. 그 레몬파이는 그 사과파이보다 훨씬 더 맛있었다.
- 「the + 비교급 (+ 주어 + 동사), the + 비교급 (+ 주어 + 동사)」: ~하면 할수록 더 …한
  The higher you climb on the mountain, **the colder** you will feel. 네가 산을 높이 오르면 오를수록 더 춥게 느낄 것이다.
- 「비교급 + and + 비교급」: 점점 더 ~한/하게　　　* 형용사나 부사의 비교급이 「more + 원급」 형태일 경우, 「more and more + 원급」의 형태로 쓴다.
  As we get older, our bones become **weaker and weaker**. 우리가 나이가 들면서, 우리의 뼈는 점점 더 약해진다.
  This TV show is getting **more and more exciting**. 이 TV 쇼는 점점 더 흥미진진해지고 있다.

[1-5] 우리말과 같도록 괄호 안의 말을 알맞게 배열하시오.

1 풍선은 하늘로 점점 더 높이 올라갔다. (went up, higher, higher, the balloon, and)

= _____ in the sky.

2 빨리 떠날수록 너는 부산에 더 빨리 도착할 것이다. (earlier, sooner, leave, will arrive, you, you, the, the)

= _____ at Busan.

3 빛은 소리보다 훨씬 더 빨리 이동한다. (than, travels, sound, faster, much)

= Light _____ .

4 휴대폰 기술은 점점 더 발달하고 있다. (more, advanced, is becoming, more, and)

= Mobile technology _____ .

5 내 두통이 점점 더 심해지고 있다. (and, getting, worse, worse, is)

= My headache _____ .

[6-9] 우리말과 같도록 괄호 안의 말을 활용하여 영작하시오.

6 차가 더 작을수록, 도시에서 운전하기에 더 쉽다. (small, easy)

= _____ to drive around in the city.

7 Lisa는 열심히 공부했기 때문에 그녀의 스페인어는 점점 더 좋아졌다. (Spanish, get, well)

= Because Lisa studied hard, _____ .

8 그 호박은 수박보다 훨씬 더 달았다. (even, sweet, the watermelon)

= The pumpkin _____ .

9 우리가 더 많은 돈을 벌수록, 우리는 더 많은 책임을 가진다. (much, money, earn, responsibility)

= _____ we have.

CHAPTER 10

비교구문　해커스 쓰기 자신감 Level 3

우리말과 같도록 괄호 안의 말을 활용하여 영작하시오.

이 자동차는 세계에서 가장 빠른 자동차들 중 하나이다. (fast)

This car is _____
in the world.

'가장 ~한 것들 중 하나'를 의미하는 「one of the + 최상급 + 복수명사」를 쓴다.

정답: one of the fastest cars

- 「the + 최상급 (+ 비교 범위)」: 가장 ~한/하게
  The roses are **the most fragrant** *of these flowers.* 장미는 이 꽃들 중에서 가장 향기롭다. *비교 범위를 나타낼 때는 보통 in이나 of를 쓴다.
  TIP 최상급 뒤에 「(that) + 주어 + have/has + (ever) + p.p.」를 쓰면 '(이제껏) …한 것 중에서 가장 ~한' 이라는 의미를 나타낸다.
- 「one of the + 최상급 + 복수명사」: 가장 ~한 것들 중 하나
  He is **one of the most famous soccer players** *in Korea.* 그는 한국에서 가장 유명한 축구선수들 중 한 명이다.

[1-5] 우리말과 같도록 괄호 안의 말을 알맞게 배열하시오.

1 이것은 우리가 산 것들 중 가장 비싼 기차 티켓이다. (have, the, train ticket, we, most expensive, bought)

= This is _____.

2 Hob 선생님은 우리 학교에서 가장 좋은 선생님들 중 한 명이다. (the, our school, best, one, teachers, of, in)

= Mr. Hob is _____.

3 이 피자는 모든 메뉴들 중 가장 맛있는 요리이다. (most delicious, of, dish, the, all menus)

= This pizza is _____.

4 이것은 그가 이제껏 본 것들 중에서 가장 무서운 영화였다. (scariest, ever, that, movie, he, the, has, seen)

= This was _____.

5 미켈란젤로는 역사상 가장 유명한 화가들 중 한 명이다. (most famous, in, of, artists, the, history, one)

= Michelangelo is _____.

[6-10] 우리말과 같도록 괄호 안의 말을 활용하여 영작하시오.

6 Kelly는 그녀의 반에서 가장 큰 소녀들 중 한 명이다. (tall, class)

= _____

7 이 목걸이는 내가 이제껏 산 것들 중 가장 값어치가 있는 장신구이다. (necklace, valuable, jewelry, buy)

= _____

8 야구는 모든 것들 중 가장 흥미로운 운동이다. (baseball, exciting, sport, all)

= _____

9 흰긴수염고래는 동물들 중 가장 크다. (the blue whale, large, the animals)

= _____

10 속초는 한국에서 가장 아름다운 해변 중 하나를 가지고 있다. (Sokcho, beautiful, beach, Korea)

= _____

POINT 4 원급과 비교급을 이용한 최상급 비교 표현

두 문장의 의미가 같도록 빈칸을 채우시오.

Math is the most boring subject.

→ Math is _____ _____ than

_____ _____ _____.

빈칸 앞에 Math is가 있으므로 '다른 어떤 ~보다 더 ~한'을 의미하는 「비교급 + than any other + 단수명사」를 쓴다.

정답: more boring, any other subject
해석: 수학은 가장 지루한 과목이다.
→ 수학은 다른 어떤 과목보다 더 지루하다.

'가장 ~한/하게'라는 의미의 최상급 비교는 원급과 비교급을 활용하여 다음과 같이 쓴다.

the + 최상급 가장 ~한/하게
= No (other) + 단수명사 ~ as[so] + 원급 + as (다른) 어떤 …도 ~만큼 ~하지 않은
= No (other) + 단수명사 ~ 비교급 + than (다른) 어떤 …도 ~보다 더 ~하지 않은
= 비교급 + than any other + 단수명사 다른 어떤 …보다 더 ~한

Mali is **the hottest country** in the world. 말리는 세계에서 가장 더운 나라다.
= **No (other) country** in the world is **as[so] hot as** Mali. (다른) 어떤 나라도 말리만큼 덥지 않다.
= **No (other) country** in the world is **hotter than** Mali. (다른) 어떤 나라도 말리보다 더 덥지 않다.
= Mali is **hotter than any other country** in the world. 말리는 다른 어떤 나라보다 더 덥다.

[1-4] 다음 두 문장의 의미가 같도록 문장을 완성하시오.

1 I am the youngest person in my family.

= No other _____ than me in my family.

2 The Internet is the most useful invention.

= The Internet _____.

3 Breakfast is the most important meal of the day.

= No other _____ as breakfast.

4 December is the coldest month of the year.

= December _____.

[5-8] 우리말과 같도록 괄호 안의 말을 활용하여 영작하시오.

5 학교의 다른 어떤 공간도 도서관보다 더 조용하지 않다. (place in school, quiet, a library)

= No other _____.

6 Hunter는 마라톤의 다른 어떤 주자보다 더 느렸다. (slow, runner in the marathon)

= Hunter _____.

7 바다의 다른 어떤 동물도 문어만큼 똑똑하지 않다. (animal in the sea, smart, the octopus)

= No other _____.

8 올해의 폭풍은 과거의 다른 어떤 폭풍보다 강했다. (strong, storm in the past)

= This year's storm _____.

기출문제 풀고 짝문제로 마무리!

기출문제를 풀고 정답과 해설을 확인하세요. 짝문제를 풀면서 복습하고, 틀린 문제는 다시 틀리지 않도록 꼼꼼히 점검하세요.

단어 배열하여 영작하기
우리말과 같도록 괄호 안의 말을 알맞게 배열하시오.

기출문제 풀고	짝문제로 마무리

01
이 초록 재킷은 파란 재킷만큼 잘 맞지 않는다.
(well, the blue jacket, the green jacket, as, as, doesn't fit)

= _____

_____

06
나에게 농구는 배구만큼 흥미진진하지 않다.
(to me, as, as, is, basketball, volleyball, exciting, not)

= _____

_____

02
이 펜은 저 연필보다 두 배 더 길다. (that pencil, as, as, is, this pen, long, twice)

= _____

_____

07
이 가방은 나의 가방보다 열 배 더 무겁다. (as, as, ten times, heavy, this bag, my bag, is)

= _____

_____

03
나는 고무를 내가 할 수 있는 한 멀리 늘렸다.
(stretched, as, as, I, far, possible, the, rubber)

= _____

_____

08
규칙을 가능한 한 분명하게 설명해 주세요.
(possible, explain, clearly, the rules, please, as, as)

= _____

_____

04
스노보드를 타는 것은 스키를 타는 것보다 훨씬 더 위험하다. (much, skiing, snowboarding, than, dangerous, more, is)

= _____

_____

09
오늘 날씨는 어제의 날씨보다 훨씬 더 따뜻하다.
(even, yesterday's, weather, than, today's, warmer, is)

= _____

_____

05 고난도
네가 더 많이 읽으면 읽을수록, 너는 더 많은 지식을 얻게 될 것이다. (more, more, will gain, you, you, read, knowledge, the, the)

= _____

_____

10 고난도
우리가 더 나이가 들면 들수록, 우리는 더 많은 주름을 얻는다. (older, wrinkles, get, become, the, the, more, we, we)

= _____

_____

기출문제를 풀었으면 채점한 후, 짝문제를 푸세요. ▶

주어진 단어로 영작하기
우리말과 같도록 괄호 안의 말을 활용하여 영작하시오.

기출문제 풀고

11

소파는 의자보다 훨씬 더 편안했다.
(comfortable, the chair)

= The sofa _____

_____ .

12

저 회사는 유럽에서 가장 화려한 시계를 만든다.
(fancy, watch, Europe)

= That company _____

_____ .

13

Vans 씨는 더 부유해지면 부유해질수록 더 탐욕스러워졌다. (rich, Mr. Vans, greedy)

= _____

_____ he got.

14

Jordan은 우리가 말하는 것보다 두 배 더 크게 말했다. (speak, loud)

= Jordan _____

_____ .

15

나는 올해 가장 어려운 시험들 중 하나를 통과했다. (pass, difficult test)

= I _____

_____ this year.

16

나는 목욕을 하는 동안 점점 더 편안해졌다.
(feel, relaxed)

= _____

_____ while I was taking a bath.

짝문제로 마무리

17

치킨 국수는 소고기 국수보다 훨씬 더 매웠다.
(spicy, the beef noodle)

= The chicken noodle _____

_____ .

18

마리아나 해구는 바다에서 가장 깊은 지점이다.
(deep, point, the ocean)

= The Mariana Trench _____

_____ .

19

더 많이 먹으면 먹을수록, 너는 더 배가 부를 것이다. (much, full)

= _____

_____ you will become.

20

하와이는 제주도보다 15배 더 크다. (large, Jejudo)

= Hawaii _____

_____ .

21

두리안은 세상에서 가장 냄새 나는 과일 중 하나이다. (smelly, fruit)

= The durian _____

_____ .

22

그 남자는 문에 점점 더 가까워졌다.
(get, close)

= _____

_____ to the door.

기출문제를 풀었으면 채점한 후, 짝문제를 푸세요. ▶

문장 바꿔 쓰기
다음 두 문장의 의미가 같도록 비교구문 문장을 완성하시오.

23

Fleas can jump 350 times higher than their body length.

= Fleas _____

_____ their body length.

24

We tried to decorate the house as beautifully as we could.

= We tried to decorate the house _____

_____ .

25

As I boiled the meat longer, it became softer.

= The _____

_____ .

26

The subway is the most convenient form of transportation.

= No other _____

_____ as the subway.

27

The ostrich is the largest bird in the world.

= The ostrich _____

_____ .

28

Eric practiced the violin ten times more than Amy.

= Eric _____

_____ .

29

You need to handle those diamonds as carefully as possible.

= You need to handle those diamonds ___

_____ .

30

As the temperature rose rapidly, the ice melted faster.

= The _____

_____ .

31

Reading is the best way to learn a new language.

= No other _____

_____ than reading.

32

This is the fluffiest cushion I have ever bought.

= This _____

_____ .

기출문제를 풀었으면 채점한 후, 짝문제를 푸세요. ▶

틀린 부분 고쳐 쓰기
어법상 틀린 부분을 찾아 바르게 고쳐 쓰시오.

기출문제 풀고	짝문제로 마무리

33
> Using the computer was easiest than calculating in my head.

_____ → _____

39
> To me, solving puzzles is most fun than playing chess.

_____ → _____

34
> The statue is as newer as the building behind it.

_____ → _____

40
> The lamp in the bedroom isn't as brighter as the one in the living room.

_____ → _____

35
> This article is much hard to read than the short story.

_____ → _____

41
> This new recipe is far delicious than the original one.

_____ → _____

36
> King Sejong is greatest king of all time in Korea.

_____ → _____

42
> Best novel I've ever read is *The Great Gatsby*.

_____ → _____

37
> The Amazon is the largest than any other forest on earth.

_____ → _____

43
> Chicago is the windiest than any other city in the United States.

_____ → _____

38
> Brad is one of the kindest friend in my class.

_____ → _____

44
> Egypt is one of the oldest country in the world.

_____ → _____

표 읽고 영작하기
다음 표를 보고 괄호 안의 말을 활용하여 빈칸을 채우시오.

	기출문제 풀고		

이름	Thomas	Andrew	Jackson
나이	12	14	15
몸무게	50kg	65kg	65kg

45 Andrew is _____ _____
_____ _____ Jackson, but he
is _____ _____ Thomas. (old)

46 Jackson is _____ _____
_____ Andrew, and Thomas is
_____ _____ of the three.
(heavy, light)

기출문제를 풀었으면 채점한 후, 짝문제를 푸세요. ▶

	짝문제로 마무리		

과일	grapes	melon	peach
가격	$5	$12	$12
신선도	★☆☆	★★★	★★☆

47 A melon is _____ _____
_____ a peach, but it is _____
_____ _____ grapes.
(expensive)

48 Grapes are _____ _____
_____ _____ the other two,
and a melon is _____ _____
any other fruit. (fresh)

그림 보고 영작하기
괄호 안의 말을 활용하여 그림을 묘사하는 문장을 완성하시오.

	기출문제 풀고		

49

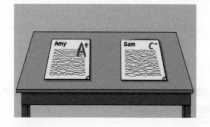

Amy _____
than Sam on the test. (do well, much)

50

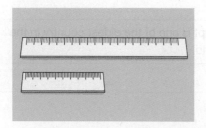

This ruler is _____
that one. (long, twice, as)

기출문제를 풀었으면 채점한 후, 짝문제를 푸세요. ▶

	짝문제로 마무리		

51

Today _____
yesterday. (cold, even)

52

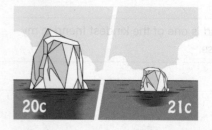

The glacier _____
_____ it was 100 years ago.
(become, three times, small, than)

CHAPTER

11

일치와 화법

기출문제 풀고 짝문제로 마무리!

다음 문장에서 어법상 틀린 부분을 찾아 바르게 고쳐 쓰시오.

Everyone have a right to vote.

→ **Everyone** _____.

문장의 주어가 everyone이므로 단수 취급하여 have를 has로 고친다.

정답: has a right to vote
해석: 모든 사람들은 투표를 할 권리가 있다.

- 다음과 같은 주어 뒤에는 항상 단수동사를 쓴다.

명사구/명사절	each/every가 포함된 명사	시간·거리·금액·무게 등의 단위
학과명/국가명	-thing, -one, -body로 끝나는 명사	the number of ~ ~의 수

The number of visitors to the museum **is** steady. 박물관을 찾는 방문객들의 수가 꾸준하다.

- 다음과 같은 주어 뒤에는 항상 복수동사를 쓴다.

(Both) A and B A와 B (둘 다)	the + 형용사 ~한 사람들	a number of ~ 많은 ~

A number of ballerinas **are** performing on stage. 많은 발레리나들이 무대에서 공연하고 있다.

[1-4] 우리말과 같도록 괄호 안의 말을 활용하여 영작하시오.

1 부엌에 있는 누군가가 맛있는 음식을 요리하고 있다. (the kitchen, cook)

= _____ delicious food.

2 아몬드와 호두 둘 다 반죽에 넣어졌다. (almonds, walnuts, put)

= _____ in the dough.

3 현대 물리학은 이론에 기반한다. (modern physics, base on)

= _____ theories.

4 잃어버린 퍼즐 조각을 찾는 것은 어려웠다. (find, the lost puzzle piece)

= _____ difficult.

[5-9] 다음 문장에서 어법상 틀린 부분을 찾아 바르게 고쳐 쓰시오.

5 Two hours are too short to discuss the matter.

→ _____

6 The number of homeless people are rapidly increasing.

→ _____

7 The United States of America are composed of 50 states.

→ _____

8 The rich pays more tax than the poor.

→ _____

9 Every airport have its own police department.

→ _____

다음 문장에서 밑줄 친 부분을 바르게 고쳐 빈칸을 채우시오.

Charlie told me that he <u>will eat</u> the hot dog.

→ **Charlie told me that he _____ _____ the hot dog.**

문장의 주절에 과거시제(told)가 쓰였으므로, 종속절의 조동사를 과거형으로 고쳐 쓴다.

정답: would eat
해석: Charlie는 나에게 그가 핫도그를 먹을 것이라고 말했다.

- 주절이 현재시제인 경우 종속절에는 의미에 따라 모든 시제를 쓸 수 있다.
  I **know** that Jane **was** the class president. 나는 Jane이 반장이었다는 것을 알고 있다.
- 주절의 시제가 과거시제인 경우 종속절에는 의미에 따라 과거시제나 과거완료시제를 쓴다.
  I **heard** that my cousin **would buy** a bicycle. 나는 나의 사촌이 새 자전거를 살 것이라고 들었다. * 주절이 과거시제일 때 종속절의 조동사도 과거형(would, could, might 등)을 쓴다.
  I **heard** that my cousin **had bought** a bicycle. 나는 나의 사촌이 새 자전거를 샀다고 들었다.

[1-5] 다음 문장의 밑줄 친 부분을 과거시제로 바꿔 완전한 문장을 쓰시오.

1 I <u>am</u> surprised that you didn't notice my new sneakers.

→ I _____ surprised that you _____ my new sneakers.

2 We <u>agree</u> that it will be nice to visit France.

→ We _____ that it _____ nice to visit France.

3 The children <u>believe</u> that their parents know everything.

→ The children _____ that their parents _____ everything.

4 My sister <u>asks</u> if I touched her belongings.

→ My sister _____ if I _____ her belongings.

5 Sarah <u>wonders</u> why Nate didn't come to school.

→ Sarah _____ why Nate _____ to school.

[6-10] 우리말과 같도록 괄호 안의 말을 활용하여 영작하시오.

6 Harry는 그 보물 지도가 진짜라고 주장한다. (argue, the treasure map, real)

= Harry _____.

7 Molly는 한국인들이 영어를 말할 것이라고 생각했다. (think, speak English)

= Molly _____.

8 나는 그녀가 왜 사실을 말하지 않는지 물었다. (ask, tell the truth)

= I _____.

9 그 고객은 그의 샐러드에서 애벌레를 찾았다고 주장했다. (claim, find, a caterpillar)

= The customer _____ in his salad.

10 그는 그의 꿈이 타임머신을 발명하는 것이었다고 말한다. (say, to invent a time machine)

= He _____.

우리말과 같도록 괄호 안의 말을 활용하여 문장을 완성하시오.

학생들은 물이 섭씨 100도에서 끓는다는 것을 배웠다. (learn, boil)

The students _____ that _____ _____ at 100℃.

과학적 사실을 나타낼 때는 주절의 시제와 상관없이 종속절에 항상 현재시제를 쓴다.

정답: learned, water boils

- 현재의 습관, 반복되는 일, 일반적/과학적 사실, 속담/격언을 나타낼 때는 주절의 시제와 상관없이 종속절에 항상 현재시제를 쓴다.
  Kelly **said** that she **goes** to bed at 10 every night. Kelly는 그녀가 매일 밤 10시에 자러 간다고 말했다.

- 역사적 사실을 나타낼 때는 주절의 시제와 상관없이 종속절에 항상 과거시제를 쓴다.
  We **know** that the Korean War **broke out** in 1950. 우리는 한국 전쟁이 1950년에 발발한 것을 안다.

[1-10] 우리말과 같도록 괄호 안의 말을 활용하여 영작하시오.

1 환자는 의사에게 그가 매일 아침 조깅을 한다고 말했다. (tell the doctor, jog every morning)

= The patient _____.

2 그는 우리에게 일찍 일어나는 새가 벌레를 잡는다고 말했다. (tell, the early bird, catch the worm)

= He _____.

3 경찰은 남산타워가 용산구에 위치하고 있다고 말했다. (say, Namsan Tower, located in Yongsangu)

= The police _____.

4 선생님은 우리에게 Abraham Lincoln이 1861년에 대통령이 되었다고 가르치셨다. (teach, become the president)

= The teacher _____ in 1861.

5 Jane Austen이 1813년에 '오만과 편견'을 썼다고 알려져 있다. (know, write *Pride and Prejudice*)

= It _____ in 1813.

6 Jerry는 물이 0도에서 언다는 것을 몰랐다. (know, freeze at 0℃)

= Jerry _____.

7 모든 사람들은 Thomas Edison이 전구를 발명했다고 생각한다. (think, invent the light bulb)

= Everyone _____.

8 나의 할머니는 몸에 좋은 약이 입에 쓰다고 하셨다. (say, good medicine, taste bitter)

= My grandmother _____.

9 나는 Benjamin이 하루에 두 번 그의 개를 산책시킨다고 들었다. (hear, walk his dog)

= I _____ twice a day.

10 갈릴레오는 지구가 태양 주위를 돈다고 주장했다. (argue, go around)

= Galileo _____.

POINT 4 평서문의 화법 전환

다음 문장을 간접 화법으로 바꿔 쓰시오.

Tom said to me, "I will go hiking next week."

→ **Tom told me** _____

_____ .

직접 화법 문장을 간접 화법 문장으로 바꿔 쓸 때는 큰 따옴표를 없애고 종속절의 대명사나 부사구를 전달하는 사람의 입장에 맞게 바꿔 「tell + 목적어(+ that) + 주어 + 동사」의 형태로 쓴다.

정답: (that) he would go hiking the following week
해석: Tom은 나에게 "나는 다음 주에 하이킹을 갈 거야."라고 말했다.
  → Tom은 나에게 그가 그 다음 주에 하이킹을 갈 거라고 말했다.

평서문의 직접 화법은 「say[tell + 목적어](+ that) + 주어 + 동사」 형태의 간접 화법으로 바꿔 쓸 수 있다. 직접 화법을 간접 화법으로 전환할 때 인칭대명사, 시제, 부사구 등은 문맥에 맞게 바꿔 쓴다.

Emily said, "I met Evan yesterday." Emily는 "나는 어제 Evan을 만났어."라고 말했다.
→ Emily said (that) she had met Evan the previous day. Emily는 그녀가 전날 Evan을 만났었다고 말했다.

TIP 부사구 변화

here → there	now → then[at that time]	today → that day	tomorrow → the next[following] day
yesterday → the previous day[the day before]	last → the previous	ago → before	

[1-10] 다음 문장을 간접 화법으로 바꿔 쓰시오.

1 Jason said, "I invited Sam to my birthday party yesterday."

   → Jason _____ .

2 The woman said to the police officer, "A thief stole my purse 30 minutes ago."

   → The woman _____ .

3 The girl said, "It is going to snow tomorrow."

   → The girl _____ .

4 The engineer said to me, "We can't fix your car now."

   → The engineer _____ .

5 Dad said to me, "You should clean your room today."

   → Dad _____ .

6 Matt said to Nancy, "I prefer my coffee black."

   → Matt _____ .

7 The boy said to his mom, "I want to drink some water."

   → The boy _____ .

8 Ms. Brown said, "I don't like playing badminton."

   → Ms. Brown _____ .

9 The man said to the chef, "The steak was very delicious."

   → The man _____ .

10 The clerk said to the customers, "You can get discounts on fruits today."

   → The clerk _____ .

다음 주어진 문장을 간접 화법으로 바꿔 쓰시오.

He said to me, "How did you persuade Elise to return?"

→ **He asked me** _____.

의문사가 있는 의문문의 직접 화법을 간접 화법으로 바꿀 때는 「의문사 + 주어 + 동사」의 어순으로 쓴다.

정답: how I had persuaded Elise to return
해석: 그는 나에게 "너는 Elise가 돌아오도록 어떻게 설득했니?"라고 말했다.
→ 그는 나에게 내가 Elise가 돌아오도록 어떻게 설득했었는지 물었다.

- 의문사가 있는 의문문의 직접 화법은 「ask(+ 목적어) + 의문사 + 주어 + 동사」 형태의 간접화법으로 바꿔 쓸 수 있다. * 의문사가 주어일 때는 「의문사 + 동사」의 형태를 그대로 쓴다.
  Josh **said to** me, "**Where are you** going now?" Josh는 나에게 "너는 지금 어디에 가니?"라고 말했다.
  → Josh **asked** me **where I was going** then. Josh는 나에게 내가 그때 어디에 가는지 물었다.
- 의문사가 없는 의문문의 직접 화법을 간접 화법으로 바꿀 때 「ask(+ 목적어) + if[whether] + 주어 + 동사」 형태로 쓴다.
  I **said to** her, "**Did you see** my coat?" 나는 그녀에게 "너는 내 코트를 봤니?"라고 말했다.
  → I **asked** her **if[whether] she had seen** my coat. 나는 그녀에게 그녀가 내 코트를 봤는지 물었다.

[1-11] 다음 문장을 간접 화법으로 바꿔 쓰시오.

1 The doctor said to me, "Where does it hurt?"

   → The doctor _____.

2 I said to Mom, "How can I bake a carrot cake?"

   → I _____.

3 George said to her, "Do you want to go to a movie with me?"

   → George _____.

4 The teacher said to him, "Will you explain how you solved the problem?"

   → The teacher _____.

5 The driver said to me, "Where are you heading to?"

   → The driver _____.

6 Serena said to him, "Are you going to call me tomorrow?"

   → Serena _____.

7 The scientist said to the audience, "Has anyone heard of dark matter?"

   → The scientist _____.

8 Lisa said, "Who took my cup?"

   → Lisa _____.

9 I said to Julie, "How long do I have to wait?"

   → I _____.

10 The police officer said to the man, "Why did you break into the store?"

   → The police officer _____.

11 Jake said to Dad, "Was it cold outside yesterday?"

   → Jake _____.

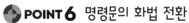
다음 주어진 문장을 간접 화법으로 바꿔 쓰시오.

> She said to us, "Wear safety helmets in the cave."
>
> → **She told us** _____ **in the cave.**

명령문이 주어진 문장의 직접 화법은 「tell[order/ask/ advise 등] + 목적어 + to부정사」의 형태로 쓴다.

정답: to wear safety helmets
해석: 그녀는 우리에게 "동굴에서는 안전모를 써라."라고 말했다.
　　 → 그녀는 우리에게 동굴에서는 안전모를 쓰라고 말했다.

명령문의 직접 화법은 「tell[order/ask/advise] + 목적어 + to부정사」 형태의 간접화법으로 바꿔 쓸 수 있다.
He **said to** me, "**Show** me your student ID card."　그는 나에게 "나에게 너의 학생증을 보여줘라."라고 말했다.
→ He **told** me **to show** him my student ID card.　그는 나에게 나의 학생증을 그에게 보여주라고 말했다.

TIP 부정 명령문의 직접 화법을 간접 화법으로 바꿀 때는 to부정사 앞에 **not**을 쓴다.
　　She **ordered** us **not to touch** anything in the laboratory.　그녀는 우리에게 실험실에서 아무것도 만지지 말라고 명령했다.

[1-11] 다음 문장을 간접 화법으로 바꿔 쓰시오.

1 The teacher said to us, "Hand in your homework now."

→ The teacher told _____ .

2 The doctor said to me, "Don't eat too much sugar. "

→ The doctor ordered _____ .

3 Natalie said to me, "Close the window."

→ Natalie told _____ .

4 The coach said to Kelly, "Practice harder to win the competition."

→ The coach advised _____ .

5 She said to the students, "Don't be afraid to ask questions."

→ She told _____ .

6 He said to me, "Watch out for the car."

→ He advised _____ .

7 The security guard said to Jane, "Stay in line."

→ The security guard told _____ .

8 My mother said to me, "Keep a record of your spending."

→ My mother advised _____ .

9 The judge said to the man, "Be quiet in the courtroom."

→ The judge ordered _____ .

10 Veronica said to her parents, "Don't worry about me."

→ Veronica told _____ .

11 The commander said to the soldiers, "Don't leave your positions today."

→ The commander ordered _____ .

기출문제 풀고 짝문제로 마무리!

기출문제를 풀고 정답과 해설을 확인하세요. 짝문제를 풀면서 복습하고, 틀린 문제는 다시 틀리지 않도록 꼼꼼히 점검하세요.

주어진 단어로 영작하기
우리말과 같도록 괄호 안의 말을 활용하여 영작하시오.

기출문제 풀고	짝문제로 마무리

01

Henry는 그 전주에 그 가게가 닫혀있었다는 것을 들었다. (hear, the store, closed)

= Henry _____

_____ the previous week.

06

Jamie는 그 전날에 나무가 넘어진 것을 봤다. (see, the tree, fall)

= Jamie _____

_____ the day before.

02

우리는 햇빛이 식물을 위한 양분을 만드는 데 사용된다는 것을 배웠다. (learn, sunlight, use, make food)

= We _____

_____ for plants.

07

선생님은 공급과 수요가 시장을 통제한다고 설명했다. (explain, supply and demand, control)

= The teacher _____

_____ the market.

03

Mary는 나에게 그녀가 매일 영어를 공부한다고 말했다. (tell, study English)

= Mary _____

_____.

08

나는 Jack이 매일 아침 신문을 읽는 것을 알게 되었다. (find out, read the newspaper)

= I _____

_____.

04

Andrew는 폭풍우 동안 실내에 머무르는 것이 낫다고 생각한다. (think, better, stay indoors)

= Andrew _____

_____ during the storm.

09

Scrooge는 돈이 전부가 아니었다는 것을 이해하지 못했다. (understand, money, everything)

= Scrooge _____

_____.

05

나의 할머니는 서투른 목수가 연장을 탓한다고 하셨다. (say, a bad worker, blame)

= My grandmother _____

_____ his tools.

10

나는 물이 수소와 산소로 이루어져 있다는 것을 알았다. (know, consist of, hydrogen, oxygen)

= I _____

_____.

기출문제를 풀었으면 채점한 후, 짝문제를 푸세요. ▶

문장 바꿔 쓰기
다음 두 문장의 의미가 같도록 바꿔 쓰시오.

| 기출문제 풀고 | 짝문제로 마무리 |

11

Dan said to Ben, "Wash your hands to get ready for dinner now."

→ Dan ordered _____

_____ .

16

Our math teacher said to us, "Solve these problems in ten minutes from now."

→ Our math teacher ordered _____

_____ .

12

Andy said to his mother, "I want to have a sandwich tomorrow."

→ Andy told _____

_____ .

17

The dentist said to Ms. Clark, "You need to visit us next week."

→ The dentist told _____

_____ .

13

I said to Jake, "Who are you waiting here for?"

→ I _____

_____ .

18

The police said to the man, "Who did you talk on the phone with last night?"

→ The police _____

_____ .

14

Tim said to Lisa, "Will you go to the dance with me?"

→ Tim _____

_____ .

19

The vet said to me, "Did your dog eat a lot of sweet potatoes yesterday?"

→ The vet _____

_____ .

15 고난도

Laura said to her friend, "I won the singing contest last year."

→ Laura _____

_____ .

20 고난도

She said to the customer, "I'm sorry but we don't have any chicken today."

→ She _____

_____ .

기출문제를 풀었으면 채점한 후, 짝문제를 푸세요. ▶

CHAPTER 11 일치와 화법 해커스 쓰기 자신감 Level 3

틀린 부분 고쳐 쓰기
다음 문장에서 어법상 틀린 부분을 찾아 바르게 고쳐 쓰시오.

21 Every member of the class are studying hard for the test.

→ _____

_____

22 Both speed and strength is important in soccer.

→ _____

_____

23 고난도 A number of deer is running on the field.

→ _____

_____

24 고난도 Economics are a mandatory course in high school.

→ _____

_____

25 It is written in the book that Neil Armstrong lands on the moon in 1969.

→ _____

_____

26 Each ticket admit one adult, so we bought three.

→ _____

_____

27 Both my dad and mom works at the national bank.

→ _____

_____

28 고난도 The number of accidents on the crossroad are increasing.

→ _____

_____

29 고난도 The Philippines are a multiracial nation with various cultures.

→ _____

_____

30 I know that George Washington is the first president of America.

→ _____

_____

기출문제를 풀었으면 채점한 후, 짝문제를 푸세요. ▶

그림 보고 영작하기

다음 그림을 보고 괄호 안의 말을 활용하여 간접 화법 문장을 완성하시오.

| 기출문제 풀고 | 짝문제로 마무리 |

31

The weatherman says that _____
_____ tonight.

(will, snow)

34

I think that _____
_____.

(air pollution, a huge problem)

32

The teacher told us that _____
_____ next week.

(will, give, a quiz)

35

My dad promised that _____
_____ to the theme park.

(will, take)

33

Sarah said that _____
_____.

(take care of)

36

He said that _____
_____.

(want to watch)

기출문제를 풀었으면 채점한 후, 짝문제를 푸세요. ▶

조건에 맞게 영작하기
우리말과 같도록 주어진 <조건>에 맞게 영작하시오.

기출문제 풀고

37

그녀는 그날 내가 저녁식사를 준비했는지 물었다.

―――― <조건> ――――
1. 간접 화법으로 쓰시오.
2. whether를 쓰지 마시오.
3. prepare, dinner를 활용하시오.
4. 9단어로 쓰시오.

= _____

_____

38

그 남자는 우리에게 우리가 거기에서 고속도로를 탈 수 없다고 말했다.

―――― <조건> ――――
1. 간접 화법으로 쓰시오.
2. tell, take the highway를 활용하시오.
3. 11단어로 쓰시오.

= _____

_____

짝문제로 마무리

39

선생님은 내가 숙제를 제출했는지 물으셨다.

―――― <조건> ――――
1. 간접 화법으로 쓰시오.
2. whether를 쓰지 마시오.
3. hand in, the homework를 활용하시오.
4. 10단어로 쓰시오.

= _____

_____

40

Scott은 그들에게 그가 그 전날 어떤 낯선 사람도 보지 못했다고 말했다.

―――― <조건> ――――
1. 간접 화법으로 쓰시오.
2. tell, see any strangers를 활용하시오.
3. 12단어로 쓰시오.

= _____

_____

기출문제를 풀었으면 채점한 후, 짝문제를 푸세요. ▶

두 문장을 한 문장으로 연결하기
다음 두 문장을 한 문장으로 바꿔 간접 화법 문장을 쓰시오.

기출문제 풀고

41 [고난도]

• He told me.
• I don't understand your concerns.

→ He _____

_____ .

42

• Ryan asked Julia.
• Did you take the magazine?

→ Ryan _____

_____ .

짝문제로 마무리

43 [고난도]

• The teacher told us.
• You can work with your partner today.

→ The teacher _____

_____ .

44

• My grandmother asked me.
• Will you walk with me?

→ My grandmother _____

_____ .

기출문제를 풀었으면 채점한 후, 짝문제를 푸세요. ▶

CHAPTER

12

특수구문

기출문제 풀고 짝문제로 마무리!

밑줄 친 부분을 강조하여 'It is ~ that' 문장으로 다시 쓰시오.

I'll travel to Europe next week.

→ **It is** _____ **that** _____ .

강조하는 말인 next week를 It is와 that 사이에 쓰고, 나머지 부분을 that 뒤에 쓴다.

정답: next week, I'll travel to Europe
해석: 나는 다음 주에 유럽으로 여행갈 것이다.
→ 내가 유럽으로 여행가는 것은 바로 다음 주이다.

'…한 것은 바로 ~이다'라는 의미로, 동사를 제외한 모든 문장 요소를 강조할 때 「It is[was] ~ that …」 강조 구문을 쓴다. 강조하는 말은 It is[was]와 that 사이에 쓰고, 나머지 부분은 that 뒤에 쓴다.

Kate saw lions at the zoo yesterday. Kate는 어제 동물원에서 사자를 봤다.
　주어　　　목적어　　장소 부사구　시간 부사구
→ **It was Kate that** saw lions at the zoo yesterday. <주어 강조> 어제 동물원에서 사자를 본 사람은 바로 Kate다.

→ **It was lions that** Kate saw at the zoo yesterday. <목적어 강조> 어제 동물원에서 Kate가 본 것은 바로 사자다.

→ **It was at the zoo that** Kate saw lions yesterday. <장소 부사구 강조> 어제 Kate가 사자를 본 곳은 바로 동물원이다.

→ **It was yesterday that** Kate saw lions at the zoo. <시간 부사구 강조> 동물원에서 Kate가 사자를 본 때는 바로 어제다.

[1-5] 다음 문장을 밑줄 친 부분을 강조하는 문장으로 바꿔 쓰시오.

1 The president gave a speech <u>at the museum</u> last month.

→ _____

2 <u>Paul</u> visited the hospital this morning.

→ _____

3 Henry took a walk in the park <u>earlier today</u>.

→ _____

4 Those students clean <u>the beach</u> every weekend.

→ _____

5 I called <u>my grandmother</u> from home this afternoon.

→ _____

[6-10] 우리말과 같도록 괄호 안의 말을 활용하여 영작하시오.

6 어제 쇼핑몰에서 경찰이 잡은 사람은 바로 용의자였다. (the suspect, the police, catch, the mall)

= _____

7 집에서 그녀가 사과를 먹는 때는 바로 매일 아침이다. (eat an apple, home)

= _____

8 크리스마스를 위해 내가 원하는 것은 바로 새 컴퓨터이다. (a new computer, want, Christmas)

= _____

9 작년에 그 행사를 준비한 사람은 바로 Anderson 씨였다. (Mr. Anderson, organize the event)

= _____

10 다음 주에 우리가 파스타를 먹을 곳은 바로 이탈리아에서이다. (Italy, eat pasta)

= _____

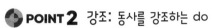 **POINT 2** 강조: 동사를 강조하는 do

정답 및 해설 p. 35

다음 문장을 밑줄 친 부분을 강조하는 문장으로 바꿔 쓰시오.

I like reading comic books.

→ I _____.

동사 like를 강조할 때는 「do동사 + 동사원형」의 형태로 쓰며, 주어가 1인칭 I 이므로 like를 쓴다.

정답: do like reading comic books
해석: 나는 만화책 읽는 것을 좋아한다.
→ 나는 만화책 읽는 것을 정말 좋아한다.

'정말 …하다'의 의미로 일반동사를 강조할 때는 「do/does/did + 동사원형」의 형태로 쓴다. 이때 do동사는 주어의 인칭과 수, 동사의 시제에 맞게 쓴다.
Cheetahs **do run** fast. 치타는 정말 빨리 달린다.
He **does like** to take a nap in the afternoon. 그는 오후에 낮잠 자는 것을 정말 좋아한다.
Laura **did finish** her homework last night. Laura는 어젯밤에 그녀의 숙제를 정말 끝냈다.
Do be careful. 정말 조심해.

[1-5] 다음 문장을 밑줄 친 부분을 강조하는 문장으로 바꿔 쓰시오.

1 She believes Theo stole her wallet. → _____ Theo stole her wallet.

2 Tabby knows a lot of people. → _____ a lot of people.

3 Pets require much attention and care. → _____ much attention and care.

4 Dad wears glasses when he drives. → _____ glasses when he drives.

5 I turned off the lights before I left the house. → _____ the lights before I left the house.

[6-12] 우리말과 같도록 괄호 안의 말과 do동사를 활용하여 영작하시오.

6 나는 그 시험을 정말 통과하고 싶었다. (want, pass, the exam)

= _____

7 많은 등산객들은 그 산을 정말 매일 방문한다. (many hikers, visit, the mountain)

= _____

8 그 가게는 12월에 정말 매우 바빠진다. (the shop, get very busy, December)

= _____

9 그 약은 내가 기분이 나아지도록 정말 도왔다. (the medicine, help, feel better)

= _____

10 악어는 나일강에 정말 산다. (crocodile, live, the Nile River)

= _____

11 그녀는 결혼식 초대장을 정말 받았다. (receive, the invitation, the wedding)

= _____

12 나는 물을 가져가는 것을 정말 기억했다. (remember, bring, some water)

= _____

CHAPTER 12

특수구문 해커스 쓰기 자신감 Level 3

다음 문장에서 어법상 틀린 부분을 찾아 바르게 고쳐 쓰시오.

> **Next to Charlie a girl sits wearing a cap.**
>
> → _____ **wearing a cap.**

부사구가 문장의 맨 앞으로 올 때는 주어와 동사의 순서를 바꾸어야 하므로 「장소의 부사(구) + 동사 + 주어」 형태로 쓴다.

정답: Next to Charlie sits a girl
해석: Charlie 옆에 모자를 쓴 소녀가 앉아있다.

- 장소나 방향을 나타내는 부사(구)를 강조하기 위한 도치: 「장소나 방향의 부사(구) + 동사 + 주어」
  On the table **was my hat**. 식탁 위에 내 모자가 있다.

- 부정어(never, hardly, rarely, seldom, little, not only 등)를 강조하기 위한 도치
  ① be동사나 조동사가 있는 문장: 「부정어 + be동사/조동사 + 주어」
  Not only **was Alice** tired but also sick. (← **Alice was** *not only* tired but also sick.) Alice는 피곤할 뿐만 아니라 아팠다.
  ② 일반동사가 있는 문장: 「부정어 + do/does/did + 주어 + 동사원형」
  Rarely **did Jacob** exercise on the weekend. (← **Jacob** *rarely* exercised on the weekend.) Jacob은 주말에 거의 운동을 하지 않았다.

[1–5] 다음 두 문장의 의미가 같도록 문장을 완성하시오.

1 A nice café was around the corner.　　　→ Around the corner _____.

2 She seldom talked about her feelings.　　→ Seldom _____.

3 The children rolled down the hill.　　　　→ Down the hill _____.

4 The worker was hardly busy.　　　　　　→ Hardly _____.

5 The sharks swam in the water.　　　　　→ In the water _____.

[6–12] 우리말과 같도록 괄호 안의 말을 활용하여 문장을 완성하시오.

6 나무 아래에서 그 고양이는 잠을 잤다. (the tree, sleep)

= Under _____.

7 버스 정류장에서 많은 사람들이 기다렸다. (the bus station, wait)

= At _____.

8 성을 향해서 그 소녀는 걸었다. (the castle, walk)

= Toward _____.

9 그들은 서로에게 거의 말하지 않았다. (speak, each other)

= Rarely _____.

10 벽에 그 그림이 걸려있었다. (the wall, hang)

= On _____.

11 그녀는 그 소식을 거의 믿을 수 없었다. (believe, the news)

= Hardly _____.

12 나는 비행기를 타본 적이 전혀 없다. (fly on a plane)

= Never _____.

우리말과 같도록 괄호 안의 말을 활용하여 영작하시오.

> 모든 학생들이 이 문제를 풀 수 있는 것은 아니다. (all, students)
>
> _____ **can solve this problem.**

'모두가 ~인 것은 아니다'라는 의미로 문장의 일부를 부정해야 하므로 「not + all」을 쓴다.

정답: Not all students

- '아무것도/아무도/둘 다/결코 ~가 아니다'라는 의미로 문장 전체를 부정할 때, no/none/neither/never를 쓴다.
  None of the stores was open during the holidays. 휴일 동안 아무 가게도 문을 열지 않았다.
- '항상/모두/둘 다 ~인 것은 아니다'라는 의미로 문장 일부를 부정할 때 「not + always/all/every/both」를 쓴다.
  Expensive items are **not always** good. 비싼 물건들이 항상 좋은 것은 아니다.

[1–5] 우리말과 같도록 괄호 안의 말을 알맞게 배열하시오.

1 도서관에 있는 컴퓨터 중 아무것도 작동하지 않았다. (the computers, the library, of, in, none, worked)

= _____

2 과일 주스는 항상 건강한 것은 아니다. (always, is, fruit juice, not, healthy)

= _____

3 나무가 모두 잘린 것은 아니었다. (of, were, the trees, not, cut down, all)

= _____

4 내 친구들 둘 다 나의 집에 올 수 없었다. (could, my friends, my house, come over, neither, to, of)

= _____

5 모든 도로가 교통 체증으로 막힌 것은 아니었다. (traffic, was blocked, every road, by, not)

= _____

[6–11] 우리말과 같도록 괄호 안의 말을 활용하여 문장을 완성하시오.

6 나는 학교에 항상 일찍 가지는 않는다. (go, early)

= _____

7 의회 구성원들 중 아무도 Stewart 씨에게 투표하지 않았다. (the council members, vote for Mr. Stewart)

= _____

8 모든 요리가 맛있어 보이는 것은 아니었다. (the dishes, look delicious)

= _____

9 나는 불만이 아무것도 없었다. (have, complaint, at all)

= _____

10 오늘 커피나 차 둘 다 제공되지 않을 것이다. (coffee nor tea, serve, today)

= _____

11 나는 나의 영웅을 만날 것이라고 결코 상상한 적이 없었다. (imagine, meet my hero)

= _____

CHAPTER 12 특수구문 해카스 쓰기 지신감 Level 3

기출문제 풀고 짝문제로 마무리!

기출문제를 풀고 정답과 해설을 확인하세요. 짝문제를 풀면서 복습하고, 틀린 문제는 다시 틀리지 않도록 꼼꼼히 점검하세요.

문장 바꿔 쓰기
다음 주어진 문장의 밑줄 친 부분을 강조한 문장으로 바꿔 쓰시오.

기출문제 풀고	짝문제로 마무리

01

A bear stole our food from the tent last night.

→ It _____

_____ .

06

Stefan asked me to lend him my umbrella yesterday.

→ It _____

_____ .

02

I left my jacket at the baseball game on Monday.

→ It _____

_____ .

07

My brother plays with his friends at the park after school.

→ It _____

_____ .

03

Lisa's mother teaches piano at home on the weekends.

→ It _____

_____ .

08

Peter helps his teacher in the science lab on Tuesdays.

→ It _____

_____ .

04

Jared goes to sleep before 10 P.M.

→ Jared _____

_____ .

09

I hope you get better soon.

→ I _____

_____ .

05

Thomas told his biggest secret about himself to Christina.

→ Thomas _____

_____ .

10

Mr. Bloom played soccer on a professional team in his early years.

→ Mr. Bloom _____

_____ .

기출문제를 풀었으면 채점한 후, 짝문제를 푸세요. ▶

단어 배열하여 영작하기
우리말과 같도록 괄호 안의 말을 알맞게 배열하시오.

11 나는 우리가 큰일이 났다는 것을 정말 안다. (we, I, are, do, that, know)

= ＿＿＿＿＿＿＿＿＿＿＿ in trouble.

12 Aaron은 정말 그의 팀이 결승전을 이기길 바랐다. (did, that, win, his team, would, wish)

= Aaron ＿＿＿＿＿＿＿＿＿

＿＿＿＿＿＿＿ the championship.

13 병원에 의사들이 환자를 기다리고 있다. (the patients, the doctors, for, are, waiting)

= At the hospital ＿＿＿＿＿＿

＿＿＿＿＿＿＿＿＿＿ .

14 Ella는 해외로 이주하는 것에 대해 전혀 생각해본 적이 없다. (Ella, moving, has, never, thought, about)

= ＿＿＿＿＿＿＿＿＿＿＿

＿＿＿＿＿＿＿＿ abroad.

15 동쪽에서 아침에 해가 떴다. (the morning, the sun, in, rose)

= In the east ＿＿＿＿＿＿＿

＿＿＿＿＿＿＿＿＿ .

16 책 속에 네가 찾고 있던 정답이 있다. (are, the answer, is, looking for, you)

= Within the books ＿＿＿＿＿

＿＿＿＿＿＿＿＿＿ .

17 너는 Jackson을 정말 기억해, 그렇지? (remember, you, Jackson, do)

= ＿＿＿＿＿＿＿＿＿＿ , right?

18 그 버스는 정말 이 정류장에서 매 시간 떠난다. (depart from, does, this station)

= The bus ＿＿＿＿＿＿＿＿

＿＿＿＿＿＿＿＿ every hour.

19 대구에는 많은 훌륭한 식당들이 있다. (wonderful restaurants, a lot of, are)

= In Daegu ＿＿＿＿＿＿＿

＿＿＿＿＿＿＿＿＿ .

20 학생들은 오늘 깜짝 퀴즈가 주어질 거라고 거의 예상하지 못했다. (the students, hardly, a pop quiz, expect, did)

= ＿＿＿＿＿＿＿＿＿＿

＿＿＿＿＿ to be given today.

21 카메라를 향해 꽃을 든 그 모델은 포즈를 취했다. (with, the model, posed, the flower)

= Toward the camera ＿＿＿＿

＿＿＿＿＿＿＿＿＿ .

22 대기실에서 Will은 그의 이름이 불리길 기다렸다. (for, Will, to be called, his name, waited)

= In the waiting room ＿＿＿＿

＿＿＿＿＿＿＿＿＿ .

주어진 단어로 영작하기

우리말과 같도록 괄호 안의 말을 활용하여 영작하시오.

기출문제 풀고	짝문제로 마무리

23

그들이 어제 놓친 것은 바로 광주행 기차였다.
(the train to Gwangju, miss)

= It _____
_____ yesterday.

24

그녀는 새 베개를 정말 좋아했다. (like, the new pillow)

= She _____
_____.

25

노인들이 항상 변화를 꺼리는 것은 아니다.
(elderly, always, reluctant)

= _____
_____ to change.

26 고난도

그들 중 아무도 그 노래를 부를 수 없었다. (none, sing)

= _____
_____ the song.

27

산이 다채로워지는 때는 바로 가을이다. (the fall, the mountain, become colorful)

= It _____
_____.

28

Sarah가 오후에 깨트린 것은 바로 화병이었다.
(the vase, break)

= It _____
_____ in the afternoon.

29

그는 지하철을 타는 것에 정말 동의했다. (agree, take the subway)

= He _____
_____.

30

방에 있는 모든 사람들이 차이점을 알아챈 것은 아니다. (not, in the room, notice)

= _____
_____ the difference.

31 고난도

저희는 LA로 가는 비행기에 남아있는 좌석이 아무것도 없습니다. (have seat, no, leave)

= _____
_____ on the flight to LA.

32

농구 경기가 열릴 곳은 바로 체육관이다.
(the gym, the basketball game, hold)

= It _____
_____.

기출문제를 풀었으면 채점한 후, 짝문제를 푸세요. ▶

틀린 부분 고쳐 쓰기

어법상 틀린 부분을 찾아 바르게 고쳐 쓰시오.

| 기출문제 풀고 | 짝문제로 마무리 |

33 I does need to write that down if I want to remember it.

_____ → _____

34 We did worried about the weather a little too much.

_____ → _____

35 Never I had considered the effect that this would have.

_____ → _____

36 Not only she can play the piano but she can also sing beautifully.

_____ → _____

37 To the gym many people go after work.

_____ → _____

38 고난도
A: Did you brush your teeth, Eric?
B: Yeah, Mom. I was in the bathroom a minute ago. I did brushed my teeth this time.

_____ → _____

39 Felix do appears to know what the answer is.

_____ → _____

40 Lexi did studied hard to get a high score on the test.

_____ → _____

41 Hardly Ben had noticed that his cat had entered the room.

_____ → _____

42 Rarely you can know what is going to happen next.

_____ → _____

43 In the shade the lion stayed on the hot day.

_____ → _____

44 고난도
A: Look at this picture.
B: Wow. Is that your sister and your dog?
A: Yes. Don't you think they look alike?
B: They do looked alike.

_____ → _____

그림 보고 영작 하기
괄호 안의 말을 활용하여 그림을 묘사하는 문장을 완성하시오.

기출문제 풀고	짝문제로 마무리

45

A: Did you bake the cake yesterday?

B: No. It _____

_____ yesterday.

(bake, the cake)

47

A: Did you leave your cell phone at home?

B: No. It _____

_____.

(the library, leave, cell phone)

46

A: Is there a dish I can use?

B: _____

_____ clean.

(dish)

48

A: Did you enjoy reading those books?

B: _____

_____ interesting.

(the book)

기출문제를 풀었으면 채점한 후, 짝문제를 푸세요. ▶

표 보고 영작 하기
다음 표를 보고 질문에 맞게 문장을 완성하시오.

기출문제 풀고	짝문제로 마무리

Sports Center Class Schedule				
Mon	Tue	Wed	Thu	Fri
dance	tennis	golf	dance	tennis
Ms. Song	Mr. Kim	Mr. Lee	Ms. Jang	Mr. Kim

49 A: Does Ms. Bell teach dance class on Thursday?

B: No. It _____ that

_____.

Julie's Schedule				
Mon	Tue	Wed	Thu	Fri
study math	exercise	go hiking	study English	go camping
home	gym	Mt. Halla	library	park

50 A: Will you go camping at Mt. Halla on Friday?

B: No. It _____ that

_____.

기출문제를 풀었으면 채점한 후, 짝문제를 푸세요. ▶

쓰기가 쉬워지는
암기 리스트

1 동사의 형태 변화

1. 일반동사의 3인칭 단수 현재형

대부분의 동사	동사원형 + -s	work - works arrive - arrives	love - loves speak - speaks
-o, -s, -x, -ch, -sh로 끝나는 동사	동사원형 + -es	go - goes mix - mixes	pass - passes watch - watches
「자음 + y」로 끝나는 동사	y를 i로 바꾸고 + -es	fly - flies carry - carries **TIP** 「모음 + y」로 끝나는 동사: buy - buys	cry - cries study - studies
불규칙하게 변하는 동사	have - has		

2. 일반동사의 과거형: 규칙 변화

대부분의 동사	동사원형 + -ed	call - called watch - watched	open - opened cook - cooked
-e로 끝나는 동사	동사원형 + -d	move - moved invite - invited	lie - lied agree - agreed
「자음 + y」로 끝나는 동사	y를 i로 바꾸고 + -ed	try - tried study - studied **TIP** 「모음 + y」로 끝나는 동사: stay - stayed	copy - copied worry - worried
「단모음 + 단자음」으로 끝나는 동사	마지막 자음을 한 번 더 쓰고 + -ed	stop - stopped plan - planned **TIP** 강세가 앞에 오는 2음절 동사: visit - visited enter - entered	drop - dropped grab - grabbed

TIP 규칙 변화하는 일반동사의 과거분사형은 과거형과 형태가 같다.

3. 일반동사의 과거형과 과거분사형: 불규칙 변화

① A-A-A형: 원형-과거형-과거분사형이 모두 같다.

원형	과거형	과거분사형	원형	과거형	과거분사형
cost 비용이 들다	cost	cost	cut 베다, 자르다	cut	cut
hit 치다	hit	hit	hurt 다치게 하다	hurt	hurt
put 놓다	put	put	read[riːd] 읽다	read[red]	read[red]
set 놓다	set	set	spread 펼치다	spread	spread

② A-B-A형: 원형-과거분사형이 같다.

원형	과거형	과거분사형	원형	과거형	과거분사형
become ~이 되다	became	become	come 오다	came	come
overcome 극복하다	overcame	overcome	run 달리다	ran	run

③ A-B-B형: 과거형-과거분사형이 같다.

원형	과거형	과거분사형	원형	과거형	과거분사형
bring 가져오다	brought	brought	build 짓다	built	built
buy 사다	bought	bought	catch 잡다	caught	caught
feed 먹이를 주다	fed	fed	fight 싸우다	fought	fought
find 찾다	found	found	get 얻다	got	got(ten)
have 가지다	had	had	hear 듣다	heard	heard
keep 유지하다	kept	kept	lay 놓다, 낳다	laid	laid
leave 떠나다	left	left	lose 잃다, 지다	lost	lost
make 만들다	made	made	meet 만나다	met	met
say 말하다	said	said	sell 팔다	sold	sold
send 보내다	sent	sent	sit 앉다	sat	sat
sleep 자다	slept	slept	spend 쓰다	spent	spent
stand 서다	stood	stood	teach 가르치다	taught	taught
tell 말하다	told	told	think 생각하다	thought	thought
understand 이해하다	understood	understood	win 이기다	won	won

④ A-B-C형: 원형-과거형-과거분사형이 모두 다르다.

원형	과거형	과거분사형	원형	과거형	과거분사형
begin 시작하다	began	begun	break 깨다	broke	broken
choose 선택하다	chose	chosen	do 하다	did	done
draw 그리다	drew	drawn	drink 마시다	drank	drunk
drive 운전하다	drove	driven	eat 먹다	ate	eaten
fall 떨어지다, 넘어지다	fell	fallen	fly 날다	flew	flown
forget 잊다	forgot	forgotten	give 주다	gave	given
go 가다	went	gone	grow 자라다	grew	grown
know 알다	knew	known	mistake 실수하다	mistook	mistaken
ride 타다	rode	ridden	rise 오르다	rose	risen
see 보다	saw	seen	sing 노래하다	sang	sung
speak 말하다	spoke	spoken	swim 수영하다	swam	swum
take 가지고 가다	took	taken	wake 깨우다	woke	woken
wear 입고 있다	wore	worn	write 쓰다	wrote	written

2 명사의 형태 변화와 관사의 쓰임

1. 셀 수 있는 명사의 복수형: 규칙 변화

셀 수 있는 명사의 복수형은 대부분 명사에 -(e)s를 붙여 만든다.

대부분의 명사	명사 + -s	book - books egg - eggs	cookie - cookies tree - trees
-s, -x, -ch, -sh로 끝나는 명사	명사 + -es	bus - buses church - churches	box - boxes dish - dishes
「자음 + o」로 끝나는 명사	명사 + -es	potato - potatoes tomato - tomatoes **TIP** • 예외: piano - pianos photo - photos • 「모음 + o」로 끝나는 명사: radio - radios	
「자음 + y」로 끝나는 명사	y를 i로 바꾸고 + -es	baby - babies story - stories diary - diaries country - countries **TIP** 「모음 + y」로 끝나는 명사: key - keys	
-f, -fe로 끝나는 명사	f, fe를 v로 바꾸고 + -es	leaf - leaves knife - knives **TIP** 예외: roof - roofs cliff - cliffs	

2. 셀 수 있는 명사의 복수형: 불규칙 변화

① 단수형과 복수형이 다른 명사

man - men	woman - women	child - children	mouse - mice
ox - oxen	goose - geese	foot - feet	tooth - teeth

② 단수형과 복수형이 같은 명사

sheep - sheep	deer - deer	fish - fish	salmon - salmon

3. 셀 수 없는 명사

셀 수 없는 명사는 단위명사를 활용하여 수량을 나타내고, 복수형은 단위명사에 -(e)s를 붙여 만든다.

a glass of water/milk/juice	a cup of tea/coffee	a bottle of water/juice
a can of coke/soda/paint	a bowl of rice/soup/cereal	a loaf of bread
a slice of pizza/cheese/bread/cake	a piece of paper/furniture/information/advice/news	

4. 부정관사 a(n)의 쓰임

셀 수 있는 명사의 단수형 앞에 쓰며, 첫소리가 자음으로 발음되는 명사 앞에는 a를, 첫소리가 모음으로 발음되는 명사 앞에는 an을 쓴다.

정해지지 않은 막연한 하나를 가리킬 때	Daniel is **a student**. Daniel은 학생이다.
'하나의(one)'를 나타낼 때	I ate **an apple** for breakfast. 나는 아침으로 한 개의 사과를 먹었다.
'~마다(per)'를 나타낼 때	Jimin usually goes to the gym twice **a week**. 지민이는 보통 일주일에 두 번 체육관에 간다.

5. 정관사 the의 쓰임

앞에서 언급된 명사가 반복될 때	We watched a movie last night. **The movie** was scary. 우리는 어젯밤에 영화를 봤다. 그 영화는 무서웠다.
정황상 서로 알고 있는 것을 말할 때	Can you open **the door**? 그 문을 열어주겠니?
유일한 것을 말할 때	**The sun** sets in the west. 태양은 서쪽에서 진다.
악기 이름 앞에	He can play **the guitar** well. 그는 기타를 잘 연주할 수 있다.
서수, last, only 앞에	My classroom is on **the second** floor. 나의 교실은 2층에 있다.

6. 관사를 쓰지 않는 경우

다음과 같은 경우에는 명사 앞에 관사를 쓰지 않는다.

운동, 식사, 과목 이름 앞에	We played **badminton** all day. 우리는 종일 배드민턴을 쳤다. I will meet Jane for **dinner**. 나는 저녁 식사를 위해 Jane을 만날 것이다. **English** is a interesting subject for me. 영어는 나에게 흥미로운 과목이다.
「by + 교통·통신수단」	Let's go there **by bus**. 거기에 버스로 가자. Contact me **by email**. 이메일로 나에게 연락해.
장소나 건물이 본래의 목적으로 쓰일 때	Students go to **school** on weekdays. 학생들은 평일에 학교에 간다. **TIP** 장소나 건물이 본래의 목적으로 쓰이지 않을 때는 관사를 써야 한다. Tony's mother went to **the school** to meet his teacher. Tony의 어머니는 그의 선생님을 만나기 위해 학교에 가셨다.

3 형용사와 부사의 형태 변화

1. 부사의 형태

부사는 대부분 형용사에 -ly를 붙여 만든다.

대부분의 형용사	형용사 + -ly	slow - slowly kind - kindly	sad - sadly poor - poorly
「자음 + y」로 끝나는 형용사	y를 i로 바꾸고 + -ly	easy - easily	lucky - luckily
-le로 끝나는 형용사	e를 없애고 + -y	simple - simply	terrible - terribly
불규칙 변화	good - well		

TIP 다음 단어는 -ly로 끝나지만 부사가 아닌 형용사로 쓰이는 것에 주의한다.
friendly 친절한   lovely 사랑스러운   lonely 외로운   weekly 주간의   likely 그럴듯한

2. 형용사와 형태가 같은 부사

다음 단어는 형용사와 부사의 형태가 같다.

late	형 늦은	부 늦게	high	형 높은	부 높이
early	형 이른	부 일찍	long	형 긴	부 길게, 오래
fast	형 빠른	부 빠르게	enough	형 충분한	부 충분히
deep	형 깊은	부 깊이	close	형 가까운	부 가까이
near	형 가까운	부 가까이	far	형 먼	부 멀리

TIP 형용사와 형태가 같지만 의미가 달라지는 부사에 주의한다.
hard 형 어려운, 단단한 부 열심히   pretty 형 예쁜 부 꽤

3. -ly가 붙으면 의미가 달라지는 부사

다음 부사에 -ly가 붙으면 의미가 다른 부사가 된다.

late 늦게 - lately 최근에	high 높이 - highly 매우, 대단히	near 가까이 - nearly 거의
hard 열심히 - hardly 거의 ~않다	close 가까이 - closely 면밀히	most 가장 많이 - mostly 대체로, 주로
deep 깊은 - deeply 몹시	short 짧게 - shortly 곧	

4. 비교급 / 최상급 규칙 변화

원급은 형용사나 부사의 원래 형태이며, 비교급은 대부분 원급에 -(e)r을, 최상급은 대부분 원급에 -(e)st를 붙여 만든다.

비교급/최상급 만드는 법		원급 - 비교급 - 최상급
대부분의 형용사·부사	+ -er/-est	tall - taller - tallest
-e로 끝나는 형용사·부사	+ -r/-st	large - larger - largest
「자음 + y」로 끝나는 형용사·부사	y를 i로 바꾸고 + -er/-est	happy - happier - happiest
「단모음 + 단자음」으로 끝나는 형용사·부사	마지막 자음을 한 번 더 쓰고 + -er/-est	big - bigger - biggest
대부분의 2음절 이상인 형용사·부사 (-y로 끝나는 형용사 제외)	more/most + 원급	famous - more famous - most famous
「형용사 + ly」 형태의 부사		safely - more safely - most safely

5. 비교급 / 최상급 불규칙 변화

원급		비교급	최상급	원급		비교급	최상급
good	좋은	better	best	many	(수가) 많은	more	most
well	건강한, 잘			much	(양이) 많은		
bad	나쁜	worse	worst	little	(양이) 적은	less	least
badly	나쁘게			late	(시간이) 늦은	later	latest
ill	아픈, 병든				(순서가) 늦은	latter	last
old	나이든, 오래된	older	oldest	far	(거리가) 먼	farther	farthest
	연상의	elder	eldest		(정도가) 먼	further	furthest

문법 사항	세부 내용	Level 1	Level 2	Level 3
문장의 종류	명령문, 청유문, 감탄문	O		
	의문사 의문문	O		
	부정의문문, 선택의문문, 부가의문문	O		
명사	셀 수 있는 명사, 셀 수 없는 명사	O		
대명사	인칭대명사	O		
	재귀대명사	O	O	
	지시대명사			
	비인칭 주어 it	O		
	부정대명사		O	
형용사와 부사	형용사, 부사	O	O	
비교구문	원급/비교급/최상급 비교	O	O	p.118
	비교구문을 이용한 표현		O	p.121
전치사	장소 전치사	O		
	시간 전치사	O		
	기타 전치사	O		
접속사	등위접속사	O	O	
	시간 접속사	O	O	p.94
	이유 접속사	O	O	p.94
	결과 접속사		O	p.95
	조건 접속사	O	O	p.94
	양보 접속사		O	p.94
	that	O	O	p.97
	명령문 + and/or	O	O	
	상관접속사		O	p.99
	간접의문문		O	p.96
관계사	관계대명사		O	p.82
	관계대명사의 계속적 용법			p.84
	전치사 + 관계대명사			p.85
	관계부사		O	p.86
	복합관계사			p.87
가정법	가정법 과거			p.106
	가정법 과거완료			p.107
	I wish 가정법			p.108
	as if 가정법			p.109
	Without 가정법			p.110
	It's time 가정법			p.111
일치와 화법	시제 일치			p.129
	수의 일치			p.128
	화법			p.131
특수구문	강조, 도치, 부정			p.140

MEMO

MEMO

MEMO

서술형 잡는 영작 훈련서

해커스

쓰기
자신감 Level 3

초판 3쇄 발행 2024년 9월 1일
초판 1쇄 발행 2023년 2월 28일

지은이	해커스 어학연구소
펴낸곳	㈜해커스 어학연구소
펴낸이	해커스 어학연구소 출판팀

주소	서울특별시 서초구 강남대로61길 23 ㈜해커스 어학연구소
고객센터	02-537-5000
교재 관련 문의	publishing@hackers.com
	해커스북 사이트(HackersBook.com) 고객센터 Q&A 게시판
동영상강의	star.Hackers.com

ISBN	978-89-6542-568-7 (53740)
Serial Number	01-03-01

중고등영어 1위,
해커스북 HackersBook.com

· 중학 영어 서술형의 필수 표현을 모은 **어휘 리스트**
· 효과적인 단어 암기를 돕는 **어휘 테스트**

Smart, Useful, and Essential Grammar

HACKERS
GRAMMAR SMART

간결한
문법 설명

유용한
표현과 예문

학교 시험 기출경향
완벽 반영

풍부하고 다양한
부가 학습 자료

Smart, Skillful, and Fun Reading

HACKERS
READING SMART

유익하고 흥미로운
독해 지문

최신 개정 교과서
완벽 반영

직독직해 및 서술형
문제 대비 워크북

해커스북 중·고등
HackersBook.com

해커스

쓰기자신감 Level 3

정답 및 해설

HACKERS

해커스

쓰기 자신감 Level 3

정답 및 해설

해커스 어학연구소

CHAPTER 01

시제

POINT 1　현재완료시제　　　　　　　　p. 16

1　I have studied Spanish since January.
2　Have you talked with Daniel before?
3　We have already watched the director's latest movie.
4　My dad has gone to Sweden on business.
5　Carol has not eaten meat for five years.
6　Gary has never caught a cold in his life.
7　They have worked as engineers since 2020.
8　She has sold the car, and she will buy a new one.
9　The host has not sent the invitations yet.
10　The Olympic athletes have stayed in Seoul for a week.

POINT 2　현재완료진행시제　　　　　　　p. 17

1　Mr. Clark began to fix the oven two hours ago. He is still fixing it.
　　Clark 씨는 두 시간 전에 오븐을 고치기 시작했다. 그는 여전히 그것을 고치고 있다.
　　→ Mr. Clark has been fixing the oven for two hours.
　　　　Clark 씨는 두 시간 동안 오븐을 고치는 중이다.

2　The police started to search for the suspect in 2021. The police are still searching for the suspect.
　　경찰은 2021년에 용의자를 찾기 시작했다. 경찰은 여전히 용의자를 찾고 있다.
　　→ The police have been searching for the suspect since 2021.
　　　　경찰은 2021년부터 용의자를 찾는 중이다.

3　Jenny began to paint the house a week ago. She is still painting the house.
　　Jenny는 일주일 전에 집을 칠하기 시작했다. 그녀는 여전히 집을 칠하고 있다.
　　→ Jenny has been painting the house for a week.
　　　　Jenny는 일주일 동안 집을 칠하는 중이다.

4　The customers started to wait in line last night. They are still waiting in line.
　　그 손님들은 지난밤에 줄을 서서 기다리기 시작했다. 그들은 여전히 줄을 서서 기다리고 있다.
　　→ The customers have been waiting in line since last night.
　　　　그 손님들은 지난밤부터 줄을 서서 기다리는 중이다.

5　Chris and I began to talk on the phone 30 minutes ago. We are still talking on the phone.
　　Chris와 나는 30분 전부터 전화로 이야기하기 시작했다. 우리는 여전히 전화로 이야기하고 있다.
　　→ Chris and I have been talking on the phone for 30 minutes.
　　　　Chris와 나는 30분 동안 전화로 이야기하는 중이다.

6　The artist has been making the sculpture for five years.
7　The committee has been discussing the issue since this morning.
8　I have been riding a bicycle for three hours.
9　The students have been preparing for the school festival since noon.
10　Betty has been working at the hospital since last year.

POINT 3　과거완료시제　　　　　　　　p. 18

1　I couldn't enter the stadium because I had not brought my ticket.
2　The plane had already left when Nicole arrived at the airport.
3　My father had been an accountant before he became a lawyer.
4　She found the key that she had lost last week.

5　We had lived in the city for ten years before I graduated from middle school.
6　Peter made a mistake because he had not been careful.
7　When they entered the classroom, the class had just begun.
8　He had studied French for five years when he visited France.
9　I had taken a shower before I went to bed.
10　After it had started raining, we closed the window.

POINT 4　과거완료진행시제　　　　　　　p. 19

1　I had been walking the dog for 30 minutes when I met my friends.
2　Sam had been doing his homework for a whole day before he took a rest.
3　She had been playing the piano for 20 years when she became an orchestra member.
4　He had been taking care of his brother for six hours until dinner.
5　It had been snowing for three days when she arrived in Sweden.
6　I had been preparing for the exam when my friends asked me to play outside.
7　The thieves had been staying in the hotel for five days when the police arrested them.
8　When I was born, my mom had been working as a science teacher.
9　Joan had been exercising hard for a few weeks before she took her wedding pictures.
10　We had been looking for the gloves when he entered the room.
11　The cat had been sleeping for a while when the phone rang.
12　Matthew had been talking about lizards for an hour when I yawned.

기출문제 풀고 짝문제로 마무리!　　　　　　p. 20

01　Have you ever seen whales in the ocean?
02　They looked tired because they had been walking for a long time.
03　The singer has been performing for an hour at the concert.
04　He had heard everything I said.
05　It has snowed all night long in Chicago.
06　How long have you collected stamps as a hobby?
07　The students had been drawing pictures for four hours before the teacher called them.
08　Everyone has been watching the war between the two countries for years.
09　Clara had never been to a funeral yet.
10　Lucas has saved money for a new computer.
11　Jeremy has been enjoying spicy food since he moved to Korea.
12　Have you used this program before?
13　I had already been to the island before it got popular.
14　Greg has visited 15 countries since 2019.
15　He had been driving the car for ten years when his first car accident happened.
16　The US has been celebrating Independence Day since 1785.
17　Has your teacher scolded other students in class?
18　Rachel had never seen jellyfish before she went to the aquarium.
19　My dad has worked as a doctor for 20 years.
20　My sister had been writing letters to Santa Claus before she turned 13.
21　Steve and Kate have known each other since they met last year.
22　My girlfriend had left the restaurant before I arrived.
23　Lisa has been keeping a diary since she was five.

24 Joan dried her hair after she had finished washing her hair.

25 I have been taking dance lessons since I was eight.

26 Jack has lost his wallet at the station.

27 I had traveled to Venice before I worked there.

28 The children have been building a snowman for two hours.

29 We had called a taxi before we went outside.

30 Anna has been cleaning the table for 30 minutes.

31 have → had

32 planning → planned

33 have handed → handed

34 has → had

35 was → has been

36 has → had

37 knows → has known

38 stayed → have stayed

39 have → had

40 was → has been

41 He lost his bike because he had forgotten to put on a lock.

42 It had rained last night and wet leaves covered the ground this morning.

43 The bus had left when he arrived at the bus stop.

44 Dad had prepared the dinner before Mom came home.

45 This morning, Mandy had eaten breakfast before she did the laundry.

46 Today, Peter had run in the park before he practiced for the speech contest.

---

01 해설 '~해본 적이 있다'는 의미로 과거부터 현재까지의 경험을 나타내고 있으므로 현재완료시제를 쓴다. (▶ POINT 1)

02 해설 과거의 특정 시점 이전에 발생한 일이 그 시점에도 계속 진행되고 있었음을 나타내는 과거완료진행시제를 쓴다. (▶ POINT 4)

03 해설 과거에 일어난 일이 현재에도 계속 진행되고 있음을 나타내는 현재완료진행시제를 쓴다. (▶ POINT 2)

04 해설 과거의 특정 시점 이전에 발생한 일을 나타내는 과거완료시제를 쓴다. (▶ POINT 3)

05 해설 과거부터 현재까지 계속되는 일을 나타내고 있으므로 현재완료시제를 쓴다. (▶ POINT 1)

06 해설 과거부터 현재까지 계속되는 일을 나타내고 있으므로 현재완료시제를 쓴다. (▶ POINT 1)

07 해설 과거의 특정 시점 이전에 발생한 일이 그 시점에도 계속 진행되고 있었음을 나타내는 과거완료진행시제를 쓴다. (▶ POINT 4)

08 해설 과거에 일어난 일이 현재에도 계속 진행되고 있음을 나타내는 현재완료진행시제를 쓴다. (▶ POINT 2)

09 해설 과거의 특정 시점 이전에 발생한 일을 나타내는 과거완료시제를 쓴다. (▶ POINT 3)

10 해설 과거부터 현재까지 계속되는 일을 나타내고 있으므로 현재완료시제를 쓴다. (▶ POINT 1)

11 해설 과거에 일어난 일이 현재에도 계속 진행되고 있음을 나타내는 현재완료진행시제를 쓴다. (▶ POINT 2)

12 해설 '~해본 적이 있다'는 의미로 과거부터 현재까지의 경험을 나타내고 있으므로 현재완료시제를 쓴다. (▶ POINT 1)

13 해설 과거의 특정 시점 이전에 발생한 일을 나타내는 과거완료시제를 쓴다. (▶ POINT 3)

14 해설 '~해본 적이 있다'는 의미로 과거부터 현재까지의 경험을 나타내고 있으므로 현재완료시제를 쓴다. (▶ POINT 1)

15 해설 과거의 특정 시점 이전에 발생한 일이 그 시점에도 계속 진행되고 있었음을 나타내는 과거완료진행시제를 쓴다. (▶ POINT 4)

16 해설 과거에 일어난 일이 현재에도 계속 진행되고 있음을 나타내는 현재완료진행시제를 쓴다. (▶ POINT 2)

17 해설 '~해본 적이 있다'는 의미로 과거부터 현재까지의 경험을 나타내고 있으므로 현재완료시제를 쓴다. (▶ POINT 1)

18 해설 과거의 특정 시점 이전에 발생한 일을 나타내는 과거완료시제를 쓴다. (▶ POINT 3)

19 해설 과거부터 현재까지 계속되는 일을 나타내고 있으므로 현재완료시제를 쓴다. (▶ POINT 1)

20 해설 과거의 특정 시점 이전에 발생한 일이 그 시점에도 계속 진행되고 있었음을 나타내는 과거완료진행시제를 쓴다. (▶ POINT 4)

21 해설 과거에 일어난 일이 현재까지 영향을 미치고 있으므로 현재완료시제를 쓴다. (▶ POINT 1)

해석 • Steve와 Kate는 작년에 만났다.
• 그들은 여전히 서로를 안다.
→ Steve와 Kate는 작년에 만난 이후로 서로를 알아왔다.

22 해설 과거의 특정 시점 이전에 발생한 일을 나타내는 과거완료시제를 쓴다. (▶ POINT 3)

해석 • 나는 식당에 오후 여덟 시에 도착했다.
• 나의 여자친구는 오후 일곱 시에 식당을 떠났다.
→ 나의 여자친구는 내가 도착하기 전에 식당을 떠났었다.

23 해설 과거에 일어난 일이 현재에도 계속 진행되고 있음을 나타내는 현재완료진행시제를 쓴다. (▶ POINT 2)

해석 • Lisa는 그녀가 다섯 살이었을 때 일기를 쓰기 시작했다.
• 그녀는 여전히 일기를 쓰고 있다.
→ Lisa는 그녀가 다섯 살이었을 때부터 일기를 써오고 있다.

24 해설 과거의 특정 시점 이전에 발생한 일을 나타내는 과거완료시제를 쓴다. (▶ POINT 3)

해석 • Joan은 그녀의 머리를 감는 것을 끝냈다.
• 그녀는 그 후에 그녀의 머리를 말렸다.
→ Joan은 그녀의 머리를 감는 것을 끝낸 후에 그녀의 머리를 말렸다.

25 해설 과거에 일어난 일이 현재에도 계속 진행되고 있음을 나타내는 현재완료진행시제를 쓴다. (▶ POINT 2)

해석 • 나는 내가 여덟 살이었을 때 댄스 수업을 받기 시작했다.
• 나는 여전히 댄스 수업을 받고 있다.
→ 나는 내가 여덟 살이었을 때부터 댄스 수업을 받아오고 있다.

26 해설 과거에 일어난 일이 현재까지 영향을 미치고 있으므로 현재완료시제를 쓴다. (▶ POINT 1)

해석 • Jack은 역에서 그의 지갑을 잃어버렸다.
• 그는 여전히 지갑을 가지고 있지 않다.
→ Jack은 역에서 그의 지갑을 잃어버렸다. (그는 지금 지갑을 가지고 있지 않다.)

27 해설 과거의 특정 시점 이전에 발생한 일을 나타내는 과거완료시제를 쓴다. (▶ POINT 3)

해석 • 나는 5년 전에 Venice로 여행했다.
• 나는 작년에 Venice에서 일했다.
→ 나는 Venice에서 일하기 전에 여행을 했다.

28 해설 과거에 일어난 일이 현재에도 계속 진행되고 있음을 나타내는 현재완료진행시제를 쓴다. (▶ POINT 2)

해석 • 아이들은 두 시간 전에 눈사람을 만들기 시작했다.
• 그들은 여전히 눈사람을 만들고 있다.
→ 아이들은 두 시간 동안 눈사람을 만들어오고 있다.

29 해설 과거의 특정 시점 이전에 발생한 일을 나타내는 과거완료시제를 쓴다. (▶ POINT 3)

해석 • 우리는 밖에 나갔다.
• 우리는 나가기 전에 택시를 불렀다.
→ 우리는 밖에 나가기 전에 택시를 불렀다.

30 해설 과거에 일어난 일이 현재에도 계속 진행되고 있음을 나타내는 현재완료진행시제를 쓴다. (▶ POINT 2)

해석 • Anna는 30분 전에 식탁을 치우기 시작했다.
• 그녀는 여전히 식탁을 치우고 있다.

→ Anna는 30분 동안 식탁을 치워오는 중이다.

31 해설 과거의 특정 시점 이전에 발생한 일을 나타내는 과거완료시제를 써야 하므로 have를 had로 고쳐야 한다. (▶ POINT 3)

32 해설 '개조하는 것을 계획해왔다'는 의미로 과거에 일어난 일이 현재까지 계속되는 일을 나타내고 있으며, 현재완료시제와 함께 쓰이는 부사구 since가 있으므로 동사 planning을 planned로 고쳐야 한다. (▶ POINT 1)

33 해설 과거시제와 함께 쓰이는 부사구 yesterday가 있으므로 동사 have handed를 handed로 고쳐야 한다. (▶ POINT 1)

34 해설 과거의 특정 시점 이전에 발생한 일을 나타내는 과거완료시제를 써야 하므로 has를 had로 고쳐야 한다. (▶ POINT 3)

35 해설 과거에 일어난 일이 현재에도 계속 진행되고 있음을 나타내는 현재완료진행시제는 「have + p.p + -ing」 형태로 써야 하므로 was를 has been으로 고쳐야 한다. (▶ POINT 2)

36 해설 과거의 특정 시점 이전에 발생한 일을 나타내는 과거완료시제를 써야 하므로 has를 had로 고쳐야 한다. (▶ POINT 3)

37 해설 '환경 문제에 대해 알아왔다'는 의미로 과거에 일어난 일이 현재까지 계속되는 일을 나타내고 있으며, 현재완료시제와 함께 쓰이는 부사구 since가 있으므로 동사 knows를 has known으로 고쳐야 한다. (▶ POINT 1)

38 해설 '다섯 번 묵어본 적이 있다'는 의미로 과거의 경험을 나타내고 있으며, 현재완료시제와 함께 쓰이는 부사구 ~ times, before가 있으므로 동사 stayed를 have stayed로 고쳐야 한다. (▶ POINT 1)

39 해설 과거의 특정 시점 이전에 발생한 일을 나타내는 과거완료시제를 써야 하므로 have를 had로 고쳐야 한다. (▶ POINT 3)

40 해설 과거에 일어난 일이 현재에도 계속 진행되고 있음을 나타내는 현재완료진행시제는 「have + p.p + -ing」 형태로 써야 하므로 was를 has been으로 고쳐야 한다. (▶ POINT 2)

41 해설 첫 번째 빈칸: 자전거를 잃어버린 시점이 자물쇠 거는 것을 잊어버린 시점보다 나중에 일어난 일이므로 과거시제 lost를 쓴다.
두 번째 빈칸: 자물쇠를 거는 것을 잊어버린 시점이 자전거를 잃어버린 것보다 이전에 일어난 일이므로 과거완료시제 had forgotten을 쓴다.
(▶ POINT 3)

해석 그는 자물쇠 거는 것을 잊어버려서 그의 자전거를 잃어버렸다.

42 해설 첫 번째 빈칸: 비가 온 시점이 젖은 이파리들이 땅을 덮은 것보다 이전에 일어난 일이므로 과거완료시제 had rained를 쓴다.
두 번째 빈칸: 젖은 이파리들이 땅을 덮은 시점이 비가 온 것보다 나중에 일어난 일이므로 과거시제 covered를 쓴다. (▶ POINT 3)

해석 어젯밤에 비가 왔고 오늘 아침에 젖은 이파리들이 땅을 덮었다.

43 해설 첫 번째 빈칸: 버스가 떠난 시점이 그가 버스 정류장에 도착한 것보다 이전에 일어난 일이므로 과거완료시제 had left를 쓴다.
두 번째 빈칸: 그가 버스 정류장에 도착한 시점이 버스가 떠난 것보다 나중에 일어난 일이므로 과거시제 arrived를 쓴다. (▶ POINT 3)

해석 그가 버스 정류장에 도착했을 때 버스는 떠났다.

44 해설 첫 번째 빈칸: 아빠가 저녁을 준비한 시점이 엄마가 집에 오는 것보다 이전에 일어난 일이므로 과거완료시제 had prepared를 쓴다.
두 번째 빈칸: 엄마가 집에 온 시점이 아빠가 저녁을 준비한 것보다 나중에 일어난 일이므로 과거시제 came을 쓴다. (▶ POINT 3)

해석 아빠는 엄마가 집에 오기 전에 저녁을 준비했다.

45 해석

Mandy의 일정	
7:00 – 8:00	아침 먹기
8:00 - 10:00	빨래하기
10:00 - 12:00	피아노 연주하기

45 해설 첫 번째 빈칸: Mandy가 아침을 먹은 시점이 빨래를 한 것보다 이전에 일어난 일이므로 과거완료시제 had eaten을 쓴다.
두 번째 빈칸: Mandy가 빨래를 한 시점이 아침을 먹은 것보다 나중에 일어난 일이므로 과거시제 did를 쓴다. (▶ POINT 2)

해석 오늘 아침에, Mandy는 빨래를 하기 전에 아침을 먹었다.

46 해석

Peter의 계획	
4:00 – 5:00	공원에서 달리기
5:00 - 8:00	말하기 대회를 위해 연습하기
8:00 - 8:30	샤워하기

46 해설 첫 번째 빈칸: Peter가 공원에서 달린 시점이 말하기 대회를 위해 연습한 것보다 이전에 일어난 일이므로 과거완료시제 had run을 쓴다.
두 번째 빈칸: Peter가 말하기 대회를 위해 연습한 시점이 공원에서 달린 것보다 나중에 일어난 일이므로 과거시제 practiced를 쓴다. (▶ POINT 2)

해석 오늘, Peter는 말하기 대회를 위해 연습하기 전에 공원에서 달렸다.

CHAPTER 02
조동사

POINT 1   used to, would   p. 26

1 She used to have long hair when she attended middle school.
2 People used to believe that Earth was flat.
3 Emily and I used to be close friends before I moved to Daegu.
4 Donald didn't use to pay attention during class.
5 Alice would spend every afternoon at the library when she was young.
6 My family used to[would] visit my grandparents every weekend.
7 Ms. Adams used to[would] take a bus to work.
8 There used to be a big pond in the national park.
9 His brother used to[would] watch a lot of scary movies.

POINT 2   had better, would rather   p. 27

1 I would rather walk to school.
2 You had better bring your umbrella today.
3 I would rather play outside than stay in the classroom.
4 You had better not walk on the icy sidewalk.
5 I would rather not accept his suggestion.
6 I would rather wash the dishes than clean the house.
7 You had better apologize to Nancy tomorrow.
8 Sam said that he would rather not repair his car.
9 I would rather exercise than take a nap.
10 You had better not lose your passport when you travel abroad.

POINT 3   조동사 + have + p.p.   p. 28

1 He must have enjoyed the parade.
2 The customer may have ordered the wrong product.
3 Emily should not have said that.
4 She could have prevented the fire by turning off the oven.
5 He cannot have slept well yesterday because of the loud noise.
6 You should have submitted your homework yesterday.
7 I may[might] have taken his class before, but I don't remember.
8 Tom must have gone home early because his seat is empty.
9 Since the puzzle was really hard, Ashley cannot[can't] have solved it by herself.
10 You could have dropped my camera when you moved the large box.

POINT 4   should의 생략   p. 29

1 The flight attendant demanded that we return to our seats.
2 The teacher suggested that Tyler should read literature.
3 The company ordered the employees finish their work without delay.
4 They recommended that guests wear formal clothes.
5 Ben insists we should stop using plastic bags.
6 I suggested that we go out to eat dinner.
7 The weather forecaster insists that people stay at home during the storm.
8 The man demanded that they lower the radio volume.
9 My father recommended that I should experience many things.
10 The police ordered that the suspect show his ID card.

기출문제 풀고 짝문제로 마무리!   p. 30

01 The detective thinks that the accident must have happened during the night.
02 The teacher said that bananas used to be expensive in Korea.
03 Dad used to tickle me a lot when I was little.
04 The door may have closed by itself.
05 The tour guide recommended that we try the traditional food.
06 You should have practiced the presentation when you had time.
07 The frame used to be hanging on the wall before.
08 Many kings used to build castles to defend themselves.
09 Aaron cannot have said such a thing.
10 The counselor suggested that Lisa take a higher level class.
11 Marie's hair used to be blue until last month.
12 My family used to[would] go swimming at the lake every summer.
13 I would rather go to the movie than watch TV at home.
14 They may[might] have decided to volunteer at the animal shelter.
15 You had better not tell the truth to Eve.
16 My favorite hamburger used to cost four dollars until last year.
17 I used to[would] decorate the Christmas tree every December.
18 I would rather donate my money than keep it until I die.
19 Adam may[might] have agreed with your opinion about the book.
20 You had better not use your left hand when you shake hands in Islamic countries.
21 not better → better not
22 stops → (should) stop
23 should → may[might]
24 go → gone
25 would → used to
26 hadn't better → had better not
27 extended → (should) extend
28 must → cannot[can't]
29 leave → left
30 would → used to
31 Jeremy used to[would] practice the guitar every day, but now he never plays it.
32 I should have made a reservation before I visited the restaurant.
33 There used to be three singers in the choir, but now there are five singers.
34 Mr. Smith used to work at a bank, but he is retired now.
35 Nicole could have gone shopping instead of playing soccer with her friends.
36 Eric used to be short when he was ten, but he is tall now.
37 You should have left your house earlier.
38 You must have delivered it to the wrong address.
39 I should not have played with the ball in the house.
40 You must have eaten my lunch.
41 A: Who is the man holding a hockey stick in the picture?
    B: That is my dad. He used to[would] play hockey when he was in college.
42 A: I'm finished with my school project about saving endangered animals.

B: Oh, I could have helped you. I'm interested in that issue.
43 A: According to the brochure, this hotel used to be a king's palace.
B: That's why it looks so fancy.
44 A: I wonder why Joseph is crying now.
B: He must have failed the test. The teacher announced the test scores this morning.

---

01 [해설] 강한 추측(~했음이 틀림없다)을 나타내는 「must + have + p.p.」를 쓴다. (▶ POINT 3)

02 [해설] 과거의 상태(~이었다)를 나타내는 used to를 쓴다. (▶ POINT 1)

03 [해설] 과거의 습관(~하곤 했다)을 나타내는 used to를 쓴다. (▶ POINT 1)

04 [해설] 약한 추측(~했을지도 모른다)를 나타내는 「may + have + p.p.」를 쓴다. (▶ POINT 3)

05 [해설] 여행 가이드가 전통 음식을 맛봐야 한다고 추천했으므로(recommended) that절의 동사 자리에는 동사원형을 쓴다. (▶ POINT 4)

06 [해설] 후회·유감(~했어야 했다)을 나타내는 「should + have + p.p.」를 쓴다. (▶ POINT 3)

07 [해설] 과거의 상태(~이었다)를 나타내는 used to를 쓴다. (▶ POINT 1)

08 [해설] 과거의 습관(~하곤 했다)을 나타내는 used to를 쓴다. (▶ POINT 1)

09 [해설] 강한 추측(~했을 리가 없다)을 나타내는 「cannot + have + p.p.」를 쓴다. (▶ POINT 3)

10 [해설] 상담사가 더 높은 수준의 수업을 들어야 한다고 제안했으므로(suggested) that절의 동사 자리에는 동사원형을 쓴다. (▶ POINT 4)

11 [해설] 과거의 상태(~이었다)를 나타내는 used to를 쓴다. (▶ POINT 1)

12 [해설] 과거의 습관(~하곤 했다)을 나타내는 used to[would]를 쓴다. (▶ POINT 1)

13 [해설] '(~하느니) 차라리 …하겠다'의 의미를 나타내는 would rather … (than ~)을 쓴다. (▶ POINT 2)

14 [해설] 약한 추측(~했을지도 모른다)를 나타내는 「may[might] + have + p.p.」를 쓴다. (▶ POINT 3)

15 [해설] '~하지 않는 것이 낫다'를 의미하는 had better not을 쓴다. (▶ POINT 2)

16 [해설] 과거의 상태(~이었다)를 나타내는 used to를 쓴다. (▶ POINT 1)

17 [해설] 과거의 습관(~하곤 했다)을 나타내는 used to[would]를 쓴다. (▶ POINT 1)

18 [해설] '(~하느니) 차라리 …하겠다'의 의미를 나타내는 would rather … (than ~)을 쓴다. (▶ POINT 2)

19 [해설] 약한 추측(~했을지도 모른다)를 나타내는 「may[might] + have + p.p.」를 쓴다. (▶ POINT 3)

20 [해설] '~하지 않는 것이 낫다'를 의미하는 had better not을 쓴다. (▶ POINT 2)

21 [해설] '~하지 않는 것이 좋겠다'는 의미이므로 not better을 better not으로 고쳐야 한다. (▶ POINT 2)

22 [해설] 주절의 동사가 요구를 나타내는 demanded이므로 that절의 동사 stops를 (should) stop으로 고쳐야 한다. (▶ POINT 4)

23 [해설] 약한 추측(~했을지도 모른다)를 나타내고 있으므로 should를 may[might]로 고쳐야 한다. (▶ POINT 3)

24 [해설] 후회·유감(~했어야 했다)을 나타낼 때는 「should + have + p.p.」의 형태로 써야 하므로 go를 gone으로 고쳐야 한다. (▶ POINT 3)

25 [해설] 과거의 상태를 나타낼 때는 would를 쓸 수 없으므로 would를 used to로 고쳐야 한다. (▶ POINT 1)

26 [해설] '~하지 않는 것이 좋겠다'는 의미이므로 hadn't better를 had better not으로 고쳐야 한다. (▶ POINT 2)

27 [해설] 주절의 동사가 주장을 나타내는 insisted이므로 that절의 동사 extended를 (should) extend로 고쳐야 한다. (▶ POINT 4)

28 [해설] 강한 추측(~했을 리가 없다)을 나타내고 있으므로 must를 cannot[can't]으로 고쳐야 한다. (▶ POINT 3)

29 [해설] 후회·유감(~했어야 했다)을 나타낼 때는 「should + have + p.p.」의 형태로 써야 하므로 leave를 left로 고쳐야 한다. (▶ POINT 3)

30 [해설] 과거의 상태를 나타낼 때는 would를 쓸 수 없으므로 would를 used to로 고쳐야 한다. (▶ POINT 1)

31 [해설] 과거의 습관(~하곤 했다)을 나타내는 used to[would]를 쓴다. (▶ POINT 1)
[해석] Jeremy는 매일 기타를 연습하곤 했으나, 지금 그는 그것을 전혀 연주하지 않는다.

32 [해설] 후회·유감(~했어야 했다)을 나타내는 「should + have + p.p.」를 쓴다. (▶ POINT 3)
[해석] 나는 식당에 방문하기 전에 예약을 했어야 했다.

33 [해설] 과거의 상태(~이었다)를 나타내는 used to를 쓴다. (▶ POINT 1)
[해석] 합창단에 세 명의 가수가 있었는데, 지금은 다섯 명의 가수가 있다.

34 [해설] 과거의 상태(~이었다)를 나타내는 used to를 쓴다. (▶ POINT 1)
[해석] Smith 씨는 은행에서 일했었지만, 그는 지금 은퇴했다.

35 [해설] 후회·가능성(~했을 수도 있었다)을 나타내는 「could + have + p.p.」를 쓴다. (▶ POINT 3)
[해석] Nicole은 그녀의 친구들과 축구를 하는 대신 쇼핑을 하러 갔을 수도 있었다.

36 [해설] 과거의 상태(~이었다)를 나타내는 used to를 쓴다. (▶ POINT 1)
[해석] Eric은 그가 10살이었을 때 작았었지만, 지금은 크다.

37 [해설] '집을 더 일찍 떠났어야 한다'는 의미가 되어야 하므로, 유감(~했어야 했다)을 나타내는 「should + have + p.p.」를 쓴다. (▶ POINT 3)
[해석] Diane과 그녀의 친구는 오후 2시에 카페에서 만날 예정이었다. 하지만 오후 2시 30분에 Diane의 친구는 여전히 도착하지 않았다. 오후 3시에 그녀는 걸어 들어와서 늦은 것에 대해 사과를 했다. 그녀는 교통 체증에 걸렸다고 했다.
이 상황에서 Diane은 그녀의 친구에게 뭐라고 말하겠는가?
Diane: 너는 너의 집을 더 일찍 떠났어야 해.

38 [해설] '잘못된 주소로 배달했음이 틀림없다'는 의미가 되어야 하므로, 강한 추측(~했음이 틀림없다)을 나타내는 「must + have + p.p.」를 쓴다. (▶ POINT 3)
[해석] Kevin은 소포를 주문했고, 그의 집으로 배달을 시켰다. 그러나 그는 수요일 저녁까지 여전히 그 소포를 받지 못했다. 그가 회사에 전화를 했을 때, 그들은 그것이 이미 배달되었다고 말했다.
이 상황에서 Kevin은 회사에 뭐라고 말하겠는가?
Kevin: 당신들은 그것을 잘못된 주소로 배달한 것이 틀림없어요.

39 [해설] '집 안에서 공을 가지고 놀지 말았어야 했다'는 의미가 되어야 하므로, 유감(~하지 말았어야 했다)을 나타내는 「should + not + have + p.p.」를 쓴다. (▶ POINT 3)
[해석] Paul은 그의 생일 선물로 새 농구공을 받았다. 밖에는 비가 오고 있어서, 그는 집 안에서 그것을 가지고 놀았다. 엄마는 그에게 공을 던지지 말라고 말했지만, 그는 결국 거실에 있는 화병을 깨고 말았다.
이 상황에서 Paul은 그의 엄마에게 뭐라고 말하겠는가?
Paul: 저는 집 안에서 공을 가지고 놀지 말았어야 했어요.

40 [해설] '네가 내 점심을 먹은 것이 틀림없다'는 의미가 되어야 하므로, 강한 추측(~했음이 틀림없다)을 나타내는 「must + have + p.p.」를 쓴다. (▶ POINT 3)
[해석] Ron은 점심을 위해 냉장고에 샌드위치를 남겨뒀다. 그가 그것을 가지러 갔을 때, 그것은 거기에 없었다. 하지만 식탁 위에 빈 접시가 있었고, 그의 남동생이 그 앞에 앉아 있었다.
이 상황에서 Ron은 그의 남동생에게 뭐라고 말하겠는가?
Ron: 네가 내 점심을 먹은 것이 틀림없어.

41 [해설] '대학교를 다닐 때 하키를 하곤 했다'는 의미가 되어야 하므로 과거의 습관(~하곤 했다)을 나타내는 used to[would]를 쓴다. (▶ POINT 1)
[해석] A: 그림 속에 하키 채를 들고 있는 남자는 누구니?
B: 그는 나의 아빠야. 그는 대학교를 다닐 때 하키를 하곤 했어.

42 [해설] '널 도울 수도 있었을 텐데'라는 의미가 되어야 하므로, 후회·가능성(~했을 수도 있었다)을 나타내는 「could + have + p.p.」를 쓴다. (▶ POINT 3)
[해석] A: 나는 멸종위기에 처한 동물들을 구하는 것에 대한 학교 과제를 끝냈어.
B: 오, 내가 널 도울 수도 있었을 텐데. 나는 그 주제에 대해 관심이 있어.

43 [해설] '왕의 궁전이었다'는 의미가 되어야 하므로, 과거의 상태(~이었다)를 나타내는 used to를 쓴다. (▶ POINT 1)

해석 A: 그 안내 책자에 의하면, 이 호텔은 왕의 궁전이었대.
B: 그 때문에 이것이 그렇게 화려했구나.

44 해설 '시험에 떨어진 것이 틀림없다'는 의미가 되어야 하므로, 강한 추측(~했음이 틀림없다)을 나타내는 「must + have + p.p.」를 쓴다. (▶ POINT 3)

해석 A: 나는 왜 Joseph이 지금 울고 있는지 궁금해.
B: 그는 시험에 떨어진 것이 틀림없어. 선생님이 오늘 아침에 시험 성적을 발표하셨거든.

CHAPTER 03

수동태

POINT 1 수동태의 쓰임과 형태 p. 36

1 The pianist will play those songs.
그 피아니스트는 그 노래들을 연주할 것이다.
→ Those songs will be played by the pianist.
그 노래들은 그 피아니스트에 의해 연주될 것이다.

2 The farmer hasn't planted apple trees in the orchard.
그 농부는 과수원에 사과 나무들을 심지 않았다.
→ Apple trees haven't been planted in the orchard by the farmer.
사과 나무들은 농부에 의해 과수원에 심어지지 않았다.

3 We must plan the trip today.
우리는 오늘 그 여행을 계획해야만 한다.
→ The trip must be planned today by us.
그 여행은 우리에 의해 오늘 계획되어야만 한다.

4 Students should wear the protective gloves during class.
학생들은 수업 동안 그 보호 장갑을 끼어야 한다.
→ The protective gloves should be worn during class by students.
그 보호 장갑은 수업 동안 학생들에 의해 끼어져야 한다.

5 Ms. Stevens is passing out the tickets.
Stevens 씨는 표를 나눠주고 있다.
→ The tickets are being passed out by Ms. Stevens.
표는 Stevens 씨에 의해 나눠지고 있다.

6 The gifts will be wrapped in red paper.

7 Mr. Trent said that he was being watched by someone.

8 Her face had been burned by the sun when I saw her.

9 This heater must be kept on during the winter.

POINT 2 4형식 문장의 수동태 p. 37

1 My dad bought my sister a grey jacket.
나의 아빠는 나의 여동생에게 회색 재킷을 사주었다.
→ A grey jacket was bought for my sister by my dad.
회색 재킷은 나의 아빠에 의해 나의 여동생에게 사졌다.

2 The comedian told the audience a funny story.
그 코미디언은 관객에게 웃긴 이야기를 했다.
→ The audience was told a funny story by the comedian.
관객은 그 코미디언에 의해 웃긴 이야기를 들었다.

3 Sumi wrote Mr. Williams a letter.
수미는 Williams 씨에게 편지를 썼다.
→ A letter was written to Mr. Williams by Sumi.
편지가 수미에 의해 Williams 씨에게 쓰여졌다.

4 They asked the lawyer some questions.
그들은 변호사에게 몇 가지 질문을 했다.
→ The lawyer was asked some questions by them.
변호사는 그들에 의해 몇 가지 질문을 받았다.

5 The police officer showed the old lady the way to the subway.
그 경찰은 나이든 여성분에게 지하철로 가는 길을 보여주었다.
→ The old lady was shown the way to the subway by the police officer.
나이든 여성분은 그 경찰에 의해 지하철로 가는 길을 보여졌다.

6 Emperor Shah Jahan built the empress the Taj Mahal.
황제 샤 자한은 황후에게 타지마할을 지어줬다.
→ The Taj Mahal was built for the empress by Emperor Shah Jahan.
타지마할은 황제 샤 자한에 의해 황후에게 지어졌다.

7 The mittens were made for me by my grandmother.

8 I was given a receipt by the clerk.

9 The notice was sent to me by the bank.

10 The food was brought to the customers by the robot.

POINT 3 5형식 문장의 수동태 p. 38

1 I found the box empty.
나는 그 상자가 빈 것을 알았다.
→ The box was found empty by me.
그 상자가 나에 의해 비어있는 것을 알아졌다.

2 The owner told the dog to sit.
그 주인은 그 개에게 앉으라고 말했다.
→ The dog was told to sit by the owner.
그 개는 그 주인에 의해 앉으라는 말을 들었다.

3 People called the man a national hero.
사람들은 그 남자를 국가적인 영웅이라고 불렀다.
→ The man was called a national hero (by people).
그 남자는 사람들에 의해 국가적인 영웅이라고 불렸다.

4 Many people heard the choir sing.
많은 사람들이 그 합창단이 노래하는 것을 들었다.
→ The choir was heard to sing by many people.
그 합창단은 많은 사람들에 의해 노래하는 것이 들어졌다.

5 The doctor advised him to start exercising.
그 의사는 그에게 운동하는 것을 시작할 것을 조언했다.
→ He was advised to start exercising by the doctor.
그는 그 의사에 의해 운동하는 것을 시작할 것을 조언 받았다.

6 Economists expected housing prices to rise.
경제학자들은 집값이 오를 것을 예상했다.
→ Housing prices were expected to rise by economists.
집값은 경제학자들에 의해 오를 것이 예상되었다.

7 The baby was kept warm by the blanket.

8 Maria was elected the class president by the students.

9 Guests were asked to leave their umbrellas at the door.

10 The children were made to wash their hands by their mom.

POINT 4 목적어가 that절인 문장의 수동태 p. 39

1 Everyone knows that Earth travels around the Sun.
모든 사람들이 지구가 태양 주위를 돈다는 것을 안다.
→ Earth is known to travel around the Sun.
지구는 태양 주위를 돈다는 것이 알려져 있다.

2 Some people say that aliens exist.
어떤 사람들은 외계인이 존재한다고 말한다.
→ Aliens are said to exist by some people.
외계인은 존재한다고 어떤 사람들에 의해 말해진다.

3 Scientists expect that all the ice caps will melt soon.
과학자들은 곧 모든 만년설이 녹을 것이라고 예상한다.
→ It is expected that all the ice caps will melt soon by scientists.
곧 모든 만년설이 녹을 것이라고 과학자들에 의해 예상된다.

4 People believe that gold is a symbol of wealth.
사람들은 금이 부의 상징이라고 믿는다.
→ Gold is believed to be a symbol of wealth.
금은 부의 상징이라고 믿어진다.

5 Some people think that exercising is important for health.
어떤 사람들은 운동이 건강에 중요하다고 생각한다.
→ It is thought that exercising is important for health by some people.
운동은 건강에 중요하다고 어떤 사람들에 의해 생각된다.

6 26 million babies are expected to be born this year.
2천6백만 명의 아기가 올해 태어날 것으로 예상된다.

7 Bananas are said to lower blood pressure.
바나나는 혈압을 낮춘다고 말해진다.

8 It is believed that Columbus found the Americas in 1492.
콜럼버스가 1492년에 미대륙을 발견했다고 믿어진다.

9 It is known that the seas around Dokdo are rich in natural resources.
독도 주변의 바다는 천연자원이 풍부한 것으로 알려져 있다.

10 The advance in technology is expected to make our lives convenient.
기술의 발전은 우리의 삶을 편리하게 만들어줄 것으로 기대된다.

POINT 5 구동사의 수동태 p. 40

1 The offer was turned down by Jason.

2 The problem will be dealt with by the police officer.

3 The children were taken care of[looked after] by their dad.

4 The festival was put off because of rain.

5 The Indians were looked down on by the British in the 1800s.

6 The oven was turned off by the chef.

7 Mr. Wilson was looked up to by his students.

8 Those kittens were taken care of[looked after] by my mom.

9 Media can be made use of by government.

10 The lights were turned on and they looked like stars.

11 Various topics were dealt with at the meeting.

POINT 6 by 이외의 전치사를 쓰는 수동태 p. 41

1 The mountain is covered with snow all year.

2 Kevin was worried about the math exam.

3 The Maori are known as fierce warriors.

4 The library was crowded with students.

5 Those burgers are made of soy patties.

6 Jenna was surprised at the price of the cake.

7 My dog was pleased with the new toy.

8 Meditation's effect is known to a lot of people.

9 The vase is filled with sand and pebbles.

10 Everyone was disappointed with the ending of the movie.

11 My brother is interested in rock climbing.

기출문제 풀고 짝문제로 마무리! p. 42

1 The bicycle was lent to Diana by her friend.

2 Those paper bags should be put in the recycling box.

3 The politician was surprised at the result of the election.

4 The broken plates will be replaced with new ones.

5 The thief was seen to rob the bank by Tom.

6 The snowman was built for the girl by her parents.

7 Germs can be removed easily[easily be removed/be easily removed] by using soap.

8 Customers were disappointed with the quality of the new product.

9 My hair is being cut by the hairdresser.

10 Potato sprouts are considered to be poisonous.

11 The package was sent to me by Fred.

12 Stress can be relieved by exercising.

13 It was noticed that the exam was canceled.

14 Margaret Thatcher is known as the Iron Lady.

15 The baby was made to cry by the noise outside.

16 The necklace was given to Mom by Dad.

17 The case should be decided by the judge.

18 It was said that the Hangang is the symbol of Seoul.

19 The airport was crowded with tourists from France.

20 A lot of efforts were made to save the endangered animals.

21 The window had been opened by Rachel before she swept the floor.

22 The surprise party will be prepared by Anna and her friends tomorrow.

23 James is thought to be a smart student by everyone.

24 The faucet has been repaired for two hours by the plumber.

25 It is known that smoking is really bad for health.

26 The rose tree had been grown by my dad since I was five years old.

27 The dishes should be washed by us before we cook dinner.

28 A four-leaf-clover is believed to bring good luck by people.

29 The old door has been painted blue by them since yesterday.

30 It is said that working four days a week will improve work efficiency.

31 Marie Curie is known as the mother of modern physics.

32 The patient was given some pills by the doctor.

33 Hanna made a suggestion, but it was turned down by the committee.

34 Brian was pleased with his favorite author's new novel.

35 Everyone was asked to take off their shoes by the instructor.

36 The customers were satisfied with the restaurant's service.

37 Everyone should be interested in environmental problems.

38 The pyramids were built for dead pharaohs in the past.

39 This project has been put off by the CEO until next year.

40 The bottom of the lake was covered with plastic waste.

41 People were advised to remain indoors for safety by the government.

42 The old buildings of the temple were made of wood.

43 History was taught to students by Mr. Riley at school.

44 Many questions should be asked of the president by the reporters.

45 The artwork was shown to the public by the museum after 20 years.

46 These cars must be fixed for the car racers by professional mechanics.

47 A: Did you use any butter to bake this cake?
B: No. It is made from coconut oil.

48 A: When should we turn in our homework?
B: The reports have been collected by the teacher already.

49 A: How did you like the movie you watched yesterday?
B: My friends and I were disappointed with it. Its plot was ridiculous.

50 A: Has there been an increase in car accidents lately?
B: Many accidents have been caused by careless driving.

---

01 해설 4형식 수동태는 직접 목적어를 주어로 쓸 때 「직접 목적어 + be + p.p. + to/for/of + 간접 목적어」의 형태로 쓴다. (▶ POINT 2)

02 해설 조동사가 있는 수동태는 「조동사 + be동사 + p.p.」의 형태로 쓴다. (▶ POINT 1)

03 해설 '~에 놀라다'라는 의미의 수동태 be surprised at을 쓴다. (▶ POINT 6)

04 해설 '교체될 것이다'라는 미래의 의미이고 미래시제의 수동태는 「will + be동사 + p.p.」의 형태로 쓴다. (▶ POINT 1)

05 해설 지각동사를 사용한 5형식 문장의 수동태이므로 목적격 보어 자리에 to부정사 to rob을 쓴다. (▶ POINT 3)

06 해설 4형식 수동태는 직접 목적어를 주어로 쓸 때 「직접 목적어 + be + p.p. + to/for/of + 간접 목적어」의 형태로 쓴다. (▶ POINT 2)

07 해설 조동사가 있는 수동태는 「조동사 + be동사 + p.p.」의 형태로 쓴다. (▶ POINT 1)

08 해설 '~에 실망하다'라는 의미의 수동태 be disappointed with를 쓴다.
(▶ POINT 6)

09 해설 '머리가 잘리고 있다'라는 진행의 의미로, 진행시제의 수동태는 「be동사 + being + p.p.」의 형태로 쓴다. (▶ POINT 1)

10 해설 consider를 사용한 5형식 문장의 수동태이므로 목적격 보어 자리에 to부정사 to be를 쓴다. (▶ POINT 2)

11 해설 4형식 수동태는 직접 목적어를 주어로 쓸 때 「직접 목적어 + be + p.p. + to/for/of + 간접 목적어」의 형태로 쓴다. 이때 동사 send는 전치사 to를 쓴다. (▶ POINT 2)

12 해설 '완화될 수 있다'라는 의미의 조동사가 있는 수동태는 「can + be동사 + p.p.」의 형태로 쓴다. (▶ POINT 1)

13 해설 that절 전체를 수동태 문장의 주어로 써야 하므로 가주어 it을 쓰고 that절은 수동태 동사 noticed 뒤에 쓴다. (▶ POINT 4)

14 해설 '~으로 알려져 있다'라는 의미의 수동태 be known as를 쓴다. (▶ POINT 6)

15 해설 사역동사를 사용한 5형식 문장의 수동태이므로 목적격 보어 자리에 to부정사 to cry를 쓴다. (▶ POINT 3)

16 해설 4형식 수동태는 직접 목적어를 주어로 쓸 때 「직접 목적어 + be + p.p. + to/for/of + 간접 목적어」의 형태로 쓴다. 이때 동사 give는 전치사 to를 쓴다. (▶ POINT 2)

17 해설 '결정되어야 한다'라는 의미의 조동사가 있는 수동태는 「should + be동사 + p.p.」의 형태로 쓴다. (▶ POINT 1)

18 해설 that절 전체를 수동태 문장의 주어로 써야 하므로 가주어 it을 쓰고 that절은 수동태 동사 said 뒤에 쓴다. (▶ POINT 4)

19 해설 '~으로 붐비다'라는 의미의 수동태 be crowded with를 쓴다. (▶ POINT 6)

20 해설 사역동사를 사용한 5형식 문장의 수동태이므로 목적격 보어 자리에 to부정사 to save를 쓴다. (▶ POINT 3)

21 해설 과거완료의 수동태는 「had + been + p.p.」의 형태로 쓴다. (▶ POINT 1)
해석 Rachel은 바닥을 쓸기 전에 창문을 열었다.
→ 창문은 Rachel에 의해 그녀가 바닥을 쓸기 전에 열렸다.

22 해설 조동사가 있는 수동태는 「조동사 + be동사 + p.p.」의 형태로 쓴다. (▶ POINT 1)
해석 Anna와 그녀의 친구들은 내일 깜짝 파티를 준비할 것이다.
→ 깜짝 파티는 내일 Anna와 그녀의 친구들에 의해 준비될 것이다.

23 해설 that절의 주어를 수동태 문장의 주어로 쓰는 경우 「that절의 주어 + be동사 + p.p. + to부정사 ~」의 형태로 쓴다. (▶ POINT 4)
해석 모든 사람들은 James가 똑똑한 학생이라고 생각한다.
→ James는 모든 사람들에 의해 똑똑한 학생이라고 생각되어진다.

24 해설 현재완료의 수동태는 「have/has + been + p.p.」의 형태로 쓴다. (▶ POINT 1)
해석 배관공은 두 시간 동안 그 수도꼭지를 수리했다.
→ 그 수도꼭지는 배관공에 의해 두 시간 동안 수리되었다.

25 해설 that절 전체를 수동태 문장의 주어로 쓰는 경우 가주어 it을 쓰고 that절은 수동태 동사 known 뒤에 쓴다. (▶ POINT 4)
해석 사람들은 담배 피우는 것이 건강에 정말 나쁘다는 것을 안다.
→ 담배 피우는 것이 건강에 정말 나쁘다는 것은 알려져 있다.

26 해설 과거완료의 수동태는 「had + been + p.p.」의 형태로 쓴다. (▶ POINT 1)
해석 나의 아빠는 내가 다섯살이었을 때부터 그 장미 나무를 길렀다.
→ 그 장미 나무는 나의 아빠에 의해 내가 다섯살이었을 때부터 길러졌었다.

27 해설 조동사가 있는 수동태는 「조동사 + be동사 + p.p.」의 형태로 쓴다. (▶ POINT 1)
해석 우리는 저녁을 요리하기 전에 접시들을 닦아야 한다.
→ 접시들은 우리에 의해 우리가 저녁을 요리하기 전에 닦아야 한다.

28 해설 that절의 주어를 수동태 문장의 주어로 쓰는 경우 「that절의 주어 + be동사 + p.p. + to부정사 ~」의 형태로 쓴다. (▶ POINT 4)
해석 사람들은 네 잎 클로버가 행운을 가져다 준다고 믿는다.
→ 네 잎 클로버는 행운을 가져다 주는 것으로 사람들에 의해 믿어진다.

29 해설 현재완료의 수동태는 「have/has + been + p.p.」의 형태로 쓴다. (▶ POINT 1)
해석 그들은 어제부터 그 오래된 문을 파란색으로 칠했다.
→ 그 오래된 문은 어제부터 그들에 의해 파란색으로 칠해졌다.

30 해설 that절 전체를 수동태 문장의 주어로 쓰는 경우 가주어 it을 쓰고 that절은 수동태 동사 said 뒤에 쓴다. (▶ POINT 4)
해석 사람들은 일주일에 4일 일하는 것이 일 능률을 향상시킬 것이라고 말한다.
→ 일주일에 4일 일하는 것이 일 능률을 향상시킬 것이라고 말해진다.

31 해설 '현대 물리학의 어머니로 알려져 있다'라는 의미이므로 to를 as로 고쳐야 한다. (▶ POINT 6)

해석 마리 퀴리는 현대 물리학의 어머니로 알려져 있다.

32 해설 4형식 수동태 문장의 주어로 간접 목적어를 쓸 때 「간접 목적어 + be + p.p. + 직접 목적어」의 형태로 써야 하므로 to를 삭제해야 한다. (▶ POINT 2)

해석 그 환자는 의사에 의해 알약 몇 알이 주어졌다.

33 해설 두 개 이상의 단어로 이루어진 동사 turn down을 수동태로 써야 하므로, 동사 turn을 「be + p.p.」 형태로 쓰고 나머지 down을 동사 뒤에 쓴다. 이때 전치사 「by + 행위자」는 그대로 써야 하므로 전치사 as를 by로 고쳐야 한다. (▶ POINT 5)

해석 Hanna는 제안을 했지만, 그것은 위원회에 의해 거절당했다.

34 해설 '그가 가장 좋아하는 작가의 새 소설에 만족했다'라는 의미이므로 of를 with로 고쳐야 한다. (▶ POINT 6)

해석 Brian은 그가 가장 좋아하는 작가의 새 소설에 만족했다.

35 해설 동사 ask를 사용한 5형식 문장의 수동태는 목적격 보어 자리에 to 부정사를 써야 하므로 take off를 to take off로 고쳐야 한다. (▶ POINT 3)

해석 모든 사람들은 강사에 의해 그들의 신발을 벗을 것을 요청받았다.

36 해설 '식당의 서비스에 만족했다'라는 의미이므로 to를 with로 고쳐야 한다. (▶ POINT 6)

해석 그 손님들은 식당의 서비스에 만족했다.

37 해설 '환경 문제에 관심이 있어야 한다'라는 의미이므로 with를 in으로 고쳐야 한다. (▶ POINT 6)

해석 모든 사람들은 환경 문제에 관심이 있어야 한다.

38 해설 4형식 수동태 문장의 주어로 직접 목적어를 쓸 때 「직접 목적어 + be + p.p. + to/for/of + 간접 목적어」의 형태로 써야 하며, 이때 동사 build는 전치사 for을 쓰므로 전치사 to를 for로 고쳐야 한다. (▶ POINT 2)

해석 그 피라미드는 과거에 죽은 파라오들을 위해 지어졌다.

39 해설 두 개 이상의 단어로 이루어진 동사 put off를 수동태로 써야 하므로, 동사 put을 「be + p.p.」 형태로 쓰고 나머지 off를 동사 뒤에 쓴다. 이때 전치사 「by + 행위자」는 그대로 써야 하므로 전치사 by를 off 뒤에 써야 한다. (▶ POINT 5)

해석 이 프로젝트는 CEO에 의해 내년까지 미뤄졌다.

40 해설 '플라스틱 쓰레기로 뒤덮여 있다'라는 의미이므로 on을 with로 고쳐야 한다. (▶ POINT 6)

해석 호수의 바닥은 플라스틱 쓰레기로 뒤덮여 있었다.

41 해설 동사 advise를 사용한 5형식 문장의 수동태는 목적격 보어 자리에 to 부정사를 써야 하므로 remaining을 to remain으로 고쳐야 한다. (▶ POINT 3)

해석 사람들은 정부에 의해 안전을 위해 실내에 머무를 것을 조언받았다.

42 해설 '나무로 만들어졌다'라는 의미이므로 by를 of로 고쳐야 한다. (▶ POINT 6)

해석 사원의 그 오래된 건물은 나무로 만들어졌다.

43 해설 4형식 수동태 문장의 주어로 직접 목적어를 쓸 때 「직접 목적어 + be + p.p. + to/for/of + 간접 목적어」를 쓴다. (▶ POINT 2)

44 해설 조동사가 있는 수동태는 「조동사 + be동사 + p.p.」의 형태로 쓴다. (▶ POINT 1)

45 해설 4형식 수동태 문장의 주어로 직접 목적어를 쓸 때 「직접 목적어 + be + p.p. + to/for/of + 간접 목적어」를 쓴다. (▶ POINT 2)

46 해설 조동사가 있는 수동태는 「조동사 + be동사 + p.p.」의 형태로 쓴다. (▶ POINT 1)

47 해설 '코코넛 오일로 만들어졌다'라는 의미이므로 be made from을 쓴다. (▶ POINT 6)

해석 A: 너는 이 케이크를 굽기 위해 버터를 썼니?
B: 아니. 그것은 코코넛 오일로 만들어졌어.

48 해설 '보고서들은 이미 모아졌다'라는 의미이므로 현재완료 수동태 「have/has + been + p.p.」의 형태로 쓴다. (▶ POINT 1)

해석 A: 언제 우리의 숙제를 제출해야 하니?
B: 보고서들은 이미 선생님에 의해 모아졌어.

49 해설 '그것에 실망했다'라는 의미이므로 be disappointed with를 쓴다. (▶ POINT 6)

해석 A: 어제 네가 본 영화는 어땠니?
B: 나의 친구들과 나는 그것에 실망했어. 그것의 줄거리가 터무니없었어.

50 해설 '사고가 많이 발생했다'라는 의미이므로 현재완료 수동태 「have/has + been + p.p.」의 형태로 쓴다. (▶ POINT 1)

해석 A: 최근에 자동차 사고가 증가했니?
B: 부주의한 운전에 의해 많은 사고가 발생했어.

CHAPTER 04

부정사

POINT 1   명사 역할을 하는 to부정사   p. 48

1 It is easy to swim with flippers.
2 She wasn't sure what she should do with the potatoes.
3 Dad made it a rule to come home by 10.
4 Did you decide where to go for the holidays?
5 I thought it strange to see a bear walking through the town.
6 The bakery found it necessary to raise the price of its bread.
7 Did the pharmacist tell you when to take[when you should take] the pill?
8 Do you know how to get[how you should get] to the airport?
9 It was difficult to visit foreign countries until the 1980s.
10 I found it easy to learn English grammar.

POINT 2   형용사/부사 역할을 하는 to부정사   p. 49

1 This mountain is hard to climb.
2 Amy wrote a letter to him to apologize for her mistake.
3 They must be students to wear those uniforms.
4 Will you bring me a spoon to eat with?
5 We were surprised to see the koala in the forest.
6 Leonardo da Vinci lived to be 67 years old.
7 I don't have anything to wear in the closet.
8 The chef was satisfied to see the fresh ingredients.
9 There aren't any towels to use in the bathroom.
10 We should leave early to avoid the traffic.

POINT 3   목적격 보어로 쓰이는 to부정사   p. 50

1 Sam wanted his friend to visit him on Saturday.
2 My grandmother asked me to find her glasses.
3 The teacher encouraged the children to write down their ideas.
4 The judge ordered him to leave the court.
5 Team sports allow us to understand the value of teamwork.
6 Dr. Foster advised his patient to sleep more.
7 Everyone expected Fiona to become our class president.
8 His experiences enabled him to be chosen as CEO.
9 I told them to stop fighting over the cookies.
10 Mass production allowed industrialization to speed up.

POINT 4   목적격 보어로 쓰이는 원형부정사   p. 51

1 On the cruise, we will watch the dolphins swim.
   크루즈에서, 우리는 돌고래가 수영하는 것을 볼 것이다.
2 Mr. Jordan allowed the students to use laptops in class.
   Jordan 선생님은 학생들이 수업 시간에 노트북을 사용하는 것을 허락해주셨다.
3 The police got the driver to stop the car.
   경찰은 운전자가 차를 멈추게 했다.
4 The lawyer had his client wait during the phone call.
   그 변호사는 통화 중에 그의 고객이 기다리게 했다.

5 I felt my eyes swell[swelling] while I was crying.
   나는 우는 동안 내 눈이 붓는(붓고 있는) 것을 느꼈다.
6 We saw the tree fall because of the wind.
7 Andrew helped the old lady walk[to walk] across the street.
8 The coach made us practice for several hours.
9 They heard their names called by the nurse.
10 Chloe smelled something burn[burning] in the kitchen.

POINT 5   to부정사의 의미상 주어   p. 52

1 You helped my grandfather. It was kind.
   너는 나의 할아버지를 도왔다. 그것은 친절했다.
   → It was kind of you to help my grandfather.
     네가 나의 할아버지를 도왔다니 친절했다.
2 The roller coaster is dangerous. Children can't ride it.
   그 롤러코스터는 위험하다. 어린이는 그것을 탈 수 없다.
   → The roller coaster is dangerous for children to ride.
     어린이가 타기에 그 롤러코스터는 위험하다.
3 He admitted his mistake. It was honest.
   그는 그의 실수를 인정했다. 그것은 솔직했다.
   → It was honest of him to admit his mistake.
     그는 그의 실수를 인정하다니 솔직했다.
4 You told everyone the secret. It was careless.
   너는 모든 사람들에게 비밀을 말했다. 그것은 부주의했다.
   → It was careless of you to tell everyone the secret.
     네가 모든 사람들에게 비밀을 말하다니 부주의했다.
5 James made me a pancake. I had it.
   James는 나에게 팬케이크를 만들어줬다. 나는 그것을 먹었다.
   → James made a pancake for me to have.
     James는 내가 먹을 팬케이크를 만들었다.
6 Farmers left some berries for birds to eat.
7 It was wise of her to plan ahead.
8 It was nice of you to invite us to dinner.
9 Fruit smoothies are healthy for us to drink.
10 I bought a warm coat for you to wear.

POINT 6   to부정사 구문   p. 53

1 Jamie is so tall that she can't wear that coat.
   Jamie는 너무 커서 그 코트를 입을 수 없다.
   → Jamie is too tall to wear that coat.
     Jamie는 그 코트를 입기에 너무 크다.
2 It seemed that the suspect was lying.
   → The suspect seemed to be lying.
     그 용의자는 거짓말을 하는 것 같았다.
3 The lake was so warm that we could swim in it.
   호수가 정말 따뜻해서 우리는 그 안에서 수영할 수 있었다.
   → The lake was warm enough to swim in.
     호수는 그 안에서 수영하기에 충분히 따뜻했다.
4 This land is fertile enough for plants to grow.
   이 땅은 식물이 자라기에 충분히 비옥하다.
   → This land is so fertile that plants can grow.
     이 땅은 정말 비옥해서 식물들이 자랄 수 있다.
5 It was too cold for us to play outside.
   우리가 바깥에서 놀기에 너무 추웠다.
   → It was so cold that we couldn't play outside.
     너무 추워서 우리는 바깥에서 놀 수 없었다.
6 Steven was too tired to stay up.
   Steven은 깨어있기에 너무 피곤했다.
   → Steven was so tired that he couldn't stay up.
     Steven은 너무 피곤해서 깨어있을 수 없었다.
7 The trash can was too dirty for us to touch.
   그 쓰레기통은 우리가 만지기에 너무 더러웠다.

→ The trash can <u>was so dirty that we couldn't touch it</u>.
그 쓰레기통은 너무 더러워서 우리가 만질 수 없었다.

8 It seems that the customer is satisfied with the product.
→ The customer <u>seems to be satisfied with the product</u>.
그 고객은 제품에 만족하는 것 같다.

9 The lock was so weak that thieves could break in.
그 자물쇠는 너무 약해서 도둑들이 침입할 수 있었다.
→ The lock <u>was weak enough for thieves to break in</u>.
그 자물쇠는 도둑들이 침입하기에 충분히 약했다.

10 Fish are becoming so expensive that we can't feed them to the penguins.
생선이 너무 비싸지고 있어서 우리는 그것들을 펭귄들에게 먹일 수 없다.
→ Fish <u>are becoming too expensive to feed the penguins</u>.
생선이 펭귄들에게 먹이기에 너무 비싸지고 있다.

기출문제 풀고 짝문제로 마무리!

p. 54

01 The dragonfly <u>is flying too high to catch</u>.
02 Technological advances <u>allowed us to work from home</u>.
03 He <u>sent me a poem to read</u> by email.
04 Would you <u>tell me where to buy the train tickets</u>?
05 <u>It is important for us to experience</u> new things.
06 The horse <u>was too slow to win the race</u>.
07 No one <u>expected the economy to crash</u> so fast.
08 Will you <u>give me a piece of paper to write on</u>?
09 This brochure <u>explains how to use this machine</u> in detail.
10 <u>It was silly of you to trust</u> his promises again.
11 <u>It is necessary to be careful</u> in a chemical laboratory.
12 I have <u>interesting news to tell</u> you.
13 <u>We saw someone hide[hiding]</u> behind the tree.
14 The tourist stopped by <u>the information center to ask for directions</u>.
15 The old man <u>was looking for a chair to sit on</u>.
16 <u>It is always exciting to meet</u> new people.
17 There isn't <u>any gym to sign up for</u> near my house.
18 I heard <u>him shout[shouting] angrily</u> on the phone.
19 The citizen representatives asked for <u>a meeting to discuss the matter</u>.
20 You <u>need a friend to talk to</u> about your problem.
21 <u>It is important to protect wild animals</u> for the future.
22 The water <u>seems to be leaking from the pipe</u>.
23 The weather <u>is too humid for laundry to dry</u>.
24 The door <u>isn't so wide that the refrigerator can't pass through</u>.
25 <u>It seemed that the man was pleased with his new pants</u>.
26 <u>It took a long time for me to plan our trip to Europe</u>.
27 <u>It seemed that the rain fell all night long</u>.
28 The job offer <u>was so good that Larry couldn't refuse it</u>.
29 My grandmother <u>is so healthy that she can travel long distances</u>.
30 Harry <u>seemed to be lying about his grade</u>.
31 They <u>were happy to finish their homework</u>.
32 I <u>am searching for a place to stay</u> in London.
33 <u>It is impossible for a human to run faster than a cheetah</u>.
34 He <u>forgot when to visit[he should visit]</u> the dentist.
35 The sea <u>is too rough for us to swim in</u>.
36 The ballerina <u>is excited to perform</u> on the stage.
37 There <u>are many balls for the dog to play with</u>.
38 Was <u>it interesting for you to study physics</u> in college?
39 Let <u>me know how to pay[how I should pay]</u> the rent.
40 The fork <u>is too dirty for me to eat with</u>.
41 <u>It was foolish of you to walk barefoot</u>.
42 <u>Everyone heard the man complain[complaining]</u>.
43 <u>Is it difficult for you to live without a cell phone these days</u>?
44 <u>He made us clean the gym after class</u>.
45 <u>The sun was hot enough to cook an egg on the street</u>.
46 <u>It is hard for me to get up early</u>.
47 <u>Bella expects her friend to call her soon</u>.
48 <u>It is dangerous to drive on an icy road in winter</u>.
49 <u>Jenny told me not to believe superstitions</u>.
50 <u>The math question was complicated enough for me to give up</u>.

---

01 해설 '잡기에 너무 높이 난다'는 의미가 되어야 하므로 '…하기에 너무 ~하다'는 의미를 나타내는 「too + 형용사/부사 + to부정사」를 쓴다. (▶ POINT 6)

02 해설 동사 allow는 목적격 보어로 to부정사를 쓰는 동사이다. (▶ POINT 3)

03 해설 '읽을 시를 보내주었다'는 의미가 되어야 하므로 형용사 역할을 하는 to부정사 to read를 명사 a poem 뒤에 쓴다. (▶ POINT 2)

04 해설 '어디에서 기차표를 살지'라는 의미가 되어야 하므로 '어디에서 ~를 할지'라는 의미를 나타내는 「where + to부정사」를 쓴다. (▶ POINT 1)

05 해설 주어 자리에 가주어 it을 쓰고 '새로운 것들을 경험하는 것'을 의미하는 명사 역할의 to부정사구 진주어를 뒤로 보낸다. (▶ POINT 1)

06 해설 '이기기에 너무 느렸다'는 의미가 되어야 하므로 '…하기에 너무 ~하다'는 의미를 나타내는 「too + 형용사/부사 + to부정사」를 쓴다. (▶ POINT 6)

07 해설 동사 expect는 목적격 보어로 to부정사를 쓰는 동사이다. (▶ POINT 3)

08 해설 '쓸 종이를 주겠니'라는 의미가 되어야 하므로 형용사 역할을 하는 to부정사 to write을 명사 a piece of paper 뒤에 쓴다. 명사 a piece of paper는 전치사 on의 목적어이므로 to write 뒤에 on을 쓴다. (▶ POINT 2)

09 해설 '어떻게 쓰는지'라는 의미가 되어야 하므로 '어떻게 ~를 할지'라는 의미를 나타내는 「how + to부정사」를 쓴다. (▶ POINT 1)

10 해설 주어 자리에 가주어 it을 쓰고 '그의 약속을 믿는 것'을 의미하는 명사 역할의 to부정사구 진주어를 뒤로 보낸다. (▶ POINT 1)

11 해설 주어 자리에 가주어 it을 쓰고 '조심하는 것'을 의미하는 명사 역할의 to부정사구 진주어를 뒤로 보낸다. (▶ POINT 1)

12 해설 '말할 흥미로운 소식'이라는 의미가 되어야 하므로 명사를 수식하는 형용사 역할을 하는 to부정사 to tell을 interesting news 뒤에 쓴다. (▶ POINT 2)

13 해설 지각동사 see는 목적격 보어로 원형부정사 hide를 쓴다. 진행 중인 동작을 강조하기 위해 현재분사 hiding도 쓸 수 있다. (▶ POINT 4)

14 해설 '길을 묻기 위해'라는 의미가 되어야 하므로 목적을 나타내는 부사 역할의 to부정사를 쓴다. (▶ POINT 2)

15 해설 '앉을 의자'라는 의미가 되어야 하므로 명사를 수식하는 형용사 역할의 to부정사를 쓴다. 명사 chair은 전치사 on의 목적어이므로 to sit 뒤에 on을 쓴다. (▶ POINT 2)

16 해설 주어 자리에 가주어 it을 쓰고 '새로운 사람을 만나는 것'을 의미하는 명사 역할의 to부정사구 진주어를 뒤로 보낸다. (▶ POINT 1)

17 해설 '등록할 체육관'이라는 의미가 되어야 하므로 명사를 수식하는 형용사 역할의 to부정사 to sign up을 any gym 뒤에 쓴다. 명사 gym은 전치사 for의 목적어이므로 to sign up 뒤에 for을 쓴다. (▶ POINT 2)

18 해설 지각동사 hear는 목적격 보어로 원형부정사 shout을 쓴다. 진행 중인 동작을 강조하기 위해 현재분사 shouting도 쓸 수 있다. (▶ POINT 4)

19 해설 '문제를 논의하기 위해'라는 의미가 되어야 하므로 목적을 나타내는 부사 역할의 to부정사를 쓴다. (▶ POINT 2)

20 해설 '이야기할 친구'라는 의미가 되어야 하므로 명사를 수식하는 형용사 역할의 to부정사를 쓴다. 명사 friend는 전치사 to의 목적어이므로 to talk 뒤에 to를 쓴다. (▶ POINT 2)

21 해설 주어 자리에 가주어 it을 쓰고 '야생동물을 보호하는 것'을 의미하는 명사 역할의 to부정사구 진주어를 뒤로 보낸다. (▶ POINT 1)
해석 야생동물을 보호하는 것은 미래를 위해 중요하다.

22 [해설] '~인 것 같다'라는 의미의「It + seem (that) + 주어 + 동사」는「주어 + seem + to부정사」로 바꿔 쓸 수 있다. (▶ POINT 6)

[해석] 물이 파이프에서 새고 있는 것 같다.

23 [해설] '너무 ~해서 …한'이라는 의미의「so + 형용사/부사 + that + 주어 + can't/couldn't + 동사원형」은「too + 형용사/부사 + to부정사」로 바꿔 쓸 수 있다. (▶ POINT 6)

[해석] 날씨가 너무 습해서 빨래가 마를 수 없다.
→ 날씨가 빨래가 마르기에 너무 습하다.

24 [해설] '…할 만큼 충분히 ~한'이라는 의미의「형용사/부사 + enough + to부정사」는「so + 형용사/부사 + that + 주어 + can/could + 동사원형」으로 바꿔 쓸 수 있다. (▶ POINT 6)

[해석] 그 문은 냉장고가 통과하기에 충분히 넓지 않다.
→ 그 문은 너무 넓지 않아서 냉장고가 통과할 수 없다.

25 [해설] '~인 것 같다'라는 의미의「주어 + seem + to부정사」는「It + seem (that) + 주어 + 동사」로 바꿔 쓸 수 있다. (▶ POINT 6)

[해석] 그 남자는 그의 새 바지에 만족한 것 같았다.

26 [해설] 주어 자리에 가주어 it을 쓰고 '유럽 여행 계획을 하는 것'을 의미하는 명사 역할의 to부정사구 진주어를 뒤로 보낸다. (▶ POINT 1)

[해석] 내가 우리의 유럽 여행 계획을 세우는 것은 긴 시간이 걸렸다.

27 [해설] '~인 것 같다'라는 의미의「주어 + seem + to부정사」는「It + seem (that) + 주어 + 동사」로 바꿔 쓸 수 있다. (▶ POINT 6)

[해석] 비가 밤새도록 내린 것 같았다.

28 [해설] '…하기에 너무 ~한'이라는 의미의「too + 형용사/부사 + to부정사」는「so + 형용사/부사 + that + 주어 + can't/couldn't + 동사원형」으로 바꿔 쓸 수 있다. (▶ POINT 6)

[해석] 그 일자리 제안은 Larry가 거절하기에 너무 좋았다.
→ 그 일자리 제안은 너무 좋아서 Larry는 거절할 수 없었다.

29 [해설] '…할 만큼 충분히 ~한'이라는 의미의「형용사/부사 + enough + to부정사」는「so + 형용사/부사 + that + 주어 + can/could + 동사원형」으로 바꿔 쓸 수 있다. (▶ POINT 6)

[해석] 나의 할머니는 장거리를 여행하기에 충분히 건강하시다.
→ 나의 할머니는 아주 건강하셔서 장거리를 여행할 수 있다.

30 [해설] '~인 것 같다'라는 의미의「It + seem (that) + 주어 + 동사」는「주어 + seem + to부정사」로 바꿔 쓸 수 있다. (▶ POINT 6)

[해석] Harry가 그의 성적에 대해 거짓말을 하고 있었던 것 같았다.

31 [해설] '그들의 숙제를 끝내서 기뻤다'라는 의미가 되어야 하므로 감정의 원인을 나타내는 부사 역할의 to부정사 to finish를 형용사 happy 뒤에 쓴다. (▶ POINT 2)

[해석] 그들은 그들의 숙제를 끝냈다. 그들은 행복했다.
→ 그들은 그들의 숙제를 끝내서 행복했다.

32 [해설] '머무를 장소를 찾고 있다'라는 의미가 되어야 하므로 형용사 역할을 하는 to부정사 to stay를 명사 a place 뒤에 쓴다. (▶ POINT 2)

[해석] 나는 런던에서 머무를 것이다. 나는 그곳의 장소를 찾고 있다.
나는 런던에서 머무를 장소를 찾고 있다.

33 [해설] 주어 자리에 가주어 it을 쓰고 '치타보다 빠르게 달리는 것'을 의미하는 명사 역할의 to부정사구 진주어를 뒤로 보낸다. (▶ POINT 1)

[해석] 인간은 치타보다 빨리 달릴 수 없다. 그것은 불가능하다.
→ 인간이 치타보다 빨리 달리는 것은 불가능하다.

34 [해설] '언제 치과를 방문해야 할지'라는 의미가 되어야 하므로 '언제 ~를 할지'라는 의미를 나타내는「when + to부정사」를 쓴다. (▶ POINT 1)

[해석] 그는 언제 치과를 방문해야 하니? 그는 잊었다.
→ 그는 언제 치과를 방문해야 하는지 잊었다.

35 [해설] '너무 ~해서 …한'이라는 의미의「so + 형용사/부사 + that + 주어 + can't/couldn't + 동사원형」은「too + 형용사/부사 + to부정사」로 바꿔 쓸 수 있다. (▶ POINT 6)

[해석] 바다가 너무 거칠다. 우리는 그 안에서 수영을 할 수 없다.
→ 우리가 수영을 하기에 바다가 너무 거칠다.

36 [해설] '공연하게 되어 신이 났다'라는 의미가 되어야 하므로 감정의 원인을 나타내는 부사 역할의 to부정사 to perform을 형용사 excited 뒤에 쓴다. (▶ POINT 2)

37 [해설] '가지고 놀 공이 있다'라는 의미가 되어야 하므로 형용사 역할을 하는 to부정사 to play를 명사 many balls 뒤에 쓴다. 명사 many balls는 전치사 with의 목적어이므로 to play 뒤에 with을 쓴다. to부정사의 의미상 주어가 the dog이므로 for the dog을 to부정사 앞에 쓴다. (▶ POINT 2)

[해석] 많은 공이 있다. 그 개는 그것들을 가지고 놀 수 있다.
→ 그 개는 가지고 놀 많은 공이 있다.

38 [해설] 주어 자리에 가주어 it을 쓰고 '물리학을 공부하는 것'을 의미하는 명사 역할의 to부정사구 진주어를 뒤로 보낸다. (▶ POINT 1)

[해석] 너는 대학에서 물리학을 공부했다. 그것은 흥미로웠니?
→ 너에게 대학에서 물리학을 공부하는 것은 흥미로웠니?

39 [해설] '어떻게 집세를 지불해야 할지'라는 의미가 되어야 하므로 '어떻게 ~를 할지'라는 의미를 나타내는「how + to부정사」를 쓴다. (▶ POINT 1)

[해석] 내가 집세를 어떻게 지불해야 하니? 내게 알려줘.
→ 내가 집세를 어떻게 지불해야 하는지 내게 알려줘.

40 [해설] '너무 ~해서 …한'이라는 의미의「so + 형용사/부사 + that + 주어 + can't/couldn't + 동사원형」은「too + 형용사/부사 + to부정사」로 바꿔 쓸 수 있다. (▶ POINT 6)

[해석] 그 포크는 너무 더럽다. 나는 그것으로 먹을 수 없다.
→ 그 포크는 내가 가지고 먹기에 너무 더럽다.

41 [해설] 사람의 성격이나 성질을 나타내는 형용사(foolish) 뒤에 오는 to부정사의 의미상 주어는「of + 목적격」으로 써야 하므로 for을 of로 고쳐야 한다. (▶ POINT 5)

[해석] 네가 맨발로 걷다니 어리석었다.

42 [해설] 지각동사 hear는 목적격 보어로 원형부정사를 쓰므로 to complain을 complain으로 고쳐야 한다. 진행 중인 동작을 강조하기 위해 현재분사 complaining으로 고칠 수 있다. (▶ POINT 4)

[해석] 모든 사람들은 그 남자가 불평하는 것을 들었다.

43 [해설] 주어 자리에 가주어 it을 쓰고 '핸드폰 없이 사는 것'을 의미하는 진주어를 뒤로 보냈으므로 live를 to live로 고쳐야 한다. (▶ POINT 1)

[해석] 요즘 핸드폰 없이 사는 것은 너에게 어렵니?

44 [해설] 사역동사 make는 목적격 보어로 원형부정사를 쓰므로 to clean을 clean으로 고쳐야 한다. (▶ POINT 3)

[해석] 그는 수업 후에 우리가 체육관을 청소하게 했다.

45 [해설] '…할 만큼 충분히 ~한'이라는 의미를 나타내기 위해「형용사/부사 + enough + to부정사」의 형태로 써야 하므로 enough hot을 hot enough로 고쳐야 한다. (▶ POINT 6)

[해석] 태양이 길에서 계란을 요리할 만큼 충분히 뜨거웠다.

46 [해설] to부정사의 의미상 주어는「for + 목적격」으로 써야 하므로 of를 for로 고쳐야 한다. (▶ POINT 5)

[해석] 일찍 일어나는 것은 내게 어렵다.

47 [해설] 동사 expect는 to부정사를 목적격 보어로 쓰는 동사이므로 call을 to call로 고쳐야 한다. (▶ POINT 3)

[해석] Bella는 곧 그녀의 친구가 그녀에게 전화하기를 기대한다.

48 [해설] 주어 자리에 가주어 it을 쓰고 '빙판길에서 운전하는 것'을 의미하는 진주어를 뒤로 보냈으므로 drive를 to drive로 고쳐야 한다. (▶ POINT 1)

[해석] 겨울에 빙판길에서 운전하는 것은 위험하다.

49 [해설] 동사 tell은 to부정사를 목적격 보어로 쓰는 동사이므로 believe를 to believe로 고쳐야 한다. (▶ POINT 3)

[해석] Jenny는 나에게 미신을 믿지 말라고 말했다.

50 [해설] '…할 만큼 충분히 ~한'이라는 의미를 나타내기 위해「형용사/부사 + enough + to부정사」의 형태로 써야 하므로 enough complicated를 complicated enough로 고쳐야 한다. (▶ POINT 6)

[해석] 그 수학 문제는 내가 포기할 만큼 충분히 복잡했다.

CHAPTER 05

동명사

43 Nate: <u>Thank</u> <u>you</u> <u>for</u> <u>inviting</u> <u>me</u> to dinner.
44 Jess: <u>I</u> <u>was</u> <u>busy</u> <u>studying</u> for the math exam.
45 Anne: I'm <u>looking</u> <u>forward</u> <u>to</u> <u>going</u> <u>fishing</u> on the weekend.
46 Eric: I <u>feel</u> <u>like</u> <u>taking</u> <u>a</u> <u>break</u> before riding bumper cars.

---

01 해설 '배드민턴 치는 것'이라는 의미가 되어야 하므로 '~하는 것'의 의미를 나타내는 동명사 주어 Playing 을 가장 먼저 쓴다. (▶ POINT 1)

02 해설 '신발 묶는 것에 어려움을 겪었다'는 의미가 되어야 하므로 '~하는 것에 어려움을 겪다'의 의미를 나타내는 「have trouble + V-ing」를 쓴다. (▶ POINT 4)

03 해설 mind는 동명사를 목적어로 쓰는 동사이므로 뒤에 동명사 swimming을 쓴다. (▶ POINT 2)

04 해설 '가난한 사람들을 돕는 것에 그의 모든 저축을 썼다'는 의미가 되어야 하므로 '~하는데 시간/돈을 쓰다'의 의미를 나타내는 「spend + 시간/돈 + V-ing」를 쓴다. (▶ POINT 4)

05 해설 '경주를 끝내는 것'이라는 의미가 되어야 하므로 '~하는 것'의 의미를 나타내는 동명사 주어 Finishing을 가장 먼저 쓴다. (▶ POINT 1)

06 해설 '정원 가꾸기'라는 의미가 되어야 하므로 '~하기'의 의미를 나타내는 동명사 주어 Gardening을 가장 먼저 쓴다. (▶ POINT 1)

07 해설 '그의 개를 돌봐준 것에 대해 나에게 감사했다'라는 의미가 되어야 하므로 '…한 것에 대해 ~에게 감사하다'의 의미를 나타내는 「thank ~ for V-ing」를 쓴다. (▶ POINT 4)

08 해설 enjoy는 동명사를 목적어로 쓰는 동사이므로 뒤에 동명사 watching을 쓴다. (▶ POINT 2)

09 해설 '생일 파티를 준비하느라 바쁠 것이다'라는 의미가 되어야 하므로 '~하느라 바쁘다'의 의미를 나타내는 「be busy + V-ing」를 쓴다. (▶ POINT 4)

10 해설 '야생 버섯을 먹은 것'이라는 의미가 되어야 하므로 '~하는 것'의 의미를 나타내는 동명사 주어 Eating을 가장 먼저 쓴다. (▶ POINT 1)

11 해설 '(과거에) ~한 것을 잊다'라는 의미이므로 동사 forget 뒤에 동명사 lending을 쓴다. (▶ POINT 3)

12 해설 keep은 동명사를 목적어로 쓰는 동사이므로 뒤에 동명사 coughing을 쓴다. (▶ POINT 2)

13 해설 continue는 동명사와 to부정사를 모두 목적어로 쓰는 동사이므로 뒤에 studying이나 to study를 쓴다. (▶ POINT 3)

14 해설 give up은 동명사를 목적어로 쓰는 동사이므로 뒤에 동명사 persuading을 쓴다. (▶ POINT 2)

15 해설 '~하게 되어 유감이다'라는 의미이므로 동사 regret 뒤에 to부정사 to inform을 쓴다. (▶ POINT 3)

16 해설 '(미래에) ~할 것을 잊다'라는 의미이므로 동사 forget 뒤에 to 부정사 to water를 쓴다. (▶ POINT 3)

17 해설 consider은 동명사를 목적어로 쓰는 동사이므로 뒤에 동명사 hiring을 쓴다. (▶ POINT 2)

18 해설 start는 동명사와 to부정사를 모두 목적어로 쓰는 동사이므로 뒤에 arguing이나 to argue를 쓴다. (▶ POINT 3)

19 해설 avoid는 동명사를 목적어로 쓰는 동사이므로 뒤에 동명사 answering을 쓴다. (▶ POINT 2)

20 해설 '~한 것을 후회하다'라는 의미이므로 동사 regret 뒤에 동명사 being을 쓴다. (▶ POINT 3)

21 해설 need는 to부정사를 목적어로 쓰는 동사이므로 talking을 to talk로 고쳐야 한다. (▶ POINT 2)
해석 Aaron은 그의 부모님과 그의 성적에 대해 이야기할 필요가 있다.

22 해설 동명사 주어는 단수 취급하므로 동사 aren't를 isn't로 고쳐야 한다. (▶ POINT 1)
해석 장작으로 캠프파이어를 만드는 것은 어렵지 않다.

23 해설 '~하자마자'라는 의미를 나타내는 「on + V-ing」를 써야 하므로 arrive를 arriving으로 고쳐야 한다. (▶ POINT 4)

해석 공항에 도착하자마자, 나는 나의 가족을 봤다.

24 해설 promise는 to부정사를 목적어로 쓰는 동사이므로 keeping을 to keep으로 고쳐야 한다. (▶ POINT 2)
해석 Sarah는 그녀가 캐나다를 여행할 때 나와 계속 연락하기로 약속했다.

25 해설 '~하는 것을 기대하다'라는 의미를 나타내는 「look forward to + V-ing」를 써야 하므로 get을 getting으로 고쳐야 한다. (▶ POINT 4)
해석 나는 네 엽서를 받는 것을 기대한다.

26 해설 finish는 동명사를 목적어로 쓰는 동사이므로 to draw를 drawing으로 고쳐야 한다. (▶ POINT 2)
해석 Britney는 벽에 아름다운 꽃들을 그리는 것을 끝냈다.

27 해설 동명사 주어는 단수 취급하므로 동사 are를 is로 고쳐야 한다. (▶ POINT 1)
해석 나의 친구들을 위해 쿠키와 케이크를 굽는 것은 항상 재미있다.

28 해설 '~할 가치가 있다'라는 의미를 나타내는 「be worth + V-ing」를 써야 하므로 to consider을 considering으로 고쳐야 한다. (▶ POINT 4)
해석 Klein 씨의 생각은 고려할 가치가 있다.

29 해설 hope는 to부정사를 목적어로 쓰는 동사이므로 improving을 to improve로 고쳐야 한다. (▶ POINT 2)
해석 그들은 규칙적으로 운동해서 그들의 건강을 향상시키길 바란다.

30 해설 '~하는 데 익숙하다'라는 의미를 나타내는 「be used to + V-ing」를 써야 하므로 have를 having으로 고쳐야 한다. (▶ POINT 4)
해석 Dave는 혼자서 저녁을 먹는 것에 익숙하다.

31 해설 '쉬고 싶다'라는 의미가 되어야 하므로 '~하고 싶다'의 의미를 나타내는 「feel like + V-ing」를 쓴다. (▶ POINT 4)

32 해설 전치사의 목적어 자리이므로 동명사 telling을 쓰고, '말하지 않은 것'이라는 의미가 되어야 하므로 부정형 not을 동명사 앞에 쓴다. (▶ POINT 1)

33 해설 '먹지 않을 수 없었다'라는 의미가 되어야 하므로 '~하지 않을 수 없다'의 의미를 나타내는 「cannot help + V-ing」를 쓴다. (▶ POINT 4)

34 해설 '~하는 것에 관심이 있다'라는 의미가 되어야 하므로 be interested in을 쓰고, 전치사(in)의 목적어 자리에 동명사 solving을 쓴다. (▶ POINT 1)

35 해설 '시험을 보느라 바쁘다'라는 의미가 되어야 하므로 '~하느라 바쁘다'의 의미를 나타내는 「be busy + V-ing」를 쓴다. (▶ POINT 4)

36 해설 주어 자리에 동명사 using을 쓰고, '쓰지 않는 것'이라는 의미가 되어야 하므로 부정형 not을 동명사 앞에 쓴다. (▶ POINT 1)

37 해설 '균형을 잡는 데 어려움을 겪었다'라는 의미가 되어야 하므로 '~하는 데 어려움을 겪다'의 의미를 나타내는 「have trouble[difficulty] + V-ing」를 쓴다. (▶ POINT 4)

38 해설 '~하러 가다'라는 의미가 되어야 하므로 「go + V-ing」를 쓰고, 전치사(of)의 목적어 자리에 동명사 skating을 쓴다. (▶ POINT 1)

39 해설 '(미래에) ~할 것을 잊다'라는 의미이므로 동사 forget 뒤에 to부정사 to throw를 쓴다. (▶ POINT 3)
해석 A: Jack, 너 쓰레기를 버렸니?
B: 이런, 그것을 버리는 것을 잊었어요. 지금 할게요.

40 해설 '~함으로써'라는 의미가 되어야 하므로 「by + V-ing」를 쓴다. (▶ POINT 4)
해석 A: 오늘 태양이 무척 강해.
B: 너는 자외선 차단제를 사용함으로써 너의 피부를 보호할 수 있어.

41 해설 '(과거에) ~한 것을 기억하다'라는 의미이므로 동사 remember 뒤에 동명사 seeing을 쓴다. (▶ POINT 3)
해석 A: 너는 경주로 갔던 여행을 기억하니?
B: 응. 나는 거기서 첨성대를 본 것을 기억해.

42 해설 '…가 ~하지 못하게 하다'라는 의미가 되어야 하므로 「prevent … from + V-ing」를 쓴다. (▶ POINT 4)
해석 A: 크림 수프가 끓고 있어.
B: 그것이 타지 못하게 계속 저어줘.

43 해설 '…한 것에 대해 ~에게 감사하다'라는 의미가 되어야 하므로 「thank ~ for V-ing」를 쓴다. (▶ POINT 4)
해석 Nate는 독일에서 온 교환학생이다. 그는 아직 한국에서 많은 사람들을 알지 못한다. 그래서 소라는 그녀의 가족과 저녁 식사를 하도록 그를 초대하기로 결심했다.

이 상황에서 Nate는 소라에게 뭐라고 말하겠는가?
Nate: 저녁 식사에 나를 초대해줘서 고마워.

44 해설 '~하느라 바쁘다'라는 의미가 되어야 하므로 「be busy + V-ing」를 쓴다.
(▶ POINT 4)

해석 Jess는 다음 주에 중요한 수학 시험이 있어서 그녀는 핸드폰을 끈 채로 공부를 했다. 그녀가 나중에 핸드폰을 확인했을 때, 그녀의 친구 Amy가 답을 하지 않은 것에 대해 화가 난 메시지를 보냈었다.
이 상황에서 Jess는 Amy에게 뭐라고 말하겠는가?
Jess: 나는 수학 시험을 위해 공부하느라 바빴어.

45 해설 '~하는 것에 대해 기대하다'라는 의미가 되어야 하므로 「look forward to + V-ing」를 쓴다. (▶ POINT 4)

해석 어제, Anne의 아빠는 주말에 호수에 그녀와 함께 낚시를 가기로 약속했다. 그녀는 그 계획을 엄마에게 말했고, 그녀는 Anne이 어떻게 느끼는지 물었다.
이 상황에서 Anne은 엄마에게 뭐라고 말하겠는가?
Anne: 저는 주말에 낚시하러 가는 것이 기대돼요.

46 해설 '~하고 싶다'라는 의미가 되어야 하므로 「feel like + V-ing」를 쓴다.
(▶ POINT 4)

해석 Eric은 그의 친구들과 놀이공원에 있다. 그의 친구들은 지금 범퍼카를 타고 싶어한다. 그렇지만 Eric은 무서운 롤러코스터를 탄 뒤에 속이 울렁거려서 범퍼카를 타기 전에 휴식을 취하기를 원한다.
이 상황에서 Eric은 그의 친구들에게 뭐라고 말하겠는가?
Eric: 나는 범퍼카를 타기 전에 휴식을 취하고 싶어.

CHAPTER 06

분사

POINT 1 현재분사와 과거분사 p. 70

1 The firefighters <u>entered the burning building</u>.
2 Jeremy <u>threw out the rotten carrot</u>.
3 The house <u>was robbed by two burglars</u>.
4 We <u>saw the singers dancing on the stage</u>.
5 The children <u>are looking for the presents hidden in the room</u>.
6 <u>Pour the boiling water</u> into the bowl.
7 <u>The kite flying in the sky</u> is mine.
8 David <u>wanted the tree trimmed in a diamond shape</u>.
9 Bailey's essay <u>included interesting perspectives</u>.
10 <u>The quiz given by Mr. Stevens</u> was very confusing.
11 You <u>can't refund the damaged items</u>.

POINT 2 감정을 나타내는 분사 p. 71

1 A: Did you hear that Mr. Harris had a heart attack? He looked so healthy.
너는 Harris 씨가 심장마비를 일으켰다는 것을 들었니? 그는 매우 건강해 보였는데.
B: Yeah. I was <u>shocked</u> by the news.
응. 나는 그 소식에 충격을 받았어.

2 A: I wish they didn't send spam messages by phone. They irritate me so much.
나는 그들이 전화로 스팸 메시지를 보내지 않았으면 좋겠어. 그것들은 나를 너무 짜증나게 해.
B: I know. They are so <u>annoying</u>.
나도 알아. 그것들은 너무 짜증나게 해.

3 A: Did you know that dogs wag their tails when they are <u>excited</u>?
너는 개들이 신이 나면 그들의 꼬리를 흔드는 것을 알았니?
B: That's right. My dog Max does that when I come home from school.
그래 맞아. 나의 개 Max는 내가 학교에서 집에 오면 그렇게 해.

4 A: Did you watch the speech given by the new president? It was great.
너는 새 대통령에 의해 주어진 연설을 봤니? 그건 훌륭했어.
B: Yes. Her speech about the country's future was very <u>touching</u>.
그래. 국가의 미래에 대한 그녀의 연설은 매우 감동적이었어.

5 A: I heard that you slipped on the ice yesterday.
나는 네가 어제 얼음에서 넘어졌다고 들었어.
B: Yeah. Falling in front of my classmates was so <u>embarrassing</u>.
맞아. 내 반 친구들 앞에서 넘어지는 것은 매우 당황스러웠어.

6 <u>Neal is satisfied with the quality</u> of the new sofa he purchased.
7 <u>My grandparents were pleased</u> when we visited them last weekend.
8 <u>I read an interesting article</u> about the history of Afghanistan.
9 <u>These amazing inventions caused</u> the Industrial Revolution.

POINT 3 분사구문 만드는 법 p. 72

1 While she was watching the news, Ms. Wilson drank the rest of the coffee.
→ <u>Watching the news</u>, Ms. Wilson drank the rest of the coffee.
뉴스를 보면서, Wilson 씨는 나머지 커피를 마셨다.

2 Because the lion ran slowly, it could not catch the antelope.
→ <u>Running slowly</u>, the lion could not catch the antelope.

천천히 달렸기 때문에, 사자는 영양을 잡을 수 없었다.

3 When we finished the test, we handed it in to the teacher.
→ Finishing the test, we handed it in to the teacher.
시험을 끝냈을 때, 우리는 그것을 선생님께 제출했다.

4 Since she was nervous about the contest, Amy couldn't sleep last night.
→ (Being) Nervous about the contest, Amy couldn't sleep last night.
대회에 대해 걱정이 되어서, Amy는 지난밤에 잠을 잘 수 없었다.

5 As he didn't know what to do, he stood still.
→ Not knowing what to do, he stood still.
무엇을 해야 할지 몰라서, 그는 가만히 서있었다.

6 Hearing the fire alarm, I exited the building right away.

7 Not having an umbrella, Brian got wet in the rain.

8 Cooking breakfast, I listened to the news on the radio.

9 Carrying her bags, Ms. Benson got on the bus immediately.

10 Turning left on Elm Street, you'll see the bank on your right.

POINT 4 분사구문의 다양한 의미 p. 73

1 Getting lost, we checked the directions.
→ After we got lost, we checked the directions.
우리는 길을 잃은 후에, 방향을 확인했다.

2 Feeling tired, I went to bed early last night.
→ Because I felt tired, I went to bed early last night.
나는 피곤했기 때문에, 어젯밤에 일찍 자러 갔다.

3 Watching the soccer game, I cheered for my team.
→ While I watched the soccer game, I cheered for my team.
나는 축구 경기를 보는 동안, 나의 팀을 위해 응원했다.

4 Slamming the door, he woke the sleeping baby.
→ When he slammed the door, he woke the sleeping baby.
그는 문을 쾅 하고 닫았을 때, 자고 있는 아기를 깨웠다.

5 Doing homework, they did not have time to watch TV.
→ Since they were doing homework, they did not have time to watch TV.
그들은 숙제를 하고 있었기 때문에, TV를 볼 시간이 없었다.

6 Looking out the window, Beth saw snow falling.
→ As Beth looked out the window, she saw snow falling.
Beth는 창문 밖을 봤기 때문에, 눈이 내리는 것을 봤다.

7 Turning right, you'll see the children's park.
→ If you turn right, you'll see the children's park.
만약 네가 오른쪽으로 돈다면, 어린이 공원을 볼 것이다.

8 Needing help with his homework, he called a friend.
→ Since he needed help with his homework, he called a friend.
그는 그의 숙제에 도움이 필요했기 때문에, 친구에게 전화를 했다.

9 Waiting for the bus, I read a book about pirates.
→ While I waited for the bus, I read a book about pirates.
나는 버스를 기다리면서, 해적에 대한 책을 읽었다.

POINT 5 with + 명사 + 분사 p. 74

1 Jane is running with her dog following her.

2 The dancer performed with the audience watching.

3 We built a sandcastle with the sun shining down on us.

4 Chad slept on the sofa with the TV turned on.

5 The farmer was able to relax with the crops harvested.

6 You should not drive with your legs crossed.

7 Have you ever tried to walk with your eyes closed?

8 We had to wait at the airport with our flight delayed.

9 I ran into the house with my friend standing at the door.

10 The man read the letter with tears running down his face.

11 Sam sang a song loudly with his windows opened.

POINT 6 독립분사구문 p. 75

1 The car being broken, Mr. Brown took the subway to work today.

2 The police arriving at the house, the thieves ran away.

3 The sweater being made of wool, you can't use a washing machine to wash it.

4 Tomorrow being Saturday, I will play computer games until 11 o'clock.

5 Frankly speaking, I thought that book was very boring.

6 Generally speaking, children can learn everything easily.

7 Considering the high cost of this laptop, it should work better.

8 Judging from Kelly's reaction, she was satisfied with the birthday present.

9 Strictly speaking, you can't go in the pool without a swimming cap.

10 Speaking of Ms. Robertson, I heard she will be retiring soon.

기출문제 풀고 짝문제로 마무리! p. 76

01 The festival will be held at Hangang Park.

02 The conclusion of the book was disappointing.

03 Turning left, you can take the highway to Busan.

04 The ambulance drove with its siren ringing.

05 Not seeing the man, the bus driver passed by.

06 Owen drew a rabbit jumping on the moon.

07 Christine felt embarrassed when she fell. [When Christine fell, she felt embarrassed.]

08 Walking into the room, Kevin noticed the broken lamp.

09 It was a beautiful morning with the snow falling quietly.

10 Not having much time, I didn't wash my hair.

11 My mom was standing at the door with her arms crossed.

12 Grandmother told us a touching story about love.

13 Not being ready for the test, Amy got an F on the midterm.

14 The boy saw the bird building a nest.

15 Climbing the mountain, Jerry collected colorful leaves.

16 The pilot landed the plane with his seatbelt fastened.

17 Nathan was annoyed by his sister singing in the room.

18 Not being interested in politics, he refused to become a president.

19 Kelly painted the picture hanging on the wall.

20 Watching a movie, Beth ate a bag of popcorn by herself.

21 Driving past the store, you'll see the restaurant.

22 Cleaning the bathroom, I found my ring.

23 Not feeling sleepy, Chloe watched TV.

24 Leaving for school, Liam closed the door.

25 Hearing the thunder, my dog started barking.

26 Going straight two blocks, you will reach the park.

27 Cooking steak, he adds a lot of pepper.

28 (Being) Scared, she cried like a baby.

29 Turning off the light, I went to the bed.

30 Playing the new video game, he felt sick.

31 surprised → surprising

32 freezing → frozen

33 Smiling not → Not smiling

34 driving → driven

35 Write → Writing

36 stealing → stolen

37 boring → bored

38 ridden → riding

39 Didn't → Not

40 worn → wearing

41 Entered → Entering

42 painting → painted

43 Listening to music, Joseph watered the plants.

44 Ben fell asleep with his mouth opened.

45 Everyone had a satisfying meal.

46 Sitting on the sofa, we talked about cats.

47 You shouldn't leave with your shoes untied.

48 She felt excited about going camping.

---

01 해설 축제는 열리는 대상이므로 수동의 의미를 나타내는 과거분사를 be동사 뒤에 쓴다. (▶ POINT 1)

02 해설 주어 the conclusion of the book은 감정을 일으키는 주체이고, 형용사 disappointing이 주어를 보충 설명하고 있으므로 보어 자리에 disappointing을 쓴다. (▶ POINT 1)

03 해설 조건을 나타내는 분사구문이므로 Turning left를 쓴다. (▶ POINT 3, 4)

04 해설 '사이렌이 울리는 채로'라는 의미가 되어야 하므로 '~한 채로'의 의미를 나타내는 「with + 명사 + 분사」를 쓴다. (▶ POINT 5)

05 해설 이유를 나타내는 분사구문이고, 분사구문의 부정형은 분사 앞에 not을 붙여 만들므로 Not seeing the man을 쓴다. (▶ POINT 3, 4)

06 해설 현재분사 jumping은 전치사구(on the moon)와 함께 구를 이루어 쓰여야 하므로 명사 a rabbit 뒤에서 명사를 수식한다. (▶ POINT 1)

07 해설 주어 Christine은 감정을 느끼는 주체이고, 형용사 embarrassed가 주어를 보충 설명하고 있으므로 보어 자리에 embarrassed를 쓴다. (▶ POINT 1)

08 해설 동시동작을 나타내는 분사구문이므로 Walking into the room을 쓰고, broken은 명사 lamp를 수식하므로 the broken lamp를 쓴다. (▶ POINT 1, 3, 4)

09 해설 '눈이 조용히 내리는 아름다운 아침'이라는 의미가 되어야 하므로 '~하면서'의 의미를 나타내는 「with + 명사 + 분사」를 쓴다. (▶ POINT 5)

10 해설 이유를 나타내는 분사구문이고, 분사구문의 부정형은 분사 앞에 not을 붙여 만들므로 Not having much time을 쓴다. (▶ POINT 3, 4)

11 해설 '팔짱을 낀 채로'라는 의미가 되어야 하므로 '~한 채로'의 의미를 나타내는 「with + 명사 + 분사」를 쓴다. (▶ POINT 5)

12 해설 '감동적인 이야기'라는 의미가 되어야 하며, story가 감정을 일으키는 주체이므로 현재분사 touching을 쓴다. (▶ POINT 2)

13 해설 이유를 나타내는 분사구문이고, 분사구문의 부정형은 분사 앞에 not을 붙여 만들므로 Not being ready for the test를 쓴다. (▶ POINT 3, 4)

14 해설 '둥지를 짓고 있는 그 새'라는 의미가 되어야 하며, 분사 '짓고 있는'이 수식하는 명사 the bird와의 관계가 능동이므로 현재분사 building을 쓴다. 현재분사 building은 목적어 a nest와 함께 쓰여야 하므로 명사 the bird 뒤에 쓴다. (▶ POINT 1)

15 해설 동시동작을 나타내는 분사구문이므로 Climbing the mountain을 쓴다. (▶ POINT 3, 4)

16 해설 '안전벨트를 맨 채로'라는 의미가 되어야 하므로 '~한 채로'의 의미를 나타내는 「with + 명사 + 분사」를 쓴다. (▶ POINT 5)

17 해설 'Nathan이 짜증이 났다'는 의미가 되어야 하며, Nathan이 감정을 느끼는 대상이므로 과거분사 annoyed를 쓴다. 짜증을 나게 한 원인인 '노래하고 있는 그의 여동생'은 분사 '노래하는'이 수식하는 명사 his sister와의 관계가 능동이므로 현재분사 singing을 쓴다. (▶ POINT 1, 2)

18 해설 이유를 나타내는 분사구문이고, 분사구문의 부정형은 분사 앞에 not을 붙여 만들므로 Not being interested in politics를 쓴다. (▶ POINT 3, 4)

19 해설 '벽에 걸려있는 그림'이라는 의미가 되어야 하며, 분사 '걸려있는'이 진행의 의미를 나타내야 하므로 현재분사 hanging을 쓴다. 현재분사 hanging은 전치사구(on the wall)와 함께 구를 이루어 쓰여야 하므로 명사 the picture

뒤에서 명사를 수식한다. (▶ POINT 1)

20 해설 동시동작을 나타내는 분사구문이므로 Watching a movie를 쓴다. (▶ POINT 3, 4)

21 해설 조건을 나타내는 분사구문 Driving past the store를 쓴다. (▶ POINT 3, 4)

해석 그 가게를 지나서 운전하면 너는 그 식당을 볼 것이다.

22 해설 동시동작을 나타내는 분사구문 Cleaning the bathroom을 쓴다. (▶ POINT 3, 4)

해석 나는 화장실을 청소하면서 내 반지를 찾았다.

23 해설 이유를 나타내는 분사구문이고, 분사구문의 부정형은 분사 앞에 not을 붙여 만들므로 Not feeling sleepy를 쓴다. (▶ POINT 3, 4)

해석 졸리지 않기 때문에 Chloe는 TV를 봤다.

24 해설 시간을 나타내는 분사구문 Leaving for school을 쓴다. (▶ POINT 3, 4)

해석 학교로 떠나기 전에 Liam은 문을 닫았다.

25 해설 시간을 나타내는 분사구문 Hearing the thunder을 쓴다. (▶ POINT 3, 4)

해석 천둥을 들었을 때, 내 개는 짖기 시작했다.

26 해설 조건을 나타내는 분사구문 Going straight two blocks를 쓴다. (▶ POINT 3, 4)

해석 두 블록을 직진하면 너는 공원에 도착할 것이다.

27 해설 시간을 나타내는 분사구문 Cooking steak를 쓴다. (▶ POINT 3, 4)

해석 스테이크를 요리할 때, 그는 아주 많은 후추를 더한다.

28 해설 이유를 나타내는 분사구문 Being scared를 쓴다. 「Being + p.p.」 형태의 수동형 분사구문이므로 Being을 생략할 수 있다. (▶ POINT 3, 4)

해석 무서워서, 그녀는 아기처럼 울었다.

29 해설 시간을 나타내는 분사구문 Turning off the light를 쓴다. (▶ POINT 3, 4)

해석 불을 끈 후에, 나는 자러 갔다.

30 해설 동시동작을 나타내는 분사구문 Playing the new video game을 쓴다. (▶ POINT 3, 4)

해석 새로운 비디오 게임을 하는 동안, 그는 멀미가 났다.

31 해설 명사구 Rebecca's answer to the question은 감정을 일으키는 원인이므로 보어 자리의 과거분사 surprised를 현재분사 surprising으로 고쳐야 한다. (▶ POINT 2)

해석 질문에 대한 Rebecca의 대답은 듣기에 놀라웠다.

32 해설 '언 땅'이라는 의미가 되어야 하며 '언'이 수식하는 명사 ground와의 관계가 수동이므로 과거분사 frozen으로 고쳐야 한다. (▶ POINT 1)

해석 우리는 언 땅을 파는데 어려움을 겪었다.

33 해설 분사구문의 부정형은 분사 앞에 not을 붙여 만들므로 Smiling not은 Not smiling으로 고쳐야 한다. (▶ POINT 3)

해석 사진을 찍는 동안 미소 짓지 않아서, 나는 화가 난 것처럼 보였다.

34 해설 '농부에 의해 운전된 그 트럭'이라는 의미가 되어야 하며 '운전된'은 명사 the truck과의 관계가 수동이므로 driving은 과거분사 driven으로 고쳐야 한다. (▶ POINT 1)

해석 농부에 의해 운전된 그 트럭은 호박으로 가득 차 있다.

35 해설 동시동작을 나타내는 분사구문이므로 Write를 분사 Writing으로 고쳐야 한다. (▶ POINT 3, 4)

해석 일기를 쓰면서, Spencer는 라디오를 들었다.

36 해설 '훔친 지갑들'이라는 의미가 되어야 하며 '훔친'은 명사 wallets와의 관계가 수동이므로 stealing은 과거분사 stolen으로 고쳐야 한다. (▶ POINT 1)

해석 그 경찰은 훔친 지갑들을 가지고 있는 도둑을 잡았다.

37 해설 목적어 students는 감정을 느끼는 대상이므로 목적격 보어 자리의 현재분사 boring은 과거분사 bored로 고쳐야 한다. (▶ POINT 2)

해석 그 다큐멘터리를 보는 것은 학생들을 지루하게 만들었다.

38 해설 '말을 타고 있는 남자'라는 의미가 되어야 하며 '타고 있는'이 수식하는 명사 a man과의 관계가 능동이므로 현재분사 riding으로 고쳐야 한다. (▶ POINT 1)

해석 나는 들판에서 말을 타고 있는 남자의 사진을 찍었다.

39 해설 분사구문의 부정형은 분사 앞에 not을 붙여 만들므로 Didn't는 Not으로 고쳐야 한다. (▶ POINT 3)

해석 숙제를 하지 않아서, 나는 나의 선생님에 의해 혼났다.

40 해설 '선글라스를 낀 소년'이라는 의미가 되어야 하며 '낀'이 수식하는 명사 the boy와의 관계가 능동이므로 worn은 현재분사 wearing으로 고쳐야 한다. (▶ POINT 1)

해석 선글라스를 낀 소년이 Regina에게 말하고 있었다.

41 해설 동시동작을 나타내는 분사구문이므로 Entered를 현재분사 Entering으로 고쳐야 한다. (▶ POINT 3, 4)

해석 주방에 들어가면서, 나는 가스레인지에서 무언가 타고 있는 냄새를 맡았다.

42 해설 '칠해진 의자'라는 의미가 되어야 하며 '칠해진'은 명사 the chair와의 관계가 수동이므로 painting은 과거분사 painted로 고쳐야 한다. (▶ POINT 1)

해석 Brian은 파란색으로 칠해진 의자에 앉아 있었다.

43 해설 동시동작을 나타내는 분사구문이므로 Listening to music을 쓴다. (▶ POINT 3, 4)

해석 음악을 들으면서, Joseph은 식물에 물을 줬다.

44 해설 '입이 열린 채로'라는 의미가 되어야 하므로 '~한 채로'의 의미를 나타내는 「with + 명사 + 분사」를 쓴다. (▶ POINT 5)

해석 Ben은 그의 입이 열린 채로 잠이 들었다.

45 해설 명사 meal이 감정을 일으키는 원인이므로 명사를 수식하는 현재분사 satisfying을 쓴다. (▶ POINT 2)

해석 모두 만족스럽게 하는 식사를 했다.

46 해설 동시동작을 나타내는 분사구문이므로 Sitting on the sofa를 쓴다. (▶ POINT 3, 4)

해석 소파에 앉아서, 우리는 고양이에 대해 이야기했다.

47 해설 '신발 끈이 풀린 채로'라는 의미가 되어야 하므로 '~한 채로'의 의미를 나타내는 「with + 명사 + 분사」를 쓴다. (▶ POINT 5)

해석 너는 신발 끈이 풀린 채로 떠나면 안 된다.

48 해설 명사 She가 감정을 느끼는 주체이므로 보어 자리에 과거분사 excited를 쓴다. (▶ POINT 2)

해석 그녀는 캠핑을 가는 것에 대해 신이 났다.

CHAPTER 07

관계사

POINT 1   관계대명사의 역할과 종류   p. 82

1 My friend jogs every morning. He lives next door.
나의 친구는 매일 아침 조깅을 한다. 그는 옆집에 산다.
→ My friend who[that] lives next door jogs every morning.
옆집에 사는 나의 친구는 매일 아침 조깅을 한다.

2 Linda was the first person. She arrived at the meeting.
Linda는 첫 번째 사람이었다. 그녀는 회의에 도착했다.
→ Linda was the first person that arrived at the meeting.
Linda는 회의에 도착한 첫 번째 사람이었다.

3 She has a cat. The cat's fur is black.
그녀는 고양이를 가지고 있다. 그 고양이의 털은 검정색이다.
→ She has a cat whose fur is black.
그녀는 털이 검정색인 고양이를 가지고 있다.

4 I found the key. You lost it in the park.
나는 열쇠를 찾았다. 네가 그것을 공원에서 잃어버렸다.
→ I found the key which[that] you lost in the park.
나는 네가 공원에서 잃어버린 열쇠를 찾았다.

5 There is a man and a dog. They are sitting under the tree.
남자와 개가 있다. 그들은 나무 아래에 앉아있다.
→ There is a man and a dog that are sitting under the tree.
나무 아래에 앉아있는 남자와 개가 있다.

6 I don't know the man who[that] called me last night.

7 I like the house whose garden is full of rose trees.

8 Let's buy the very hat that the clerk recommended.

9 The television which[that] is in the living room isn't working.

POINT 2   관계대명사 what   p. 83

1 What Jerry told the teacher was a lie.

2 Can you show me what you drew in the sketchbook?

3 That watch is what I was looking for.

4 I'll check what I can do for you.

5 What she wanted for a birthday present was a new bike.

6 What you need is a new coat for the winter.

7 What we learned today was basic French expressions for beginners.

8 Santa Claus will know what you wish for Christmas.

9 What they cooked was set on the table.

10 I wanted to ask what I can do to help you.

11 Sam told Ricky what he should pack for the trip.

POINT 3   관계대명사의 계속적 용법   p. 84

1 The flight was delayed. It annoyed passengers.
항공편이 지연되었다. 그것은 사람들을 짜증나게 했다.
→ The flight was delayed, which annoyed passengers.
항공편이 지연되었는데, 그것은 사람들을 짜증나게 했다.

2 They went to the supermarket. It was full of people.
그들은 슈퍼마켓에 갔다. 그곳은 사람들로 가득 차 있었다.
→ They went to the supermarket, which was full of people.
그들은 슈퍼마켓에 갔는데, 그곳은 사람들로 가득 차 있었다.

3 The gold medal was given to Steven. He was the fastest in the competition.
금메달은 Steven에게 주어졌다. 그는 그 대회에서 가장 빨랐다.

→ The gold medal <u>was given to Steven, who was the fastest in the competition</u>.
금메달은 Steven에게 주어졌는데, 그는 그 대회에서 가장 빨랐다.

4 He works at the post office. It was built in 1989.
그는 우체국에서 일한다. 그것은 1989년에 지어졌다.
→ He <u>works at the post office, which was built in 1989</u>.
그는 우체국에서 일하는데, 그것은 1989년에 지어졌다.

5 Mr. Erickson teaches social studies at our school. He majored in journalism.
Erickson 선생님은 우리 학교에서 사회를 가르치신다. 그는 언론학을 전공하셨다.
→ <u>Mr. Erickson, who majored in journalism, teaches social studies</u> at our school.
Erickson 선생님은 언론학을 전공하셨는데, 우리 학교에서 사회를 가르치신다.

6 Tina <u>met Ms. Wright, who is a famous pianist</u>.

7 It <u>started to rain in the afternoon, which caused the flood</u>.

8 I <u>watched a documentary, which lasted for 200 minutes</u>.

9 I accidently <u>touched a flower, which was a dandelion</u>.

10 Everyone <u>talked about Julia, who became student president</u>.

POINT 4 전치사 + 관계대명사   p. 85

1 Who was the man? You were talking to him.
그 남자는 누구였니? 너는 그 남자와 이야기를 하는 중이었다.
→ <u>Who was the man whom[that] you were talking to?[Who was the man to whom you were talking?]</u>
네가 이야기를 하는 중이었던 그 남자는 누구였니?

2 The chair is comfortable. I am sitting in it.
그 의자는 편안하다. 나는 그것에 앉아있다.
→ <u>The chair which[that] I am sitting in is comfortable.[The chair in which I am sitting is comfortable.]</u>
내가 앉아있는 의자는 편안하다.

3 Ron liked the people. He played soccer with them.
Ron은 그 사람들을 좋아했다. 그는 그들과 함께 축구를 했다.
→ <u>Ron liked the people whom[that] he played soccer with.[Ron liked the people with whom he played soccer.]</u>
Ron은 그가 함께 축구를 했던 그 사람들을 좋아했다.

4 The umbrella was small. They stood under it.
그 우산은 작았다. 그들은 그 아래에 서있었다.
→ <u>The umbrella which[that] they stood under was small.[The umbrella under which they stood was small.]</u>
그들이 아래에 서있었던 우산은 작았다.

5 The photo is beautiful. Jane is looking at it.
그 사진은 아름답다. Jane은 그것을 보고 있다.
→ <u>The photo which[that] Jane is looking at is beautiful.[The photo at which Jane is looking is beautiful.]</u>
Jane이 보고 있는 그 사진은 아름답다.

6 <u>The house in which they live</u> has a yellow roof.

7 <u>What is the sports team about which you care</u> so much?

8 <u>The ticket for which she will pay</u> is $55.

9 <u>What is the topic about which you are writing</u>?

10 <u>The song to which Tom is listening</u> is my favorite.

POINT 5 관계부사   p. 86

1 Can you explain the reason? You missed class today for that reason.
너는 이유를 설명할 수 있니? 너는 오늘 그 이유로 수업에 빠졌다.
→ <u>Can you explain (the reason) why you missed class today?</u>
너는 오늘 네가 수업에 빠진 이유를 설명할 수 있니?

2 That's the lake. I learned how to swim at the lake.
저것이 그 호수이다. 내가 저 호수에서 수영을 하는 법을 배웠다.
→ <u>That's the lake where I learned how to swim.</u>
저것이 내가 수영을 하는 법을 배운 그 호수이다.

3 I forgot the day. She was born on that day.
나는 그 날을 잊었다. 그녀는 그 날 태어났다.

→ <u>I forgot (the day) when she was born.</u>
나는 그녀가 태어난 그 날을 잊었다.

4 Children need to learn the way. They should behave in public places in that way.
아이들은 방법을 배워야 할 필요가 있다. 그들은 그 방법으로 공공장소에서 예의 바르게 행동해야 한다.
→ <u>Children need to learn how[the way] they should behave in public places.</u>
아이들은 공공장소에서 예의 바르게 행동하는 방법을 배워야 할 필요가 있다.

5 Fall <u>is the season when leaves change colors</u>.

6 I <u>know a place where we can study</u>.

7 Do <u>you know (the reason) why she quit the soccer team</u>?

8 There <u>is the café where Harry and Sally met</u>.

9 Describe <u>how you solved the problem</u>.

10 He <u>didn't say (the reason) why he visited the bank</u>.

POINT 6 복합관계사   p. 87

1 You <u>can have whatever you want</u>.

2 <u>I'll eat whichever piece of cake you give me</u>.

3 <u>Whatever happens in the contest</u>, we know we tried our best.

4 You <u>can call me whenever you need me</u>.

5 You <u>should wear whichever shirt you like</u> the most.

6 <u>However hard the test may seem</u>, I will not give up.

7 <u>Whoever spilled the coffee must clean</u> it up.

8 <u>However cold it gets</u>, I will still go jogging.

9 <u>Wherever he travels</u>, he makes new friends.

10 Her dog <u>follows her wherever she goes</u>.

기출문제 풀고 짝문제 로 마무리!   p. 88

01 <u>San Francisco is the city where I was born.</u>

02 <u>We must be careful about what we say.</u>

03 <u>The actor who took a picture with me is French.</u>

04 <u>We found the sock which you lost yesterday.</u>

05 <u>Whatever you do, always try to do your best.</u>

06 <u>Do you remember the restaurant where we met?</u>

07 <u>Can you show me what you have in your hand?</u>

08 <u>My friend who was riding the bicycle is an athlete.</u>

09 <u>The watch which you liked is sold out.</u>

10 <u>My dad bought me whatever I told him.</u>

11 The children <u>played with mud which[that] made their clothes dirty</u>.

12 Emily <u>is the very girl that is good at acting in our theater class</u>.

13 The man <u>made a bowl of salad which[that] he will eat a sandwich with[made a bowl of salad with which he will eat a sandwich]</u>.

14 Joe <u>changed (the time) when[at which] he will take a train</u>.

15 The customers <u>whose orders were missing complained about the service</u>.

16 The students <u>asked (the reason) why[for which] the icebergs are melting</u>.

17 People <u>talked about the festival which[that] will start on Wednesday</u>.

18 The boy and the horse <u>that are sitting under the tree look tired</u>.

19 The shirt <u>which[that] Anna spilled vinegar on was my favorite[on which Anna spilled vinegar was my favorite]</u>.

20 Do you <u>remember the night when[on which] shooting stars fell</u>?

21 A city <u>whose population was 35,000 was destroyed by an earthquake</u>.

22 Brian <u>didn't tell us (the reason) why[for which] he quit the baseball team</u>.

23 Italy is <u>the country where Sarah wanted to go</u>.

24 <u>Whoever wins the competition will get</u> the prize money.

25 Did you <u>hear what Eric did for Amy</u>?

26 Mariah <u>considered buying a dress whose color is purple</u>.

27 It <u>snowed last night, which made the road slippery</u>.

28 Who <u>was the stranger whom[that] you were talking to[was the stranger to whom you were talking]</u>?

29 The museum is <u>(the place) where I met him for the first time</u>.

30 <u>Bring me whichever you like from those books</u>.

31 Did you <u>think about what the teacher suggested</u>?

32 Aaron <u>works in a building whose architect won an award</u>.

33 George <u>lied to his mom, which disappointed her</u>.

34 The old man <u>looked for a chair which[that] he could sit on[looked for a chair on which he could sit]</u>.

35 that → what

36 that → which

37 whom → which[that]

38 what → which[that] 혹은 the thing → 삭제

39 where → which[that]

40 why → that

41 That → What

42 that → which

43 which → whom[that]

44 what → which[that] 혹은 the thing → 삭제

45 where → which[that]

46 whom → that

47 <u>The way you cooked the pasta seemed easy</u>.

48 <u>Here comes Matt, who lives next door</u>.

49 <u>Eugene explained how the books are edited</u>.

50 <u>Tim has a sister, who is a talented artist</u>.

51 A library is a place <u>where students study</u>.

52 Noon was the time <u>when Josh had a sandwich</u>.

---

01 해설 the city가 장소를 나타내는 선행사이므로 선행사 뒤에 관계부사 where를 쓴다. (▶ POINT 5)

02 해설 선행사가 없으므로 선행사를 포함하는 관계대명사 what을 전치사 about의 목적어 자리에 쓴다. (▶ POINT 2)

03 해설 the actor가 사람을 나타내는 선행사이므로 선행사 뒤에 관계대명사 who를 쓴다. (▶ POINT 1)

04 해설 the sock이 사물을 나타내는 선행사이므로 선행사 뒤에 관계대명사 which를 쓴다. (▶ POINT 1)

05 해설 '무엇을 하더라도'를 의미하는 복합관계대명사 whatever는 부사절을 이끈다. (▶ POINT 6)

06 해설 the restaurant가 장소를 나타내는 선행사이므로 선행사 뒤에 관계부사 where를 쓴다. (▶ POINT 5)

07 해설 선행사가 없으므로 선행사를 포함하는 관계대명사 what을 직접 목적어 자리에 쓴다. (▶ POINT 2)

08 해설 my friend가 사람을 나타내는 선행사이므로 선행사 뒤에 관계대명사 who를 쓴다. (▶ POINT 1)

09 해설 the watch가 사물을 나타내는 선행사이므로 선행사 뒤에 관계대명사 which를 쓴다. (▶ POINT 1)

10 해설 '~하는 무엇이든지'를 의미하는 복합관계대명사 whatever는 명사절을 이끈다. (▶ POINT 6)

11 해설 mud가 사물을 나타내는 선행사이므로 선행사 뒤에 관계대명사 which[that]를 쓴다. (▶ POINT 1)

해석 아이들은 진흙을 가지고 놀았다. 그것은 그들의 옷을 더럽게 만들었다.
→ 아이들은 그들의 옷을 더럽게 만든 진흙을 가지고 놀았다.

12 해설 Emily는 사람을 나타내는 선행사이고, 선행사 앞에 the very가 있으므로 관계대명사 that을 쓴다. (▶ POINT 1)

해석 Emily는 우리 연극반의 바로 그 소녀이다. 그녀는 연기를 잘한다.
→ Emily는 우리 연극반의 연기를 잘하는 바로 그 소녀이다.

13 해설 a bowl of salad를 가리키는 선행사 it이 전치사 with의 목적어로 쓰였으므로 전치사를 관계대명사절의 맨 뒤나 관계대명사 바로 앞에 쓴다. 전치사를 관계대명사 바로 앞에 쓸 때는 관계대명사 which를 쓴다. (▶ POINT 4)

해석 그 남자는 한 그릇의 샐러드를 만들었다. 그는 그것과 함께 샌드위치를 먹을 것이다.
→ 그 남자는 샌드위치와 먹을 한 그릇의 샐러드를 만들었다.

14 해설 the time이 시간을 나타내는 선행사이므로 선행사 뒤에 관계부사 when을 쓴다. (▶ POINT 5)

해석 Joe는 시간을 바꿨다. 그는 그 시간에 기차를 탈 것이다.
→ Joe는 기차를 탈 시간을 바꿨다.

15 해설 the customers가 사람을 나타내는 선행사이고, 두 번째 문장에서 소유격 their를 썼으므로 관계대명사 whose를 쓴다. (▶ POINT 1)

해석 그 고객들은 서비스에 대해 불평했다. 그들의 주문이 누락되었다.
→ 주문이 누락된 그 고객들은 서비스에 대해 불평했다.

16 해설 the reason이 이유를 나타내는 선행사이므로 선행사 뒤에 관계부사 why를 쓴다. (▶ POINT 5)

해석 학생들은 이유를 물었다. 빙하가 그 이유로 녹고 있다.
→ 학생들은 빙하가 녹고 있는 이유를 물었다.

17 해설 the festival이 사물을 나타내는 선행사이므로 선행사 뒤에 관계대명사 which[that]를 쓴다. (▶ POINT 1)

해석 사람들은 축제에 대해 이야기했다. 그것은 수요일에 시작한다.
→ 사람들은 수요일에 시작하는 축제에 대해 이야기했다.

18 해설 The boy and the horse는 「사람 + 동물」로 이루어진 선행사이므로 관계대명사 that을 쓴다. (▶ POINT 1)

해석 그 소년과 그 말은 지쳐 보인다. 그들은 그 나무 아래에 앉아있다.
→ 그 나무 아래에 앉아있는 그 소년과 그 말은 지쳐 보인다.

19 해설 선행사 the shirt가 전치사 on의 목적어로 쓰였으므로 전치사를 관계대명사절의 맨 뒤나 관계대명사 바로 앞에 쓴다. 전치사를 관계대명사 바로 앞에 쓸 때는 관계대명사 which를 쓴다. (▶ POINT 4)

해석 Anna는 셔츠에 식초를 흘렸다. 그 셔츠는 내가 가장 좋아하는 것이었다.
→ Anna가 식초를 흘린 그 셔츠는 내가 가장 좋아하는 것이었다.

20 해설 the night이 시간을 나타내는 선행사이므로 선행사 뒤에 관계부사 when을 쓴다. (▶ POINT 5)

해석 너는 그날 밤을 기억하니? 별똥별이 그날 밤에 떨어졌다.
→ 너는 별똥별이 떨어진 그날 밤을 기억하니?

21 해설 A city가 사물을 나타내는 선행사이고, 두 번째 문장에서 소유격 -'s를 썼으므로 관계대명사 whose를 쓴다. (▶ POINT 1)

해석 한 도시가 지진으로 파괴되었다. 그 도시의 인구는 35,000명이었다.
→ 인구가 35,000명인 한 도시가 지진으로 파괴되었다.

22 해설 the reason이 이유를 나타내는 선행사이므로 선행사 뒤에 관계부사 why를 쓴다. (▶ POINT 5)

해석 Brian은 우리에게 이유를 말하지 않았다. 그는 그 이유로 야구팀을 그만뒀다.
→ Brian은 우리에게 야구팀을 그만둔 이유를 말하지 않았다.

23 해설 the country가 장소를 나타내는 선행사이므로 선행사 뒤에 관계부사 where를 쓴다. (▶ POINT 5)

24 해설 '~하는 누구든지'를 의미하는 복합관계대명사 whoever가 이끄는 명사절을 주어 자리에 쓴다. (▶ POINT 6)

25 해설 선행사가 없으므로 선행사를 포함하는 관계대명사 what을 목적어 자리에 쓴다. (▶ POINT 2)

26 해설 a dress가 사물을 나타내는 선행사이고, 선행사가 소유하는 대상 color가 있으므로 관계대명사 whose를 쓴다. (▶ POINT 1)

27 해설 앞에 나온 절(It ~ last night)을 선행사로 취하는 계속적 용법의 관계대명사 which를 쓴다. (▶ POINT 3)

28 해설 the stranger가 사람을 나타내는 선행사이므로 관계대명사 whom[that]을 쓰고, 관계대명사가 전치사 to의 목적어로 쓰였으므로 전치사를 관계대명사 절의 맨 뒤나 관계대명사 바로 앞에 쓴다. 전치사를 관계대명사 바로 앞에 쓸 때는 관계대명사 whom을 쓴다. (▶ POINT 4)

29 해설 the place가 장소를 나타내는 선행사이므로 선행사 뒤에 관계부사 where를 쓴다. (▶ POINT 5)

30 해설 '~하는 어느 것이든지'를 의미하는 복합관계대명사 whichever가 이끄는 명사절을 목적어 자리에 쓴다. (▶ POINT 6)

31 해설 선행사가 없으므로 선행사를 포함하는 관계대명사 what을 목적어 자리에 쓴다. (▶ POINT 2)

32 해설 a building이 사물을 나타내는 선행사이고, 선행사가 소유하는 대상 architect가 있으므로 관계대명사 whose를 쓴다. (▶ POINT 1)

33 해설 앞에 나온 절(George ~ his mom)을 선행사로 취하는 계속적 용법의 관계대명사 which를 쓴다. (▶ POINT 3)

34 해설 a chair가 사물을 나타내는 선행사이므로 관계대명사 which[that]를 쓰고, 관계대명사가 전치사 on의 목적어로 쓰였으므로 전치사를 관계대명사 절의 맨 뒤나 관계대명사 바로 앞에 쓴다. 전치사를 관계대명사 바로 앞에 쓸 때는 관계대명사 which를 쓴다. (▶ POINT 4)

35 해설 선행사가 없으므로 that을 선행사를 포함하는 관계대명사 what으로 고쳐야 한다. (▶ POINT 2)
해석 민수는 나의 주머니 안에 무엇이 들었는지 물었다.

36 해설 전치사를 관계대명사 바로 앞에 쓸 때는 관계대명사 that을 쓸 수 없으므로 that을 which로 바꿔야 한다. (▶ POINT 4)
해석 비행기가 충돌한 그 정글은 탐험되지 않았다.

37 해설 train은 사물을 나타내는 선행사이므로 whom을 관계대명사 which[that]으로 고쳐야 한다. (▶ POINT 1)
해석 우리가 베를린으로 타고 갈 기차는 지연되었다.

38 해설 The thing은 사물을 나타내는 선행사이므로 what을 관계대명사 which[that]으로 고치거나 선행사를 포함하는 관계대명사 what만 남기고 the thing을 삭제해야 한다. (▶ POINT 2)
해석 관광객들을 신나게 만든 것은 전통적인 한국 음식이었다.

39 해설 관계대명사가 전치사의 목적어로 쓰였으므로 where를 관계대명사 which[that]으로 바꿔야 한다. (▶ POINT 4)
해석 네가 다닌 학교의 이름이 뭐니?

40 해설 problem은 사물을 나타내는 선행사이고, 선행사 앞에 the only가 있으므로 why를 that 으로 바꿔야 한다. (▶ POINT 1)
해석 나를 괴롭힌 오직 한 가지 문제는 좋지 못한 날씨였다.

41 해설 선행사가 없으므로 That을 선행사를 포함하는 관게대명사 What으로 고쳐야 한다. (▶ POINT 2)
해석 우리가 필요한 것은 얼마간의 시간이다.

42 해설 전치사를 관계대명사 바로 앞에 쓸 때는 관계대명사 that을 쓸 수 없으므로 that을 which로 바꿔야 한다. (▶ POINT 4)
해석 내가 흥미가 있는 과목은 컴퓨터공학이다.

43 해설 the singer는 사람을 나타내는 선행사이므로 which를 관계대명사 whom[that]으로 고쳐야 한다. (▶ POINT 1)
해석 Janet은 그녀가 팬미팅에서 만난 가수의 그림을 그렸다.

44 해설 the thing은 사물을 나타내는 선행사이므로 what을 관계대명사 which[that]으로 고치거나 선행사를 포함하는 관계대명사 what만 남기고 the thing을 삭제해야 한다. (▶ POINT 2)
해석 Daniel은 경기 이전에 그가 말했던 것이 생각나지 않는다.

45 해설 the flower는 사물을 나타내는 선행사이므로 where를 관계대명사 which[that]으로 바꿔야 한다. (▶ POINT 1)
해석 나의 아빠와 내가 심은 꽃을 봐.

46 해설 day는 시간을 나타내는 선행사이고, 선행사 앞에 the very가 있으므로 whom을 관계대명사 that으로 바꿔야 한다. (▶ POINT 1)
해석 그 공원은 우리가 방문한 바로 그날 닫혀있었다.

47 해설 방법을 나타내는 선행사 the way를 쓴다. (▶ POINT 5)

48 해설 Matt은 사람을 나타내는 선행사이고, 두 번째 문장이 선행사에 추가적인 설명을 덧붙이고 있으므로 계속적 용법의 관계대명사 who를 쓴다. (▶ POINT 3)

49 해설 방법을 나타내는 관계부사 how를 쓴다. (▶ POINT 5)

50 해설 a sister는 사람을 나타내는 선행사이고, 두 번째 문장이 선행사에 추가적인 설명을 덧붙이고 있으므로 계속적 용법의 관계대명사 who를 쓴다. (▶ POINT 3)

51 해설 a library가 장소를 나타내는 선행사이므로 선행사 뒤에 관계부사 where를 쓴다. (▶ POINT 5)
해석 도서관은 학생들이 공부하는 장소이다.

52 해설 the time이 시간을 나타내는 선행사이므로 선행사 뒤에 관계부사 when을 쓴다. (▶ POINT 5)
해석 정오는 Josh가 샌드위치를 먹은 시간이었다.

CHAPTER 08

접속사

POINT 1   부사절을 이끄는 접속사: 시간, 이유, 양보, 조건   p. 94

1 Although Jerry felt sick, he went to the gym.
2 Because he promised, he bought me a new bicycle.
3 If you want more information, check the website.
4 Press the button until the green light turns on.
5 Unless you wear warm clothes, you will catch a cold.
6 Mr. Smith didn't go to the hospital even though he had a headache.
7 Before you open the pot, you need to put on cooking gloves.
8 Since it was raining heavily, we decided to stay indoors.

POINT 2   부사절을 이끄는 접속사: 목적, 결과   p. 95

1 The food was very delicious. He ordered more.
　그 음식은 매우 맛있었다. 그는 더 주문했다.
　→ The food was so delicious that he ordered more.
　　그 음식은 매우 맛이 있어서 그는 더 주문했다.
2 He will save money. He can buy a smartphone.
　그는 돈을 아낄 것이다. 그는 스마트폰을 살 수 있다.
　→ He will save money so that he can buy a smartphone.
　　그는 스마트폰을 살 수 있도록 돈을 아낄 것이다.
3 The author wrote every night. She could finish her book.
　그 작가는 매일 밤 썼다. 그녀는 그녀의 책을 끝낼 수 있었다.
　→ The author wrote every night so that she could finish her book.
　　그 작가는 그녀의 책을 끝낼 수 있도록 매일 밤 썼다.
4 The room was very dark. He couldn't see anything.
　그 방은 매우 어두웠다. 그는 아무것도 볼 수 없었다.
　→ The room was so dark that he couldn't see anything.
　　그 방은 너무 어두워서 그는 아무것도 볼 수 없었다.
5 I wear glasses. I can see things better.
　나는 안경을 쓴다. 나는 사물을 더 잘 볼 수 있다.
　→ I wear glasses so that I can see things better.
　　나는 사물을 더 잘 볼 수 있도록 안경을 쓴다.
6 I was so tired that I took a nap.
7 The joke was so funny that we laughed.
8 She drank coffee so that she could stay awake.
9 The shoes were so comfortable that he bought them.
10 George started a fire so that he could boil the water.

POINT 3   명사절을 이끄는 접속사: 의문사   p. 96

1 Do you know where Emily visited yesterday?
2 The problem is who will pay for the damage.
3 Where do you believe is the perfect place for the wedding?
4 I don't know why my laptop became so slow.
5 I will show you where the market is.
6 What Regina gave me was candy.
7 The police officer asked who reported the crime.
8 Where I saw the ladybugs was on the window.
9 Why do you think Amy will come home early?
10 The doctor will check how the patients are.

POINT 4   명사절을 이끄는 접속사: that   p. 97

1 That she can speak five languages is impressive.
2 Everyone knows that Jisoo studies hard for tests.
3 It is true that Jenny will move to New York next month.
4 They said that they were excited to go on the trip.
5 The fact is that the dinosaurs became extinct because of a meteor crash.
6 The point is that some diseases are related to food.
7 That we need more help is clear. [It is clear that we need more help.]
8 She predicts (that) the park will be crowded today.
9 I thought (that) Sam wanted to put sugar in his coffee.
10 The fact is that nobody knows the truth.
11 That he told everyone my secret annoyed me.[It annoyed me that he told everyone my secret.]

POINT 5   명사절을 이끄는 접속사: if/whether   p. 98

1 I wonder if our team will win the game.
2 The hikers talked about whether it would rain.
3 They asked if I would join them for dinner.
4 Whether he believes the story is not important.
5 They argued about whether she had left the door open.
6 Let me know if[whether] the computer works.
7 The question is whether he was lying or not[whether or not he was lying].
8 My concern is whether being rich makes people happier.
9 I don't remember if[whether] I turned off the lights.
10 The police were interested in whether he had seen anything.

POINT 6   상관접속사   p. 99

1 Not only cows but also horses live[Horses as well as cows live] on that farm.
2 He will move to either Italy or France for work.
3 You should not use your phone but listen to the lecture in class.
4 I think both strawberries and bananas are delicious.
5 She will drink either coffee or tea in the morning.
6 Neither the carrots nor the potatoes are used in my grandmother's soup recipe.
7 You should turn not left but right at the intersection.
8 Both water and food are needed for survival.
9 Not only spring but also fall is[Fall as well as spring is] a beautiful season.
10 He is not swimming in the water but lying on the sand.

기출문제 풀고 짝문제로 마무리!   p. 100

01 We should check whether the answer is correct.
02 Can you guess what the world's largest animal is?
03 Julie fell asleep after she came back from the swimming lesson.
04 Dad started the fire so that we could stay warm.
05 Ryan watered the plants although rain was expected.
06 Whether we will arrive on time depends on the traffic.
07 Why people left the town is still unknown.

08 The chef prepared the sauce <u>while the pasta was boiling</u>.

09 Laura took out a little chair <u>so that Benjamin could sit down</u>.

10 <u>Even though Mina and Sohee are sisters</u>, they don't look alike.

11 I'd like to know <u>why we can't cross the street here</u>.

12 Aaron asked me <u>if[whether] the Eiffel Tower is in London</u>.

13 Exercising influences <u>not only physical health but also mental health[mental health as well as physical health]</u>.

14 I'm not sure <u>who brought these books</u>.

15 Can you explain <u>how we can get to the theater</u>?

16 Do you remember <u>if[whether] you locked the safe</u>?

17 Do you understand <u>why Sarah is angry with me</u>?

18 The patient wondered <u>if[whether] doctors could remove the scar</u>.

19 Daegu is known <u>for not only its hot weather but also its delicious food[its delicious food as well as its hot weather]</u>.

20 Should we check <u>who is absent from class</u>?

21 Will you tell me <u>where you are</u>?

22 We don't know <u>if[whether] Erica needs a new wallet</u>.

23 Paul kept waving <u>until[till] the train disappeared</u>.

24 Jenny washed the dishes <u>so that she could use them</u>.

25 My dog is <u>so heavy that it can't run fast</u>.

26 Everyone agrees <u>that *Harry Potter* is the best novel series</u>.

27 <u>Both men and women</u> have equal rights.

28 <u>Neither Jack nor Fred</u> did their homework.

29 I can wait <u>until[till] you are ready</u>.

30 The students took notes <u>so that they could study them later</u>.

31 The performance was <u>so long that I felt bored</u>.

32 Everybody knows <u>that Rachel is a good friend</u>.

33 <u>Both plants and animals</u> require much care.

34 Kelly <u>either forgot to come or decided not to come</u>.

35 Monkeys eat <u>insects as well as bananas</u>.

36 I wonder <u>if they painted the graffiti on the wall</u>.

37 The boy <u>talked on the phone while he watched TV</u>.

38 The weather in Korea <u>was so cold last year that the river froze</u>.

39 The band played <u>not only classical music but also jazz music</u>.

40 He couldn't <u>decide whether he should wear a tie</u>.

41 <u>Although he was poor</u>, he wasn't sad.

42 I prepared <u>the ingredients in advance so that I could save time</u>.

43 A hot bath is <u>what I need</u>.

44 <u>Where do you think you will stay in Germany</u>?

45 It is important <u>that we don't make the same mistakes</u>.

46 Do you remember <u>what the thief was wearing</u>?

47 <u>What do you guess the weather will be like tomorrow</u>?

48 I wonder <u>who cleaned the window</u>.

49 <u>When do you believe you can visit me this week</u>?

50 He hoped <u>that his sister would get well soon</u>.

51 Will you tell us <u>how we can help you</u>?

52 <u>What do you suppose the best way to start a conversation is</u>?

---

01 해설 '~인지'라는 의미를 나타내야 하므로 명사절을 이끄는 접속사 whether를 쓴다. (▶ POINT 5)

02 해설 의문사가 이끄는 명사절은 「의문사 + 주어 + 동사」 형태로 쓴다. (▶ POINT 3)

03 해설 '~한 후에'라는 의미를 나타내야 하므로 부사절을 이끄는 접속사 after를 쓴다. (▶ POINT 1)

04 해설 '~할 수 있도록'이라는 의미를 나타내야 하므로 부사절을 이끄는 접속사 so that ~을 쓴다. (▶ POINT 2)

05 해설 '비록 ~이지만'이라는 의미를 나타내야 하므로 부사절을 이끄는 접속사 although를 쓴다. (▶ POINT 1)

06 해설 '~인지'라는 의미를 나타내야 하므로 명사절을 이끄는 접속사 whether를 쓴다. (▶ POINT 5)

07 해설 의문사가 이끄는 명사절은 「의문사 + 주어 + 동사」 형태로 쓴다. (▶ POINT 3)

08 해설 '~하는 동안'이라는 의미를 나타내야 하므로 부사절을 이끄는 접속사 while을 쓴다. (▶ POINT 1)

09 해설 '~할 수 있도록'이라는 의미를 나타내야 하므로 부사절을 이끄는 접속사 so that ~을 쓴다. (▶ POINT 2)

10 해설 '비록 ~이지만'이라는 의미를 나타내야 하므로 부사절을 이끄는 접속사 even though를 쓴다. (▶ POINT 1)

11 해설 의문사가 이끄는 명사절은 「의문사 + 주어 + 동사」 형태로 쓴다. (▶ POINT 3)
해석 • 나는 알고 싶다.
• 우리는 왜 여기서 길을 건널 수 없지?
→ 나는 왜 우리가 여기서 길을 건널 수 없는지 알고 싶다.

12 해설 '에펠탑이 런던에 있는지'라는 의미를 나타내야 하므로 명사절을 이끄는 접속사 if[whether]를 쓴다. (▶ POINT 5)
해석 • Aaron은 나에게 물었다.
• 에펠탑은 런던에 있니?
→ Aaron은 나에게 에펠탑이 런던에 있는지 물었다.

13 해설 '신체 건강뿐만 아니라 정신 건강도'라는 의미를 나타내야 하므로 상관접속사 not only A but also B를 쓴다. (▶ POINT 6)
해석 • 운동하는 것은 신체 건강에 영향을 미친다.
• 그것은 정신 건강에도 영향을 미친다.
→ 운동하는 것은 신체 건강뿐만 아니라 정신 건강에도 영향을 미친다.

14 해설 의문사가 이끄는 명사절은 「의문사 + 주어 + 동사」 형태로 쓰지만, 의문사가 주어 역할을 하고 있으므로 「의문사 + 동사」 형태로 써야 한다. (▶ POINT 3)
해석 • 나는 확실하지 않다.
• 누가 이 책들을 가지고 왔니?
→ 나는 누가 이 책들을 가지고 왔는지 확실하지 않다.

15 해설 의문사가 이끄는 명사절은 「의문사 + 주어 + 동사」 형태로 쓴다. (▶ POINT 3)
해석 • 너는 설명할 수 있니?
• 우리는 극장에 어떻게 갈 수 있니?
→ 너는 우리가 극장에 어떻게 갈 수 있는지 설명할 수 있니?

16 해설 '~인지'라는 의미를 나타내야 하므로 명사절을 이끄는 접속사 if[whether]를 쓴다. (▶ POINT 5)
해석 • 너는 기억하니?
• 너는 금고를 잠갔니?
→ 너는 금고를 잠갔는지 기억하니?

17 해설 의문사가 이끄는 명사절은 「의문사 + 주어 + 동사」 형태로 쓴다. (▶ POINT 3)
해석 • 너는 이해하니?
• Sarah는 나한테 왜 화가 났니?
→ 너는 Sarah가 나한테 왜 화가 났는지 이해하니?

18 해설 '의사들이 상처를 제거할 수 있는지'라는 의미를 나타내야 하므로 명사절을 이끄는 접속사 if[whether]를 쓴다. (▶ POINT 5)
해석 • 그 환자는 궁금했다.
• 의사들이 그 흉터를 제거할 수 있는가?
→ 그 환자는 의사들이 그 흉터를 제거할 수 있는지 궁금했다.

19 해설 '뜨거운 날씨뿐만 아니라 맛있는 음식으로도'라는 의미를 나타내야 하므로 상관접속사 not only A but also B를 쓴다. (▶ POINT 6)
해석 • 대구는 그것의 뜨거운 날씨로 유명하다.
• 그곳은 그것의 맛있는 음식으로도 유명하다.
→ 대구는 그것의 뜨거운 날씨뿐만 아니라 맛있는 음식으로도 유명하다.

20 해설 의문사가 이끄는 명사절은 「의문사 + 주어 + 동사」 형태로 쓰지만, 의문사가 주어 역할을 하고 있으므로 「의문사 + 동사」 형태로 써야 한다. (▶ POINT 3)
해석 • 우리는 확인을 해야 할까?
• 누가 수업에 빠졌니?
→ 우리는 누가 수업에 빠졌는지 확인을 해야 할까?

21 해설 의문사가 이끄는 명사절은 「의문사 + 주어 + 동사」 형태로 쓴다. (▶ POINT 3)
해석 • 내게 말해주겠니?

· 너는 어디에 있니?
→ 네가 어디에 있는지 내게 말해주겠니?

22 해설 '~인지'라는 의미를 나타내야 하므로 명사절을 이끄는 접속사 if[whether]를 쓴다. (▶ POINT 5)

해석 · 우리는 알지 못한다.
· Erica는 새 지갑이 필요하니?
→ 우리는 Erica가 새 지갑이 필요한지 알지 못한다.

23 해설 '~할 때까지'라는 의미를 나타내야 하므로 부사절을 이끄는 접속사 until[till]을 쓴다. (▶ POINT 1)

24 해설 '~할 수 있도록'이라는 의미를 나타내야 하므로 부사절을 이끄는 접속사 so that ~을 쓴다. (▶ POINT 2)

25 해설 '너무 ~해서 …한'이라는 의미를 나타내야 하므로 부사절을 이끄는 접속사 so ~ that …을 쓴다. (▶ POINT 2)

26 해설 '최고의 소설 시리즈라는 것'이라는 의미를 나타내야 하므로 명사절을 이끄는 접속사 that을 쓴다. (▶ POINT 4)

27 해설 '남자와 여자 둘 다'라는 의미를 나타내야 하므로 상관접속사 both A and B를 쓴다. (▶ POINT 6)

28 해설 'Jack도 Fred도 하지 않았다'라는 의미를 나타내야 하므로 상관접속사 neither A nor B를 쓴다. (▶ POINT 6)

29 해설 '~할 때까지'라는 의미를 나타내야 하므로 부사절을 이끄는 접속사 until[till]을 쓴다. (▶ POINT 1)

30 해설 '~할 수 있도록'이라는 의미를 나타내야 하므로 부사절을 이끄는 접속사 so that ~을 쓴다. (▶ POINT 2)

31 해설 '너무 ~해서 …한'이라는 의미를 나타내야 하므로 부사절을 이끄는 접속사 so ~ that …을 쓴다. (▶ POINT 2)

32 해설 'Rachel이 좋은 친구라는 것'이라는 의미를 나타내야 하므로 명사절을 이끄는 접속사 that을 쓴다. (▶ POINT 4)

33 해설 '식물과 동물 둘 다'라는 의미를 나타내야 하므로 상관접속사 both A and B를 쓴다. (▶ POINT 6)

34 해설 '오는 것을 잊었거나 오지 않기로 결정했다'라는 의미를 나타내야 하므로 상관접속사 either A or B를 쓴다. (▶ POINT 6)

35 해설 'A뿐만 아니라 B도'라는 의미를 나타내야 하므로 B as well as A를 쓴다. (▶ POINT 6)

36 해설 '~인지'라는 의미를 나타내야 하므로 명사절을 이끄는 접속사 if를 쓴다. (▶ POINT 5)

37 해설 '~하는 동안'이라는 의미를 나타내야 하므로 부사절을 이끄는 접속사 while을 쓴다. (▶ POINT 1)

38 해설 '너무 ~해서 …한'이라는 의미를 나타내야 하므로 부사절을 이끄는 접속사 so ~ that …을 쓴다. (▶ POINT 2)

39 해설 'A뿐만 아니라 B도'라는 의미를 나타내야 하므로 not only A but also B를 쓴다. (▶ POINT 6)

40 해설 '~인지'라는 의미를 나타내야 하므로 명사절을 이끄는 접속사 whether를 쓴다. (▶ POINT 5)

41 해설 '비록 ~이지만'이라는 의미를 나타내야 하므로 명사절을 이끄는 접속사 although를 쓴다. (▶ POINT 5)

42 해설 '~할 수 있도록'이라는 의미를 나타내야 하므로 부사절을 이끄는 접속사 so that ~을 쓴다. (▶ POINT 2)

43 해설 의문사가 주어 역할을 하고 있으므로 need I를 I need로 고쳐야 한다. (▶ POINT 3)

44 해설 주절의 동사가 생각이나 추측을 나타내는 동사(think)일 때 의문사를 문장 맨 앞에 써야 하므로 Do you think where을 Where do you think로 고쳐야 한다. (▶ POINT 3)

45 해설 '같은 실수를 반복하지 않는 것'이라는 의미를 나타내야 하므로 what을 명사절을 이끄는 접속사 that으로 고쳐야 한다. (▶ POINT 4)

46 해설 의문사가 이끄는 명사절은 「의문사 + 주어 + 동사」 형태로 써야 하므로 was the thief를 the thief was로 고쳐야 한다. (▶ POINT 3)

47 해설 주절의 동사가 생각이나 추측을 나타내는 동사(guess)일 때 의문사를 문장

맨 앞에 써야 하므로 Do you guess what을 What do you guess로 고쳐야 한다. (▶ POINT 3)

48 해설 의문사가 주어 역할을 하고 있으므로 the window cleaned를 cleaned the window로 고쳐야 한다. (▶ POINT 3)

49 해설 주절의 동사가 생각이나 추측을 나타내는 동사(believe)일 때 의문사를 문장 맨 앞에 써야 하므로 Do you believe when을 When do you believe로 고쳐야 한다. (▶ POINT 3)

50 해설 '그의 여동생이 나아지는 것'이라는 의미를 나타내야 하므로 what을 명사절을 이끄는 접속사 that으로 고쳐야 한다. (▶ POINT 4)

51 해설 의문사가 이끄는 명사절은 「의문사 + 주어 + 동사」 형태로 써야 하므로 can we를 we can으로 고쳐야 한다. (▶ POINT 3)

52 해설 주절의 동사가 생각이나 추측을 나타내는 동사(suppose)일 때 의문사를 문장 맨 앞에 써야 하므로 Do you suppose what을 What do you suppose로 고쳐야 한다. (▶ POINT 3)

CHAPTER 09

가정법

POINT 1 가정법 과거 p. 106

1 As it isn't snowing, we can't make a snowman.
눈이 오고 있지 않기 때문에, 우리는 눈사람을 만들 수 없다.
→ If it were snowing, we could make a snowman.
만약 눈이 오고 있다면 우리는 눈사람을 만들 수 있을 텐데.

2 As it isn't my laptop, I can't lend it to you.
그것은 내 노트북이 아니기 때문에, 나는 그것을 너에게 빌려줄 수 없다.
→ If it were my laptop, I could lend it to you.
만약 그것이 내 노트북이라면 내가 그것을 너에게 빌려줄 수 있을 텐데.

3 As I don't have a driver's license, I won't drive you home.
나는 운전면허가 없기 때문에, 나는 너를 집에 데려다 주지 않을 것이다.
→ If I had a driver's license, I would drive you home.
만약 내가 운전면허가 있다면 내가 너를 집에 데려다 줄 텐데.

4 As I'm not in Spain, I can't meet you.
내가 스페인에 있지 않기 때문에, 나는 너를 만날 수 없다.
→ If I were in Spain, I could meet you.
만약 내가 스페인에 있다면 나는 널 만날 수 있을 텐데.

5 As she doesn't have enough money, she won't buy the purse.
그녀는 충분한 돈이 없기 때문에, 그녀는 그 지갑을 사지 않을 것이다.
→ If she had enough money, she would buy the purse.
만약 그녀가 충분한 돈이 있다면, 그녀는 그 지갑을 살 텐데.

6 If it were summer, we could go swimming.

7 If John played the violin, he could join the orchestra.

8 If I spoke French, I would understand her.

9 If there were a line, we would have to wait.

10 If it were his birthday, he would get a present.

POINT 2 가정법 과거완료 p. 107

1 As the cook wasn't careful, he cut his finger with a knife.
요리사는 조심하지 않았기 때문에, 그는 칼에 그의 손가락을 베었다.
→ If the cook had been careful, he wouldn't have cut his finger with a knife.
만약 요리사가 조심했더라면 그는 그의 손을 칼에 베이지 않았을 텐데.

2 As the police didn't find him, the criminal got away.
경찰들이 그를 찾지 않았기 때문에, 그 범죄자는 도망갔다.
→ If the police had found him, the criminal wouldn't have gotten away.
만약 경찰이 그를 찾았더라면 그 범죄자는 도망가지 않았을 텐데.

3 As she didn't win the contest, she went home without a prize.
그녀는 대회에서 이기지 못했기 때문에, 그녀는 상 없이 집에 갔다.
→ If she had won the contest, she wouldn't have gone home without a prize.
만약 그녀가 대회에서 이겼더라면 그녀는 상 없이 집에 가지 않았을 텐데.

4 As Mark was late to the meeting, he couldn't watch the presentation.
Mark는 회의에 늦었기 때문에, 그는 발표를 볼 수 없었다.
→ If Mark hadn't been late to the meeting, he could have watched the presentation.
만약 Mark가 회의에 늦지 않았더라면 그는 발표를 볼 수 있었을 텐데.

5 As I didn't bring an umbrella, I got wet on my way here.
나는 우산을 가져오지 않았기 때문에, 여기로 오는 길에 젖었다.
→ If I had brought an umbrella, I wouldn't have gotten wet on my way here.
만약 내가 우산을 가져왔더라면 나는 여기 오는 길에 젖지 않았을 텐데.

6 If I had been hungry, I would have eaten the sandwich.

7 If the store had been open, we could have bought some fruit.

8 If Lisa had had a cell phone, she could have called us.

9 If I had studied harder, I wouldn't have failed the test.

10 If we hadn't been busy, we would have attended the party.

11 If I hadn't spent all my money, I could have bought the skirt.

POINT 3 I wish 가정법 p. 108

1 I'm sorry that my sister wasn't at the concert with me.
나의 여동생이 나와 함께 공연에 가지 못해서 유감이다.
→ I wish my sister had been at the concert with me.
나의 여동생이 나와 함께 공연에 갔다면 좋을 텐데.

2 I'm sorry that you didn't tell me the truth.
네가 내게 사실을 말하지 않은 것이 유감이다.
→ I wish you had told me the truth.
네가 내게 사실을 말했더라면 좋을 텐데.

3 I'm sorry that the bus won't arrive soon.
버스가 곧 도착하지 않을 것이라 유감이다.
→ I wish the bus would arrive soon.
버스가 곧 도착한다면 좋을 텐데.

4 I'm sorry that my friends weren't nicer to one another.
내 친구들이 서로에게 더 친절하지 않아서 유감이다.
→ I wish my friends had been nicer to one another.
내 친구들이 서로에게 더 친절했더라면 좋을 텐데.

5 I'm sorry that I don't speak Spanish.
내가 스페인어를 하지 않아서 유감이다.
→ I wish I spoke Spanish.
내가 스페인어를 한다면 좋을 텐데.

6 I wish I were better at math.

7 I wish the bus had arrived on time.

8 I wish I had worn comfortable clothes today.

9 I wish we went to the beach now.

10 I wish people could talk to animals.

POINT 4 as if 가정법 p. 109

1 In fact, George didn't get an A on his math test.
사실, George는 그의 수학 시험에서 A를 받지 못했다.
→ George talks as if he had gotten an A on his math test.
George는 그가 마치 그가 수학 시험에서 A를 받은 것처럼 말한다.

2 In fact, Lisa doesn't live in England.
사실, Lisa는 영국에 살지 않는다.
→ Lisa speaks as if she lived in England.
Lisa는 마치 그녀가 영국에 사는 것처럼 말한다

3 In fact, I wasn't sick.
사실, 나는 아프지 않았다.
→ I look as if I had been sick.
나는 마치 아픈 것처럼 보인다.

4 In fact, he is not a professional author.
사실, 그는 전문적인 작가가 아니다.
→ He writes as if he were a professional author.
그는 그가 전문적인 작가인 것처럼 쓴다.

5 In fact, Kate broke the vase.
사실, Kate가 꽃병을 깼다.
→ Kate acts as if she hadn't broken the vase.
Kate는 마치 그녀가 꽃병을 깨지 않은 것처럼 행동한다.

6 The team celebrates as if they won the tournament.

7 Ron shops as if he had a million dollars.

8 She swims as if there were a shark in the water.

9 I sleep as if I had been awake for an entire week.

10 He plays tennis as if he had practiced for years.

POINT 5 without 가정법   p. 110

1 Without your help, I would have been confused.
2 Without Jerry's advice, Kate would have registered for the wrong class.
3 Without planes, journeys would take longer.
4 Without a coat, I would be cold.
5 Without a cup of coffee, he might be sleepy.
6 Without a bicycle, I would have walked to the park.
7 Without a map, we would ask for directions.
8 Without soap, my hands would have been dirty.
9 Without medicine, people might get sick more easily.
10 Without his care, the plant would have died within a week.
11 Without the dog, the police wouldn't have found the girl.

POINT 6 It's time 가정법   p. 111

1 It's time you cleaned your room.
2 It's time he rested, since he worked for hours.
3 It's time you made up your mind.
4 It's time you went to the dentist.
5 It's time we visited our grandparents.
6 It's time I threw out these old shoes.
7 It's time we spoke about your future.
8 It's time she learned another language.
9 It's time you got new glasses.
10 It's time I introduced you to my friends.
11 It's time we tried that restaurant.
12 It's time I went on a vacation.

기출문제 풀고 짝문제로 마무리!   p. 112

01 If I had a bag, I would take those books home.
02 If Anna had listened to the news, she could have prepared for the storm.
03 I wish you were a lawyer for that client.
04 That man talks as if he knew my father well.
05 It's time we did our homework.
06 If Jared were here, he could open the jar now.
07 If you had dried your clothes, you wouldn't have dripped water on the floor.
08 I wish I got a new computer for Christmas.
09 Our dog always barks as if it saw a ghost in the garden.
10 It's time you cleaned your desk.
11 If I had had enough money, I would have bought that house.
12 I wish we had been best friends before.
13 The bank looks as if it were closed.
14 Without air, we couldn't live on the earth.
15 They talk as if they had watched the movie last week.
16 If the weather were not great, I wouldn't stay outside.
17 If we had cheered for the team, they would have been confident.
18 I wish I had traveled around the world.
19 James pretends as if he were a king.
20 Without the sofa, we would have to sit on the floor.
21 Helena acts as if she had been a ballerina when she was little.

22 If he had a reservation, he could eat in the restaurant.
23 If you had come home by 10 P.M., Mom wouldn't have been angry.
24 I wish I knew how to make a cake.
25 If Tom were taller, he might join the basketball team.
26 The excuse sounds as if it were a lie.
27 Without the key, we would have been locked in the room.
28 If the apple had not fallen from the tree, Newton might not have discovered gravity.
29 I wish they would stop jumping upstairs.
30 If it snowed a lot, the children could make a huge snowman.
31 The cat seems as if it were talking.
32 Without the helicopter, bringing medicine here would have been impossible.
33 is → were
34 sends → sent
35 brought → had brought
36 am → were
37 didn't have → hadn't had
38 will → would
39 cooks → cooked
40 woke → had woken
41 will → would
42 studied → had studied
43 A: What would you do if you could spend a day with your favorite actor?
   B: If I could spend a day with my favorite actor, I would have dinner with him.
44 A: If you could have any special talent, what would it be?
   B: I wish I could play the piano like Mozart.
45 A: My shoes smell so bad.
   B: It's time you washed your shoes.
46 A: What would you do if a time machine were invented?
   B: If a time machine were invented, I would visit myself 30 years in the future.
47 A: Mom, what would you like me to do?
   B: I wish you would get a haircut first.
48 A: We haven't called our grandparents for a while.
   B: I know. It's time we called our grandparents.
49 Teacher: If I were you, I would go to bed early.
50 Dad: If I were you, I would apologize to her first.

---

01 [해설] 현재의 사실과 반대되는 일을 가정하고 있으므로 가정법 과거 「If + 주어 + 동사의 과거형 ~, 주어 + would + 동사원형 …」을 쓴다. (▶ POINT 1)

02 [해설] 과거의 사실과 반대되는 일을 가정하고 있으므로 가정법 과거완료 「If + 주어 + had p.p. ~, 주어 + could + have p.p. …」를 쓴다. (▶ POINT 2)

03 [해설] 현재 실현 가능성이 매우 낮거나 없는 일을 소망하는 「I wish + 가정법 과거」를 쓴다. (▶ POINT 3)

04 [해설] 주절의 시제(현재시제)와 같은 시점의 사실과 반대되는 일을 가정하는 「as if + 가정법 과거」를 쓴다. (▶ POINT 4)

05 [해설] 했어야 하는 일을 하지 않은 것에 대한 재촉을 나타내는 「It's time + 주어 + 동사의 과거형」을 쓴다. (▶ POINT 6)

06 [해설] 현재의 사실과 반대되는 일을 가정하고 있으므로 가정법 과거 「If + 주어 + 동사의 과거형 ~, 주어 + could + 동사원형 …」을 쓴다. (▶ POINT 1)

07 [해설] 과거의 사실과 반대되는 일을 가정하고 있으므로 가정법 과거완료 「If + 주어 + had p.p. ~, 주어 + would + have p.p. …」를 쓴다.
   (▶ POINT 2)

08 [해설] 현재 실현 가능성이 매우 낮거나 없는 일을 소망하는 「I wish + 가정법

과거」를 쓴다. (▶ POINT 3)

09 해설 주절의 시제(현재시제)와 같은 시점의 사실과 반대되는 일을 가정하는 「as if + 가정법 과거」를 쓴다. (▶ POINT 4)

10 해설 했어야 하는 일을 하지 않은 것에 대한 재촉을 나타내는 「It's time + 주어 + 동사의 과거형」을 쓴다. (▶ POINT 6)

11 해설 과거의 사실과 반대되는 일을 가정하고 있으므로 가정법 과거완료 「If + 주어 + had p.p. ~, 주어 + would + have p.p. …」를 쓴다. (▶ POINT 2)
　　 해석 나는 충분한 돈이 없었기 때문에 저 집을 사지 않았다.
　　 → 만약 내가 충분한 돈이 있었더라면 저 집을 샀을 텐데.

12 해설 과거에 이루지 못한 일에 대한 아쉬움을 나타내고 있으므로 「I wish + 주어 + had p.p.」를 쓴다. (▶ POINT 3)
　　 해석 우리가 이전에 가장 친한 친구가 아니었던 것이 유감이다.
　　 → 우리가 이전에 가장 친한 친구였더라면 좋을 텐데.

13 해설 주절의 시제(현재시제)와 같은 시점의 사실과 반대되는 일을 가정하는 「as if + 가정법 과거」를 쓴다. (▶ POINT 4)
　　 해석 그 은행은 닫힌 것처럼 보이지만, 사실 그것은 닫히지 않았다.
　　 → 그 은행은 마치 닫힌 것처럼 보인다.

14 해설 명사구 앞에 와서 if절을 대신하는 「Without + 명사(구)」를 쓴다. (▶ POINT 5)
　　 해석 공기가 없다면, 우리는 지구에 살지 못할 텐데.

15 해설 주절의 시제(현재시제)보다 앞선 시점의 사실과 반대되는 일을 가정하는 「as if + 가정법 과거완료」를 쓴다. (▶ POINT 4)
　　 해석 그들은 지난주에 그 영화를 보지 않았지만, 그들은 그것을 봤던 것처럼 이야기한다.
　　 → 그들은 지난주에 그 영화를 봤던 것처럼 이야기한다.

16 해설 현재의 사실과 반대되는 일을 가정하고 있으므로 가정법 과거 「If + 주어 + 동사의 과거형 ~, 주어 + would + 동사원형 …」을 쓴다. (▶ POINT 1)
　　 해석 날씨가 좋아서 나는 밖에 머무를 것이다.
　　 → 만약 날씨가 좋지 않았다면, 나는 밖에 머무르지 않을 텐데.

17 해설 과거의 사실과 반대되는 일을 가정하고 있으므로 가정법 과거완료 「If + 주어 + had p.p. ~, 주어 + would + have p.p. …」를 쓴다. (▶ POINT 2)
　　 해석 우리가 그 팀을 위해 응원하지 않았기 때문에, 그들은 자신이 없었다.
　　 → 만약 우리가 그 팀을 위해 응원했더라면, 그들은 자신이 있었을 것이다.

18 해설 과거에 이루지 못한 일에 대한 아쉬움을 나타내고 있으므로 「I wish + 주어 + had p.p.」를 쓴다. (▶ POINT 3)
　　 해석 내가 세계 여행을 하지 못했던 것이 유감이다.
　　 → 내가 세계 여행을 했더라면 좋았을 텐데.

19 해설 주절의 시제(현재시제)와 같은 시점의 사실과 반대되는 일을 가정하는 「as if + 가정법 과거」를 쓴다. (▶ POINT 4)
　　 해석 James는 그가 왕인 척하지만, 사실 그는 왕이 아니다.
　　 → James는 마치 그가 왕인 것처럼 행동한다.

20 해설 명사구 앞에 와서 if절을 대신하는 「Without + 명사(구)」를 쓴다. (▶ POINT 5)
　　 해석 만약 소파가 아니었다면, 우리는 바닥에 앉아야 할 텐데.

21 해설 주절의 시제(현재시제)보다 앞선 시점의 사실과 반대되는 일을 가정하는 「as if + 가정법 과거완료」를 쓴다. (▶ POINT 4)
　　 해석 Helena는 그녀가 어렸을 때 발레리나가 아니었지만, 그녀는 그녀가 발레리나였던 것처럼 행동한다.
　　 → Helena는 마치 그녀가 어렸을 때 그녀가 발레리나였던 것처럼 행동한다.

22 해설 현재의 사실과 반대되는 일을 가정하고 있으므로 가정법 과거 「If + 주어 + 동사의 과거형 ~, 주어 + could + 동사원형 …」을 쓴다. (▶ POINT 1)
　　 해석 그는 예약을 하지 않았기 때문에, 그 식당에서 먹을 수 없다.
　　 → 만약 그가 예약을 했다면, 그는 그 식당에서 먹을 수 있을 텐데.

23 해설 '만약 ~ 했더라면 … 했을 텐데'의 의미로 과거의 사실과 반대되는 일을 가정하고 있으므로 가정법 과거완료 「If + 주어 + had p.p. ~, 주어 + would + have p.p. …」를 쓴다. (▶ POINT 2)

24 해설 '~한다면 좋을 텐데'의 의미로 실현 가능성이 매우 낮거나 없는 일을 나타내고 있으므로 「I wish + 주어 + 동사의 과거형」을 쓴다. (▶ POINT 3)

25 해설 '만약 ~한다면 … 할 텐데'의 의미로 현재의 사실과 반대되는 일을 가정하고 있으므로 가정법 과거 「If + 주어 + 동사의 과거형 ~, 주어 + might + 동사원형 …」을 쓴다. (▶ POINT 1)

26 해설 '마치 ~인 것처럼'의 의미로 주절의 시제(현재시제)와 같은 시점의 사실과 반대되는 일을 가정하는 「as if + 가정법 과거」를 쓴다. (▶ POINT 4)

27 해설 '~가 없었다면'의 의미로 가정법 과거완료의 if절을 대신하는 「Without + 명사(구)」를 쓴다. (▶ POINT 5)

28 해설 '만약 ~ 했더라면 … 했을 텐데'의 의미로 과거의 사실과 반대되는 일을 가정하고 있으므로 가정법 과거완료 「If + 주어 + had p.p. ~, 주어 + might + have p.p. …」를 쓴다. (▶ POINT 2)

29 해설 '~한다면 좋을 텐데'의 의미로 실현 가능성이 매우 낮거나 없는 일을 나타내고 있으므로 「I wish + 주어 + 동사의 과거형」을 쓴다. (▶ POINT 3)

30 해설 '만약 ~한다면 … 할 텐데'의 의미로 현재의 사실과 반대되는 일을 가정하고 있으므로 가정법 과거 「If + 주어 + 동사의 과거형 ~, 주어 + could + 동사원형 …」을 쓴다. (▶ POINT 1)

31 해설 '마치 ~인 것처럼'의 의미로 주절의 시제(현재시제)와 같은 시점의 사실과 반대되는 일을 가정하는 「as if + 가정법 과거」를 쓴다. (▶ POINT 4)

32 해설 '~가 없었다면'의 의미로 가정법 과거완료의 if절을 대신하는 「Without + 명사(구)」를 쓴다. (▶ POINT 5)

33 해설 현재의 사실과 반대되는 일을 가정하는 가정법 과거 문장이므로 if절의 동사 is를 were로 고쳐야 한다. (▶ POINT 1)

34 해설 현재 실현 가능성이 매우 낮거나 없는 일을 소망하는 「I wish + 가정법 과거」이므로 sends를 sent로 고쳐야 한다. (▶ POINT 3)

35 해설 과거의 사실과 반대되는 일을 가정하는 가정법 과거완료 문장이므로 brought를 had brought로 고쳐야 한다. (▶ POINT 2)

36 해설 주절과 같은 시점의 사실과 반대되는 일을 가정하는 as if 가정법 과거 문장이므로 am을 were로 고쳐야 한다. (▶ POINT 4)

37 해설 과거의 사실과 반대되는 일을 가정하는 가정법 과거완료 문장이므로 didn't have를 hadn't had로 고쳐야 한다. (▶ POINT 2)

38 해설 현재의 사실과 반대되는 일을 가정하는 가정법 과거 문장이므로 if절의 동사 will을 would로 고쳐야 한다. (▶ POINT 1)

39 해설 현재 실현 가능성이 매우 낮거나 없는 일을 소망하는 「I wish + 가정법 과거」 문장이므로 cooks를 cooked로 고쳐야 한다. (▶ POINT 3)

40 해설 과거의 사실과 반대되는 일을 가정하는 가정법 과거완료 문장이므로 woke를 had woken으로 고쳐야 한다. (▶ POINT 2)

41 해설 주절과 같은 시점의 사실과 반대되는 일을 가정하는 as if 가정법 과거 문장이므로 will을 would로 고쳐야 한다. (▶ POINT 4)

42 해설 과거의 사실과 반대되는 일을 가정하는 가정법 과거완료 문장이므로 studied를 had studied로 고쳐야 한다. (▶ POINT 2)

43 해설 '만약 ~한다면 … 할 텐데'의 의미로 현재의 사실과 반대되는 일을 가정하고 있으므로 가정법 과거 「If + 주어 + 동사의 과거형 ~, 주어 + would + 동사원형 …」을 쓴다. (▶ POINT 1)
　　 해석 A: 너는 네가 가장 좋아하는 배우와 하루를 보낼 수 있다면 뭘 하고 싶니?
　　　 B: 내가 가장 좋아하는 배우와 하루를 보낼 수 있다면, 나는 그와 함께 저녁식사를 할 텐데.

44 해설 현재 실현 가능성이 매우 낮거나 없는 일을 소망하는 「I wish + 가정법 과거」를 쓴다. (▶ POINT 3)
　　 해석 A: 만약 네가 어떤 것이라도 특별한 재능을 가질 수 있다면, 그것은 무엇이겠니?
　　　 B: 내가 모차르트처럼 피아노를 칠 수 있다면 좋을 텐데.

45 해설 했어야 하는 일을 하지 않은 것에 대한 재촉을 나타내는 「It's time + 주어 + 동사의 과거형」을 쓴다. (▶ POINT 6)
　　 해석 A: 내 신발은 너무 좋지 않은 냄새가 나.
　　　 B: 이제 네 신발을 빨 때야.

46 해설 '만약 ~한다면 … 할 텐데'의 의미로 현재의 사실과 반대되는 일을 가정하고 있으므로 가정법 과거 「If + 주어 + 동사의 과거형 ~, 주어 + would + 동사원형 …」을 쓴다. (▶ POINT 1)
　　 해석 A: 너는 만약 타임머신이 발명된다면 무엇을 할 거니?
　　　 B: 만약 타임머신이 발명된다면, 나는 30년 뒤 미래의 나 자신을 방문할 텐데.

47 해설 현재 실현 가능성이 매우 낮거나 없는 일을 소망하는 「I wish + 가정법 과거」를 쓴다. (▶ POINT 3)

A: 엄마, 제가 뭘 하는 것을 원하세요?
B: 네가 먼저 머리를 자른다면 좋을 텐데.

48 [해설] 했어야 하는 일을 하지 않은 것에 대한 재촉을 나타내는 「It's time + 주어 + 동사의 과거형」을 쓴다. (▶ POINT 6)

[해석] A: 우리는 한동안 우리 조부모님께 전화를 하지 않았어.
B: 알아. 우리 조부모님께 전화를 해야 할 때야.

49 [해설] 현재의 사실과 반대되는 일을 가정하고 있으므로 가정법 과거 「If + 주어 + 동사의 과거형 ~, 주어 + would + 동사원형 …」을 쓴다. (▶ POINT 1)

[해석] Jeremy는 TV를 볼 수 있도록 항상 늦게까지 깨어 있다. 종종 그는 학교에 가서 수업 시간에 잠을 잔다.
이 상황에서, 그의 선생님은 그에게 뭐라고 하겠는가?
선생님: 내가 만약 너라면, 나는 일찍 자러 갈 텐데.

50 [해설] 현재의 사실과 반대되는 일을 가정하고 있으므로 가정법 과거 「If + 주어 + 동사의 과거형 ~, 주어 + would + 동사원형 …」을 쓴다. (▶ POINT 1)

[해석] Carol은 그녀의 가장 친한 친구 Sally와 크게 싸웠는데, 왜냐하면 그녀가 Sally가 가장 좋아하는 반지를 잃어버렸기 때문이다. 그래서 그녀는 그녀의 아빠에게 조언을 구했다.
이 상황에서, 그녀의 아빠는 그녀에게 뭐라고 하겠는가?
아빠: 내가 만약 너라면, 나는 먼저 그녀에게 사과할 텐데.

CHAPTER 10
비교구문

POINT 1 원급 비교와 원급 관련 표현 p. 118

1 Wesley talks as fast as a news anchor.
2 That tree is twice as tall as this tree[is twice taller than this tree].
3 The cake wasn't as[so] delicious as the cookie.
4 Rick's smartphone is as new as mine.
5 My painting isn't as[so] beautiful as yours.
6 I don't sleep as much as my brother.
7 Julie sings ten times as well as Michael[sings ten times better than Michael].
8 Beth tried to stay as calm as possible[she could] during the earthquake.
9 He smiled as naturally as possible[he could].
10 The house is three times as large as the apartment[is three times larger than the apartment].

POINT 2 비교급 비교와 비교급 관련 표현 p. 119

1 The balloon went up higher and higher in the sky.
2 The sooner you leave, the earlier you will arrive at Busan.
3 Light travels much faster than sound.
4 Mobile technology is becoming more and more advanced.
5 My headache is getting worse and worse.
6 The smaller the car is, the easier it is to drive around in the city.
7 Because Lisa studied hard, her Spanish got better and better.
8 The pumpkin was even sweeter than the watermelon.
9 The more money we earn, the more responsibility we have.

POINT 3 최상급 비교와 최상급 관련 표현 p. 120

1 This is the most expensive train ticket we have bought.
2 Mr. Hob is one of the best teachers in our school.
3 This pizza is the most delicious dish of all menus.
4 This was the scariest movie that he has ever seen.
5 Michelangelo is one of the most famous artists in history.
6 Kelly is one of the tallest girls in her class.
7 This necklace is the most valuable jewelry (that) I have ever bought.
8 Baseball is the most exciting sport of all.
9 The blue whale is the largest of the animals.
10 Sokcho has one of the most beautiful beaches in Korea.

POINT 4 원급과 비교급을 이용한 최상급 비교 표현 p. 121

1 I am the youngest person in my family.
나는 우리 가족 중 가장 어린 사람이다.
= No other person is younger than me in my family.
우리 가족 중 다른 어떤 사람도 나보다 어리지 않다.

2 The Internet is the most useful invention.
인터넷은 가장 유용한 발명품이다.
= The Internet is more useful than any other invention.
인터넷은 다른 어떤 발명품보다 더 유용하다.

3 Breakfast is the most important meal of the day.
아침식사는 하루 중 가장 중요한 식사이다.

= No other <u>meal of the day</u> is as <u>important</u> as breakfast.
하루 중 다른 어떤 식사도 아침식사만큼 중요하지 않다.

4 December is the coldest month of the year.
12월은 한 해 중 가장 추운 달이다.

= December <u>is colder than any other</u> month of the year.
12월은 한 해 중 다른 어떤 달보다 더 춥다.

5 No other <u>place in school</u> is quieter than a library.

6 Hunter <u>was slower than any other runner</u> in the marathon.

7 No other <u>animal in the sea</u> is as smart as the octopus.

8 This year's storm <u>was stronger than any other storm</u> in the past.

기출문제 풀고 짝문제로 마무리!
p. 122

01 <u>The green jacket doesn't fit as well as the blue jacket.</u>

02 <u>This pen is twice as long as that pencil.</u>

03 <u>I stretched the rubber as far as possible.</u>

04 <u>Snowboarding is much more dangerous than skiing.</u>

05 <u>The more you read, the more knowledge you will gain.</u>

06 <u>Basketball is not as exciting as volleyball to me.</u>

07 <u>This bag is ten times as heavy as my bag.</u>

08 <u>Please explain the rules as clearly as possible.</u>

09 <u>Today's weather is even warmer than yesterday's.</u>

10 <u>The older we become, the more wrinkles we get.</u>

11 The sofa <u>was much[even/far/a lot] more comfortable than the chair.</u>

12 That company <u>makes the fanciest watch in Europe.</u>

13 <u>The richer Mr. Vans became, the greedier he got.</u>

14 Jordan <u>spoke twice as loud as we spoke[spoke twice louder than we spoke].</u>

15 I <u>passed one of the most difficult tests</u> this year.

16 I <u>felt more and more relaxed</u> while I was taking a bath.

17 The chicken noodle <u>was much[even/far/a lot] spicier than the beef noodle.</u>

18 The Mariana Trench <u>is the deepest point in the ocean.</u>

19 <u>The more you eat, the fuller you will become.</u>

20 Hawaii <u>is 15 times as large as Jejudo[is 15 times larger than Jejudo].</u>

21 The durian <u>is one of the smelliest fruits in the world.</u>

22 The man <u>got closer and closer</u> to the door.

23 Fleas <u>can jump 350 times as high as</u> their body length.

24 We tried to decorate the house <u>as beautifully as possible.</u>

25 The <u>longer I boiled the meat, the softer it became.</u>

26 No other <u>form of transportation is as convenient as the subway.</u>

27 The ostrich <u>is larger than any other bird in the world.</u>

28 Eric <u>practiced the violin ten times as much as Amy.</u>

29 You need to handle those diamonds <u>as carefully as you can.</u>

30 The <u>more rapidly the temperature rose, the faster the ice melted.</u>

31 No other <u>way to learn a new language is better than reading.</u>

32 This is <u>fluffier than any other cushion I have ever bought.</u>

33 easiest → <u>easier</u>

34 newer → <u>new</u>

35 hard → <u>harder</u>

36 greatest → <u>the greatest</u>

37 the largest → <u>larger</u>

38 friend → <u>friends</u>

39 most → <u>more</u>

40 brighter → <u>bright</u>

41 delicious → <u>more delicious</u>

42 Best → <u>The best</u>

43 the windiest → <u>windier</u>

44 country → <u>countries</u>

45 Andrew is <u>not as old as</u> Jackson, but he is <u>older than</u> Thomas.

46 Jackson is <u>as heavy as</u> Andrew, and Thomas is <u>the lightest</u> of the three.

47 A melon is <u>as expensive as</u> a peach, but it is <u>more expensive than</u> grapes.

48 Grapes are <u>not as fresh as</u> the other two, and a melon is <u>fresher than</u> any other fruit.

49 Amy <u>did much better</u> than Sam on the test.

50 This ruler <u>is twice as long as</u> that one.

51 Today is <u>even colder than</u> yesterday.

52 The glacier <u>became three times smaller than</u> it was 100 years ago.

---

01 해설 '~만큼 ~하지 않은'의 의미를 나타내는 「not + as + 원급 + as」를 쓴다. (▶ POINT 1)

02 해설 '…보다 -배 더 ~한'의 의미를 나타내는 「배수사 + as + 원급 + as」를 쓴다. (▶ POINT 1)

03 해설 '가능한 한 ~하게'의 의미를 나타내는 「as + 원급 + as + possible」을 쓴다. (▶ POINT 1)

04 해설 '…보다 더 ~한'의 의미를 나타내는 「비교급 + than」을 쓴다. 비교급을 강조하는 much는 비교급 앞에 쓴다. (▶ POINT 2)

05 해설 '~하면 할수록 더 …한'의 의미를 나타내는 「the + 비교급 (+ 주어 + 동사), the + 비교급 (+ 주어 + 동사)」을 쓴다. (▶ POINT 2)

06 해설 '~만큼 ~하지 않은'의 의미를 나타내는 「not + as + 원급 + as」를 쓴다. (▶ POINT 1)

07 해설 '…보다 -배 더 ~한'의 의미를 나타내는 「배수사 + as + 원급 + as」를 쓴다. (▶ POINT 1)

08 해설 '가능한 한 ~하게'의 의미를 나타내는 「as + 원급 + as + possible」을 쓴다. (▶ POINT 1)

09 해설 '…보다 더 ~한'의 의미를 나타내는 「비교급 + than」을 쓴다. 비교급을 강조하는 even은 비교급 앞에 쓴다. (▶ POINT 2)

10 해설 '~하면 할수록 더 …한'의 의미를 나타내는 「the + 비교급 (+ 주어 + 동사), the + 비교급 (+ 주어 + 동사)」을 쓴다. (▶ POINT 2)

11 해설 '…보다 더 ~한'의 의미를 나타내는 「비교급 + than」을 쓴다. '훨씬'의 의미를 나타내는 비교급 강조 much[even/far/a lot]은 비교급 앞에 쓴다. (▶ POINT 2)

12 해설 '가장 ~한'의 의미를 나타내는 「the + 최상급」을 쓴다. (▶ POINT 3)

13 해설 '~하면 할수록 더 …한'의 의미를 나타내는 「the + 비교급 (+ 주어 + 동사), the + 비교급 (+ 주어 + 동사)」을 쓴다. (▶ POINT 2)

14 해설 '…보다 -배 더 ~한'의 의미를 나타내는 「배수사 + as + 원급 + as」 (= 「배수사 + 비교급 + than」)를 쓴다. (▶ POINT 1)

15 해설 '가장 ~한 것들 중 하나'의 의미를 나타내는 「one of the + 최상급 + 복수명사」를 쓴다. (▶ POINT 3)

16 해설 '점점 더 ~한'의 의미를 나타내는 「비교급 + and + 비교급」을 쓴다. 형용사나 부사의 비교급이 「more + 원급」 형태이므로 「more and more + 원급」의 형태로 쓴다. (▶ POINT 2)

17 해설 '…보다 더 ~한'의 의미를 나타내는 「비교급 + than」을 쓴다. '훨씬'의 의미를 나타내는 비교급 강조 much[even/far/a lot]은 비교급 앞에 쓴다. (▶ POINT 2)

18 해설 '가장 ~한'의 의미를 나타내는 「the + 최상급」을 쓴다. (▶ POINT 3)

19 [해설] '~하면 할수록 더 …한'의 의미를 나타내는 「the + 비교급 (+ 주어 + 동사), the + 비교급 (+ 주어 + 동사)」을 쓴다. (▶ POINT 2)

20 [해설] '…보다 -배 더 ~한'의 의미를 나타내는 「배수사 + as + 원급 + as」(=「배수사 + 비교급 + than」)를 쓴다. (▶ POINT 1)

21 [해설] '가장 ~한 것들 중 하나'의 의미를 나타내는 「one of the + 최상급 + 복수명사」를 쓴다. (▶ POINT 3)

22 [해설] '점점 더 ~한'의 의미를 나타내는 「비교급 + and + 비교급」을 쓴다. (▶ POINT 2)

23 [해설] '…보다 -배 더 ~한'의 의미를 나타내는 「배수사 + as + 원급 + as」를 쓴다. (▶ POINT 1)
　　　 [해석] 벼룩들은 그것들의 몸 길이보다 350배 더 높이 뛸 수 있다.

24 [해설] '가능한 한 ~하게'의 의미를 나타내는 「as + 원급 + as + 주어 + can」은 「as + 원급 + as + possible」로 바꿔 쓸 수 있다. (▶ POINT 1)
　　　 [해석] 우리는 가능한 한 아름답게 집을 꾸미려고 노력했다.

25 [해설] '~하면 할수록 더 …한'의 의미를 나타내는 「the + 비교급 (+ 주어 + 동사), the + 비교급 (+ 주어 + 동사)」을 쓴다. (▶ POINT 2)
　　　 [해석] 고기는 더 오래 끓이면 끓일수록 더 부드러워졌다.

26 [해설] 가장 ~한: 「the + 최상급」
　　　 = 다른 어떤 …도 -만큼 ~하지 않은: 「No (other) + 단수명사 ~ as[so] + 원급 + as」 (▶ POINT 4)
　　　 [해석] 지하철은 교통수단 중 가장 편리한 형태이다.
　　　 = 다른 어떤 형태의 교통수단도 지하철만큼 편리하지 않다.

27 [해설] 가장 ~한: 「the + 최상급」
　　　 = 다른 어떤 …보다 더 ~한: 「비교급 + than any other + 단수명사」 (▶ POINT 4)
　　　 [해석] 타조는 세상에서 가장 큰 새이다.
　　　 = 타조는 세상에서 다른 어떤 새보다 더 크다.

28 [해설] '…보다 -배 더 ~한'의 의미를 나타내는 「배수사 + as + 원급 + as」를 쓴다. (▶ POINT 1)
　　　 [해석] Eric은 바이올린을 Amy보다 10배 더 연습했다.

29 [해설] '가능한 한 ~하게'의 의미를 나타내는 「as + 원급 + as + possible」은 「as + 원급 + as + 주어 + can」으로 바꿔 쓸 수 있다. (▶ POINT 1)
　　　 [해석] 너는 그 다이아몬드들을 가능한 한 조심스럽게 다뤄야 한다.

30 [해설] '~하면 할수록 더 …한'의 의미를 나타내는 「the + 비교급 (+ 주어 + 동사), the + 비교급 (+ 주어 + 동사)」을 쓴다. (▶ POINT 2)
　　　 [해석] 온도가 급격히 오르면 오를수록, 얼음은 더 빨리 녹았다.

31 [해설] 가장 ~한: 「the + 최상급」
　　　 = 다른 어떤 …도 -보다 더 ~하지 않은: 「No (other) + 단수명사 + 비교급 + than」 (▶ POINT 4)
　　　 [해석] 독서는 새로운 언어를 배우는 가장 좋은 방법이다.
　　　 = 새로운 언어를 배우는 다른 어떤 방법도 독서보다 더 좋지 않다.

32 [해설] 가장 ~한: 「the + 최상급」
　　　 = 다른 어떤 …보다 더 ~한: 「비교급 + than any other + 단수명사」 (▶ POINT 4)
　　　 [해석] 이것은 내가 산 것 중 가장 푹신한 쿠션이다.
　　　 = 이것은 내가 산 것 중 다른 어떤 쿠션보다 더 푹신하다.

33 [해설] '…보다 더 ~한'의 의미를 나타내는 「비교급 + than」를 써야 하므로 easiest를 easier로 고쳐야 한다. (▶ POINT 2)
　　　 [해석] 컴퓨터를 쓰는 것은 내 머릿속에서 계산하는 것보다 더 쉬웠다.

34 [해설] '~만큼 ~한'의 의미를 나타내는 「as + 원급 + as」를 써야 하므로 newer를 new로 고쳐야 한다. (▶ POINT 1)
　　　 [해석] 그 동상은 그것 뒤에 있는 건물만큼 새것이다.

35 [해설] '…보다 더 ~한'의 의미를 나타내는 「비교급 + than」를 써야 하므로 hard를 harder로 고쳐야 한다. (▶ POINT 2)
　　　 [해석] 이 기사는 단편 소설보다 읽기에 훨씬 어렵다.

36 [해설] '가장 ~한'의 의미를 나타내는 「the + 최상급」을 써야 하므로 greatest를 the greatest로 고쳐야 한다. (▶ POINT 3)
　　　 [해석] 세종대왕은 한국에서 역대 가장 위대한 왕이다.

37 [해설] '다른 어떤 …보다 더 ~한'의 의미를 나타내는 「비교급 + than any other + 단수명사」를 써야 하므로 the largest를 larger로 고쳐야 한다. (▶ POINT 4)
　　　 [해석] 아마존은 지구에 있는 다른 어떤 숲보다 더 크다.

38 [해설] '가장 ~한 것들 중 하나'의 의미를 나타내는 「one of the + 최상급 + 복수명사」를 써야 하므로 friend를 friends로 고쳐야 한다. (▶ POINT 3)
　　　 [해석] Brad는 나의 반에서 가장 친절한 친구들 중 한 명이다.

39 [해설] '…보다 더 ~한'의 의미를 나타내는 「비교급 + than」를 써야 하므로 most를 more로 고쳐야 한다. (▶ POINT 2)
　　　 [해석] 나에게 퍼즐을 푸는 것은 체스를 두는 것보다 더 재미있다.

40 [해설] '~만큼 ~한'의 의미를 나타내는 「as + 원급 + as」를 써야 하므로 brighter를 bright로 고쳐야 한다. (▶ POINT 1)
　　　 [해석] 침실에 있는 등은 거실에 있는 등만큼 밝지 않다.

41 [해설] '…보다 더 ~한'의 의미를 나타내는 「비교급 + than」를 써야 하므로 delicious를 more delicious로 고쳐야 한다. (▶ POINT 2)
　　　 [해석] 이 새로운 요리법은 원래의 것보다 훨씬 더 맛있다.

42 [해설] '가장 ~한'의 의미를 나타내는 「the + 최상급」을 써야 하므로 Best를 The best로 고쳐야 한다. (▶ POINT 3)
　　　 [해석] 내가 읽은 것 중 최고의 소설은 '위대한 개츠비'이다.

43 [해설] '다른 어떤 …보다 더 ~한'의 의미를 나타내는 「비교급 + than any other + 단수명사」를 써야 하므로 the windiest를 windier로 고쳐야 한다. (▶ POINT 4)
　　　 [해석] 시카고는 미국의 다른 어떤 도시보다 더 바람이 많이 분다.

44 [해설] '가장 ~한 것들 중 하나'의 의미를 나타내는 「one of the + 최상급 + 복수명사」를 써야 하므로 country를 countries로 고쳐야 한다. (▶ POINT 3)
　　　 [해석] 이집트는 세상에서 가장 오래된 나라들 중 하나이다.

45 [해설] '~만큼 ~한'의 의미를 나타내는 「as + 원급 + as」와, '…보다 더 ~한'의 의미를 나타내는 「비교급 + than」을 쓴다. (▶ POINT 1, 2)
　　　 [해석] Andrew는 Jackson만큼 나이가 많지 않지만, 그는 Thomas보다 나이가 많다.

46 [해설] '~만큼 ~한'의 의미를 나타내는 「as + 원급 + as」와, '가장 ~한'의 의미를 나타내는 「the + 최상급」을 쓴다. (▶ POINT 1, 3)
　　　 [해석] Jackson은 Andrew만큼 무겁고, Thomas는 셋 중 가장 가볍다.

47 [해설] '~만큼 ~한'의 의미를 나타내는 「as + 원급 + as」와, '…보다 더 ~한'의 의미를 나타내는 「비교급 + than」을 쓴다. (▶ POINT 1, 2)
　　　 [해석] 멜론은 복숭아만큼 비싸지만, 그것은 포도보다 더 비싸다.

48 [해설] '~만큼 ~한'의 의미를 나타내는 「as + 원급 + as」와, '…보다 더 ~한'의 의미를 나타내는 「비교급 + than」을 쓴다. (▶ POINT 1, 4)
　　　 [해석] 포도는 다른 둘만큼 신선하지 않고, 멜론은 다른 어떤 과일보다 신선하다.

49 [해설] '…보다 더 ~한'의 의미를 나타내는 「비교급 + than」을 쓴다. '훨씬'의 의미를 나타내는 비교급 강조 much는 비교급 앞에 쓴다. (▶ POINT 2)
　　　 [해석] Amy는 시험에서 Sam보다 훨씬 더 잘했다.

50 [해설] '…보다 -배 더 ~한'의 의미를 나타내는 「배수사 + as + 원급 + as」를 쓴다. (▶ POINT 1)
　　　 [해석] 이 자는 저것보다 두 배 더 길다.

51 [해설] '…보다 더 ~한'의 의미를 나타내는 「비교급 + than」을 쓴다. '훨씬'의 의미를 나타내는 비교급 강조 even은 비교급 앞에 쓴다. (▶ POINT 2)
　　　 [해석] 오늘은 어제보다 훨씬 더 춥다.

52 [해설] '…보다 -배 더 ~한'의 의미를 나타내는 「배수사 + 비교급 + than」을 쓴다. (▶ POINT 1)
　　　 [해석] 그 빙하는 100년 전보다 세 배 더 작아졌다.

CHAPTER 11

일치와 화법

POINT 1 수 일치
p. 128

1 Someone in the kitchen is cooking delicious food.

2 Both almonds and walnuts were put in the dough.

3 Modern physics is based on theories.

4 Finding the lost puzzle piece was difficult.

5 Two hours is too short to discuss the matter.
   두 시간은 문제를 논의하기에 너무 짧다.

6 The number of homeless people is rapidly increasing.
   노숙자들의 수가 급격히 증가하고 있다.

7 The United States of America is composed of 50 states.
   미국은 50개의 주로 이루어져 있다.

8 The rich pay more tax than the poor.
   부유한 사람들은 가난한 사람들보다 더 많은 세금을 낸다.

9 Every airport has its own police department.
   모든 공항은 자체적인 경찰 부서가 있다.

POINT 2 시제 일치
p. 129

1 I am surprised that you didn't notice my new sneakers.
   나는 네가 나의 새 운동화를 알아채지 못했던 것에 놀랐다.
   → I was surprised that you hadn't noticed my new sneakers.
   나는 네가 나의 새 운동화를 알아채지 못했던 것에 놀랐었다.

2 We agree that it will be nice to visit France.
   우리는 프랑스를 방문하는 것이 좋을 것이라고 동의한다.
   → We agreed that it would be nice to visit France.
   우리는 프랑스를 방문하는 것이 좋을 것이라고 동의했다.

3 The children believe that their parents know everything.
   아이들은 그들의 부모가 모든 것을 안다고 믿는다.
   → The children believed that their parents knew everything.
   아이들은 그들의 부모가 모든 것을 안다고 믿었다.

4 My sister asks if I touched her belongings.
   나의 여동생은 내가 그녀의 소지품을 만졌는지 묻는다.
   → My sister asked if I had touched her belongings.
   나의 여동생은 내가 그녀의 소지품을 만졌었는지 물었다.

5 Sarah wonders why Nate didn't come to school.
   Sarah는 Nate가 학교에 왜 오지 않았는지 궁금하다.
   → Sarah wondered why Nate hadn't come to school.
   Sarah는 Nate가 학교에 왜 오지 않았는지 궁금했다.

6 Harry argues that the treasure map is real.

7 Molly thought that Koreans would speak English.

8 I asked why she wouldn't tell the truth.

9 The customer claimed that he had found a caterpillar in his salad.

10 He says that his dream was to invent a time machine.

POINT 3 시제 일치의 예외
p. 130

1 The patient told the doctor that he jogs every morning.

2 He told us that the early bird catches the worm.

3 The police said that Namsan Tower is located in Yongsangu.

4 The teacher taught us that Abraham Lincoln became the president in 1861.

5 It is known that Jane Austen wrote Pride and Prejudice in 1813.

6 Jerry didn't know that water freezes at 0°C.

7 Everyone thinks that Thomas Edison invented the light bulb.

8 My grandmother said that good medicine tastes bitter.

9 I heard that Benjamin walks his dog twice a day.

10 Galileo argued that Earth goes around the Sun.

POINT 4 평서문의 화법 전환
p. 131

1 Jason said, "I invited Sam to my birthday party yesterday."
   Jason은 "나는 어제 내 생일파티에 Sam을 초대했어."라고 말했다.
   → Jason said (that) he had invited Sam to his birthday party the previous day[the day before].
   Jason은 그가 전날 그의 생일파티에 Sam을 초대했다고 말했다.

2 The woman said to the police officer, "A thief stole my purse 30 minutes ago."
   그 여자는 경찰관에게 "도둑이 30분 전에 제 지갑을 훔쳤어요."라고 말했다.
   → The woman told the police officer (that) a thief had stolen her purse 30 minutes before.
   그 여자는 경찰관에게 도둑이 30분 전에 그녀의 지갑을 훔쳤다고 말했다.

3 The girl said, "It is going to snow tomorrow."
   소녀는 "내일 눈이 올 거야."라고 말했다.
   → The girl said (that) it was going to snow the next[following] day.
   소녀는 그다음 날 눈이 올 거라고 말했다.

4 The engineer said to me, "We can't fix your car now."
   수리공은 나에게 "저희는 지금 당신의 차를 고칠 수 없어요."라고 말했다.
   → The engineer told me (that) they couldn't fix my car then[at that time].
   수리공은 나에게 그들은 그때 나의 차를 고칠 수 없었다고 말했다.

5 Dad said to me, "You should clean your room today."
   아빠는 나에게 "너는 오늘 너의 방을 치워야 해."라고 말했다.
   → Dad told me (that) I should clean my room that day.
   아빠는 나에게 내가 그날 내 방을 치워야 한다고 말했다.

6 Matt said to Nancy, "I prefer my coffee black."
   Matt은 Nancy에게 "나는 내 커피를 블랙으로 선호해."라고 말했다.
   → Matt told Nancy (that) he preferred his coffee black.
   Matt은 Nancy에게 그가 그의 커피를 블랙으로 선호했다고 말했다.

7 The boy said to his mom, "I want to drink some water."
   소년은 그의 엄마에게 "나는 물을 약간 마시고 싶어요."라고 말했다.
   → The boy told his mom (that) he wanted to drink some water.
   소년은 그의 엄마에게 그가 물을 약간 마시고 싶었다고 말했다.

8 Ms. Brown said, "I don't like playing badminton."
   Brown 씨는 "나는 배드민턴 치는 것을 좋아하지 않아."라고 말했다.
   → Ms. Brown said (that) she didn't like playing badminton.
   Brown 씨는 그녀가 배드민턴 치는 것을 좋아하지 않았다고 말했다.

9 The man said to the chef, "The steak was very delicious."
   남자는 요리사에게 "그 스테이크는 매우 맛있었다."고 말했다.
   → The man told the chef (that) the steak had been very delicious.
   남자는 요리사에게 그 스테이크가 매우 맛있었다고 말했다.

10 The clerk said to the customers, "You can get discounts on fruits today."
   점원은 손님들에게 "오늘 과일을 할인받을 수 있어요."라고 말했다.
   → The clerk told the customers (that) they could get discounts on fruits that day.
   점원은 손님들에게 그들은 그날 과일을 할인받을 수 있다고 말했다.

POINT 5 의문문의 화법 전환
p. 132

1 The doctor said to me, "Where does it hurt?"
   의사는 나에게 "어디가 아프세요?"라고 말했다.
   → The doctor asked me where it hurt.
   의사는 나에게 어디가 아팠는지 물었다.

2 I said to Mom, "How can I bake a carrot cake?"
   나는 엄마에게 "당근 케이크를 어떻게 구울 수 있나요?"라고 말했다.
   → I asked Mom how I could bake a carrot cake.
   나는 엄마에게 내가 당근 케이크를 어떻게 구울 수 있는지 물었다.

3 George said to her, "Do you want to go to a movie with me?"

George는 그녀에게 "나와 함께 영화 보러 가고 싶니?"라고 말했다.
→ George asked her if she wanted to go to a movie with him.
George는 그녀에게 그와 함께 영화를 보러 가고 싶었는지 물었다.

4 The teacher said to him, "Will you explain how you solved the problem?"
선생님은 그에게 "네가 이 문제를 어떻게 풀었는지 설명해 주겠니?"라고 말했다.
→ The teacher asked him if he would explain how he solved the problem.
선생님은 그에게 그가 어떻게 그 문제를 풀었는지 설명해 주겠는지 물었다.

5 The driver said to me, "Where are you heading to?"
운전수는 나에게 "어디로 향하시나요?"라고 말했다.
→ The driver asked me where I was heading to.
운전수는 나에게 내가 어디로 향하는 중이었는지 물었다.

6 Serena said to him, "Are you going to call me tomorrow?"
Serena는 그에게 "너는 내일 나에게 전화할 거니?"라고 말했다.
→ Serena asked him if he was going to call her the next day.
Serena는 그에게 그가 그다음 날 그녀에게 전화할 건지 물었다.

7 The scientist said to the audience, "Has anyone heard of dark matter?"
과학자는 관객에게, "암흑 물질에 대해 들어보신 분이 있나요?"라고 말했다.
→ The scientist asked the audience if anyone had heard of dark matter.
과학자는 관객에게 암흑 물질에 대해 들어본 사람이 있었는지 물었다.

8 Lisa said, "Who took my cup?"
Lisa는 "누가 내 컵을 가져갔니?"라고 말했다.
→ Lisa asked who had taken her cup.
Lisa는 누가 그녀의 컵을 가져갔는지 물었다.

9 I said to Julie, "How long do I have to wait?"
나는 Julie에게 "나는 얼마나 오래 기다려야 하니?"라고 말했다.
→ I asked Julie how long I had to wait.
나는 Julie에게 내가 얼마나 오래 기다려야 했는지 물었다.

10 The police officer said to the man, "Why did you break into the store?"
경찰관은 그 남자에게 "왜 그 가게에 침입하셨습니까?"라고 말했다.
→ The police officer asked the man why he had broken into the store.
경찰관은 그 남자에게 그가 왜 그 가게에 침입했었는지 물었다.

11 Jake said to Dad, "Was it cold outside yesterday?"
Jake는 아빠에게 "어제 밖이 추웠나요?"라고 말했다.
→ Jake asked Dad if it had been cold outside the previous day.
Jake는 아빠에게 그 전날 밖이 추웠는지 물었다.

POINT 6 명령문의 화법 전환 p. 133

1 The teacher said to us, "Hand in your homework now."
선생님은 우리에게 "지금 숙제를 제출해."라고 말했다.
→ The teacher told us to hand in our homework then[at that time].
선생님은 우리에게 그때 숙제를 제출하라고 말했다.

2 The doctor said to me, "Don't eat too much sugar."
의사는 나에게 "설탕을 너무 많이 먹지 마세요."라고 말했다.
→ The doctor ordered me not to eat too much sugar.
의사는 나에게 설탕을 너무 많이 먹지 말 것을 명령했다.

3 Natalie said to me, "Close the window."
Natalie는 나에게 "창문을 닫아."라고 말했다.
→ Natalie told me to close the window.
Natalie는 나에게 창문을 닫으라고 말했다.

4 The coach said to Kelly, "Practice harder to win the competition."
코치는 Kelly에게 "대회에서 이기기 위해 더 열심히 연습해라."라고 말했다.
→ The coach advised Kelly to practice harder to win the competition.
코치는 Kelly에게 대회에서 이기기 위해 더 열심히 연습하라고 조언했다.

5 She said to the students, "Don't be afraid to ask questions."
그녀는 학생들에게 "질문하는 것을 무서워하지 말아라."라고 말했다.
→ She told the students not to be afraid to ask questions.
그녀는 학생들에게 질문하는 것을 무서워하지 말라고 말했다.

6 He said to me, "Watch out for the car."
그는 나에게 "차를 조심해."라고 말했다.
→ He advised me to watch out for the car.

그는 나에게 차를 조심하라고 조언했다.

7 The security guard said to Jane, "Stay in line."
안전요원은 Jane에게 "줄을 서세요."라고 말했다.
→ The security guard told Jane to stay in line.
안전요원은 Jane에게 줄을 서라고 말했다.

8 My mother said to me, "Keep a record of your spending."
나의 엄마는 나에게 "너의 지출을 기록해라."라고 말했다.
→ My mother advised me to keep a record of my spending.
나의 엄마는 나에게 나의 지출을 기록하라고 조언했다.

9 The judge said to the man, "Be quiet in the courtroom."
판사는 그 남자에게 "법정에서 조용히 하세요."라고 말했다.
→ The judge ordered the man to be quiet in the courtroom.
판사는 그 남자에게 법정에서 조용히 하라고 명령했다.

10 Veronica said to her parents, "Don't worry about me."
Veronica는 그녀의 부모님에게 "저를 걱정하지 마세요."라고 말했다.
→ Veronica told her parents not to worry about her.
Veronica는 그녀의 부모님에게 그녀를 걱정하지 말라고 말했다.

11 The commander said to the soldiers, "Don't leave your positions today."
지휘관은 군인들에게 "오늘 너희의 자리를 떠나지 말아라."라고 말했다.
→ The commander ordered the soldiers not to leave their positions that day.
지휘관은 군인들에게 그날 그들의 자리를 떠나지 말라고 명령했다.

기출문제 풀고 짝문제로 마무리! p. 134

01 Henry heard (that) the store had been closed the previous week.
02 We learned (that) sunlight is used to make food for plants.
03 Mary told me (that) she studies English every day.
04 Andrew thinks (that) it is better to stay indoors during the storm.
05 My grandmother said (that) a bad worker blames his tools.
06 Jamie saw (that) the tree had fallen the day before.
07 The teacher explained (that) supply and demand controls the market.
08 I found out (that) Jack reads the newspaper every morning.
09 Scrooge didn't understand (that) money wasn't everything.
10 I knew (that) water consists of hydrogen and oxygen.
11 Dan ordered Ben to wash his hands to get ready for dinner then.
12 Andy told his mother that he wanted to have a sandwich the next day.
13 I asked Jake who he was waiting there for.
14 Tim asked Lisa if[whether] she would go to the dance with him.
15 Laura told her friend that she had won the singing contest the previous year.
16 Our math teacher ordered us to solve those problems in ten minutes from then.
17 The dentist told Ms. Clark that she needed to visit them the following week.
18 The police asked the man who he had talked on the phone with the previous night.
19 The vet asked me if[whether] my dog had eaten a lot of sweet potatoes the day before.
20 She told the customer that she was sorry but they didn't have any chicken that day.
21 Every member of the class is studying hard for the test.
22 Both speed and strength are important in soccer.
23 A number of deer are running on the field.
24 Economics is a mandatory course in high school.
25 It is written in the book that Neil Armstrong landed on the moon in 1969.
26 Each ticket admits one adult, so we bought three.

27 Both my dad and mom work at the national bank.

28 The number of accidents on the crossroad is increasing.

29 The Philippines is a multiracial nation with various cultures.

30 I know that George Washington was the first president of America.

31 The weatherman says that it will snow tonight.

32 The teacher told us that she would give a quiz next week.

33 Sarah said that she would take care of my cat the next day.

34 I think that air pollution is a huge problem.

35 My dad promised that he would take me to the theme park.

36 He said that he had wanted to watch the movie the day before.

37 She asked if I had prepared dinner that day.

38 The man told us that we couldn't take the highway there.

39 The teacher asked if I had handed in the homework.

40 Scott told them that he hadn't seen any strangers the day before.

41 He told me that he didn't understand my concerns.

42 Ryan asked Julia if[whether] she had taken the magazine.

43 The teacher told us that we could work with our partner that day.

44 My grandmother asked me if[whether] I would walk with her.

---

01 해설 주절이 과거시제이므로 종속절에는 '가게가 닫혀있었다'는 의미에 따라 과거완료시제를 쓴다. (▶ POINT 2)

02 해설 일반적 사실을 말할 때는 주절의 시제와 상관없이 종속절에 항상 현재시제를 쓴다. (▶ POINT 3)

03 해설 현재의 습관을 말할 때는 주절의 시제와 상관없이 종속절에 항상 현재시제를 쓴다. (▶ POINT 3)

04 해설 주절이 현재시제이므로 종속절에는 '폭풍우 동안 실내에 머무르는 것이 낫다고 생각한다'는 의미에 따라 현재시제를 쓴다. (▶ POINT 2)

05 해설 속담/격언을 말할 때는 주절의 시제와 상관없이 종속절에 항상 현재시제를 쓴다. (▶ POINT 3)

06 해설 주절이 과거시제이므로 종속절에는 '그 전날에 나무가 넘어진 것을 봤다'는 의미에 따라 과거완료시제를 쓴다. (▶ POINT 2)

07 해설 일반적 사실을 말할 때는 주절의 시제와 상관없이 종속절에 항상 현재시제를 쓴다. (▶ POINT 3)

08 해설 현재의 습관을 말할 때는 주절의 시제와 상관없이 종속절에 항상 현재시제를 쓴다. (▶ POINT 3)

09 해설 주절이 과거시제이므로 종속절에는 '돈이 전부가 아니었다'는 의미에 따라 과거시제를 쓴다. (▶ POINT 2)

10 해설 과학적 사실을 말할 때는 주절의 시제와 상관없이 종속절에 항상 현재시제를 쓴다. (▶ POINT 3)

11 해설 명령문의 직접화법이므로 「order + 목적어 + to부정사」의 형태로 바꿔 쓴다. (▶ POINT 6)

해석 Dan은 Ben에게 "저녁 식사를 준비하기 위해 너의 손을 닦아라."라고 말했다.
→ Dan은 Ben에게 저녁 식사를 준비하기 위해 그의 손을 닦으라고 명령했다.

12 해설 전달동사(said)가 과거시제이므로 종속절의 현재시제 want를 과거시제 wanted로 바꾼다. 전달하는 사람의 입장에 맞게 인칭대명사를 he로 바꾸고 부사 tomorrow를 the next day로 바꾼다. (▶ POINT 4)

해석 Andy는 그의 엄마에게 "저는 내일 샌드위치가 먹고 싶어요."라고 말했다.
→ Andy는 그의 엄마에게 그는 다음 날 샌드위치를 먹고 싶다고 말했다.

13 해설 의문사가 있는 의문문의 직접 화법은 「ask + 목적어 + 의문사 + 주어 + 동사」의 형태로 바꿔 쓴다. (▶ POINT 5)

해석 나는 Jake에게 "너는 여기서 누구를 기다리고 있니?"라고 말했다.
→ 나는 Jake에게 그가 거기서 누구를 기다리고 있는지 물었다.

14 해설 의문사가 없는 의문문의 직접 화법은 「ask + 목적어 + if[whether] + 주어 + 동사」의 형태로 바꿔 쓴다. (▶ POINT 5)

해설 Tim은 Lisa에게 "너 나와 함께 춤추러 가지 않을래?"라고 말했다.
→ Tim은 Lisa에게 그녀가 그와 함께 춤추러 가지 않을지 물었다.

15 해설 전달동사(said)가 과거시제이므로 종속절의 과거시제 won을 과거완료시제 had won으로 바꾼다. 전달하는 사람의 입장에 맞게 인칭대명사를 she로 바꾸고 부사 last year를 the previous year로 바꾼다. (▶ POINT 4)

해석 Laura는 그녀의 친구에게 "나는 작년에 노래 대회에서 우승했어."라고 말했다.
→ Laura는 그녀의 친구에게 그녀가 그 전 해에 노래 대회에서 우승했다고 말했다.

16 해설 명령문의 직접화법이므로 「order + 목적어 + to부정사」의 형태로 바꿔 쓴다. (▶ POINT 6)

해석 우리 수학 선생님은 우리에게 "이 문제들을 지금부터 10분 내로 풀어라."라고 하셨다.
→ 우리 수학 선생님은 우리에게 그 문제들을 그때부터 10분 내로 풀라고 명령하셨다.

17 해설 전달동사(said)가 과거시제이므로 종속절의 현재시제 need를 과거시제 needed로 바꾼다. 전달하는 사람의 입장에 맞게 인칭대명사를 she와 them으로 바꾸고 부사 next week를 the following week로 바꾼다. (▶ POINT 4)

해석 그 치과의사는 Clark 씨에게 "당신은 다음 주에 저희를 방문해야 합니다."라고 말했다.
→ 그 치과의사는 Clark 씨가 그 다음 주에 그들을 방문해야 한다고 말했다.

18 해설 의문사가 있는 의문문의 직접 화법은 「ask + 목적어 + 의문사 + 주어 + 동사」의 형태로 바꿔 쓴다. (▶ POINT 5)

해석 경찰은 남자에게 "당신은 어젯밤에 누구와 통화를 했습니까?"라고 말했다.
→ 경찰은 남자에게 그가 그 전날 밤에 누구와 통화를 했는지 물었다.

19 해설 의문사가 없는 의문문의 직접 화법은 「ask + 목적어 + if[whether] + 주어 + 동사」의 형태로 바꿔 쓴다. (▶ POINT 5)

해석 수의사는 나에게 "당신의 개는 어제 많은 고구마를 먹었나요?"라고 말했다.
→ 수의사는 나에게 나의 개가 전날 많은 고구마를 먹었는지 물었다.

20 해설 전달동사(said)가 과거시제이므로 종속절의 현재시제 am과 don't have를 과거시제 was와 didn't have로 바꾼다. 전달하는 사람의 입장에 맞게 인칭대명사를 she와 they로 바꾸고 부사 today를 that day로 바꾼다. (▶ POINT 4)

해석 그녀는 고객에게 "죄송하지만 오늘 저희는 닭 요리가 없습니다."라고 말했다.
→ 그녀는 고객에게 그녀가 죄송하지만 그들은 그날 닭 요리가 없다고 말했다.

21 해설 every가 포함된 주어 뒤에는 항상 단수동사를 쓰므로 are을 is로 고쳐야 한다. (▶ POINT 1)

해석 반의 모든 구성원은 시험을 위해 열심히 공부하고 있다.

22 해설 「both A and B」 뒤에는 항상 복수동사를 쓰므로 is로 are로 고쳐야 한다. (▶ POINT 1)

해석 축구에서는 속도와 힘 모두 중요하다.

23 해설 A number of ~ 뒤에는 항상 복수동사를 쓰므로 is를 are로 고쳐야 한다. (▶ POINT 1)

해석 많은 사슴들이 들판에서 뛰고 있다.

24 해설 학과명 주어 뒤에는 항상 단수동사를 쓰므로 are을 is로 고쳐야 한다. (▶ POINT 1)

해석 경제학은 고등학교에서 필수 과목이다.

25 해설 역사적 사실을 말할 때는 주절의 시제와 상관없이 종속절에 항상 과거시제를 쓰므로 lands를 landed로 고쳐야 한다. (▶ POINT 2)

해석 닐 암스트롱이 1969년에 달에 착륙했다고 책에 쓰여있다.

26 해설 each가 포함된 주어 뒤에는 항상 단수동사를 쓰므로 admit을 admits로 고쳐야 한다. (▶ POINT 1)

해석 각각의 표는 성인 한 명이 들어갈 수 있어서, 우리는 세 장을 샀다.

27 해설 「both A and B」 뒤에는 항상 복수동사를 쓰므로 works를 work로 고쳐야 한다. (▶ POINT 1)

해석 나의 아빠와 엄마 모두 국립 은행에서 일을 하신다.

28 해설 The number of ~ 뒤에는 항상 단수동사를 쓰므로 are을 is로 고쳐야 한다. (▶ POINT 1)

해석 교차로에서의 사고량이 늘고 있다.

29 해설 국가명 주어 뒤에는 항상 단수동사를 쓰므로 are을 is로 고쳐야 한다.
(▶ POINT 1)

해석 필리핀은 다양한 문화를 가진 다민족 국가이다.

30 해설 역사적 사실을 말할 때는 주절의 시제와 상관없이 종속절에 항상 과거시제를 쓰므로 is를 was로 고쳐야 한다. (▶ POINT 2)

해석 나는 George Washington이 미국의 첫 번째 대통령인 것을 안다.

31 해설 주절이 현재시제이므로 종속절에는 '오늘 밤 눈이 올 것이다'는 의미에 따라 미래시제를 쓴다. (▶ POINT 2)

해석 기상캐스터는 오늘 밤에 눈이 올 것이라고 말한다.

32 해설 주절이 과거시제이므로 종속절에는 '시험을 내겠다'는 의미에 따라 과거시제 would give를 쓴다. (▶ POINT 2)

해석 선생님은 우리에게 다음주에 그녀가 시험을 내겠다고 말했다.

33 해설 주절이 과거시제이므로 종속절에는 '돌보겠다'라는 의미에 따라 과거시제 would take care of를 쓴다. (▶ POINT 2)

해석 Sarah는 다음 날 그녀가 나의 고양이를 돌보겠다고 말했다.

34 해설 주절이 현재시제이므로 종속절에는 '대기오염이 큰 문제이다'라는 의미에 따라 현재시제를 쓴다. (▶ POINT 2)

해석 나는 대기오염이 큰 문제라고 생각한다.

35 해설 주절이 과거시제이므로 종속절에는 '데려가겠다'라는 의미에 따라 과거시제 would take를 쓴다. (▶ POINT 2)

해석 나의 아빠는 나를 놀이공원에 데려가겠다고 약속했다.

36 해설 주절이 과거시제이므로 종속절에는 '그 전날 그 영화를 보고 싶었다'라는 의미에 따라 과거완료시제 had wanted를 쓴다. (▶ POINT 2)

해석 그는 그가 그 전날 그 영화를 보고 싶었다고 말했다.

37 해설 의문사가 없는 의문문의 직접 화법은 「ask + (목적어) + if[whether] + 주어 + 동사」의 형태로 바꿔 쓴다. (▶ POINT 5)

38 해설 평서문의 직접 화법은 「tell + 목적어(+ that) + 주어 + 동사」의 형태로 바꿔 쓴다. (▶ POINT 4)

39 해설 의문사가 없는 의문문의 직접 화법은 「ask + (목적어) + if[whether] + 주어 + 동사」의 형태로 바꿔 쓴다. (▶ POINT 5)

40 해설 평서문의 직접 화법은 「tell + 목적어(+ that) + 주어 + 동사」의 형태로 바꿔 쓴다. (▶ POINT 4)

41 해설 평서문의 직접 화법은 「tell + 목적어(+ that) + 주어 + 동사」의 형태로 바꿔 쓴다. (▶ POINT 4)

해석 • 그가 내게 말했다.
• 나는 네 걱정이 이해가 되지 않는다.
→ 그가 내게 그는 내 걱정이 이해가 되지 않는다고 말했다.

42 해설 의문사가 없는 의문문의 직접 화법은 「ask + 목적어 + if[whether] + 주어 + 동사」의 형태로 바꿔 쓴다. (▶ POINT 5)

해석 • Ryan은 Julia에게 물었다.
• 너는 잡지를 가져갔니?
→ Ryan은 Julia에게 그녀가 잡지를 가져갔는지 물었다.

43 해설 평서문의 직접 화법은 「tell + 목적어(+ that) + 주어 + 동사」의 형태로 바꿔 쓴다. (▶ POINT 4)

해석 • 선생님이 우리에게 말씀하셨다.
• 너희는 오늘 너희의 파트너와 함께 활동할 수 있다.
→ 선생님이 우리에게 그날 우리는 우리의 파트너와 함께 활동할 수 있다고 말씀하셨다.

44 해설 의문사가 없는 의문문의 직접 화법은 「ask + 목적어 + if[whether] + 주어 + 동사」의 형태로 바꿔 쓴다. (▶ POINT 5)

해석 • 나의 할머니는 나에게 물었다.
• 너는 나와 함께 걷겠니?
→ 나의 할머니는 나에게 내가 그녀와 함께 걷겠는지 물었다.

특수구문

POINT 1   강조: It is ~ that 강조 구문   p. 140

1 The president gave a speech at the museum last month.
대통령은 지난달에 박물관에서 연설을 했다.
→ It was at the museum that the president gave a speech last month.
대통령이 지난달에 연설을 한 곳은 바로 박물관이다.

2 Paul visited the hospital this morning.
Paul은 오늘 아침에 병원을 방문했다.
→ It was Paul that visited the hospital this morning.
오늘 아침에 병원을 방문한 사람은 바로 Paul이다.

3 Henry took a walk in the park earlier today.
Henry는 오늘 일찍 공원에서 산책을 했다.
→ It was earlier today that Henry took a walk in the park.
Henry가 공원에서 산책을 한 때는 바로 오늘 일찍이다.

4 Those students clean the beach every weekend.
그 학생들은 주말마다 해변을 청소한다.
→ It is the beach that those students clean every weekend.
그 학생들이 주말마다 청소하는 것은 바로 해변이다.

5 I called my grandmother from home this afternoon.
나는 오늘 오후에 집에서 나의 할머니에게 전화를 했다.
→ It was my grandmother that I called from home this afternoon.
내가 오늘 오후에 집에서 전화를 한 사람은 바로 나의 할머니였다.

6 It was the suspect that the police caught at the mall yesterday.

7 It is every morning that she eats an apple at home.

8 It is a new computer that I want for Christmas.

9 It was Mr. Anderson that organized the event last year.

10 It is in Italy that we will eat pasta next week.

POINT 2   강조: 동사를 강조하는 do   p. 141

1 She believes Theo stole her wallet.
그녀는 Theo가 그녀의 지갑을 훔쳤다고 믿는다.
→ She does believe Theo stole her wallet.
그녀는 Theo가 그녀의 지갑을 훔쳤다고 정말 믿는다.

2 Tabby knows a lot of people.
Tabby는 많은 사람들을 안다.
→ Tabby does know a lot of people.
Tabby는 많은 사람들을 정말 안다.

3 Pets require much attention and care.
반려동물은 많은 관심과 돌봄을 필요로 한다.
→ Pets do require much attention and care.
반려동물은 많은 관심과 돌봄을 정말 필요로 한다.

4 Dad wears glasses when he drives.
아빠는 그가 운전할 때 안경을 쓴다.
→ Dad does wear glasses when he drives.
아빠는 그가 운전할 때 안경을 정말 쓴다.

5 I turned off the lights before I left the house.
나는 집을 떠나기 전에 불을 껐다.
→ I did turn off the lights before I left the house.
나는 집을 떠나기 전에 불을 정말 껐다.

6 I did want to pass the exam.

7 Many hikers do visit the mountain every day.

8 The shop does get very busy in December.

9 The medicine did help me feel better.

10 Crocodiles do live in the Nile River.

11 She did receive the invitation to the wedding.

12 I did remember to bring some water.

POINT 3 도치

p. 142

1 A nice café was around the corner.
→ Around the corner was a nice café.
좋은 카페가 길모퉁이를 돌아서 있었다.

2 She seldom talked about her feelings.
→ Seldom did she talk about her feelings.
그녀는 좀처럼 그녀의 기분에 대해 이야기하지 않았다.

3 The children rolled down the hill.
→ Down the hill rolled the children.
아이들은 언덕을 굴러서 내려갔다.

4 The worker was hardly busy.
→ Hardly was the worker busy.
그 노동자는 거의 바쁘지 않았다.

5 The sharks swam in the water.
→ In the water swam the sharks.
상어들이 물에서 헤엄쳤다.

6 Under the tree slept the cat.

7 At the bus station waited many people.

8 Toward the castle walked the girl.

9 Rarely did they speak to each other.

10 On the wall hung the picture.

11 Hardly could she believe the news.

12 Never have I flown on a plane.

POINT 4 부정

p. 143

1 None of the computers in the library worked.

2 Fruit juice is not always healthy.

3 Not all of the trees were cut down.

4 Neither of my friends could come over to my house.

5 Not every road was blocked by traffic.

6 I don't always go to school early.

7 None of the council members voted for Mr. Stewart.

8 Not all of the dishes looked delicious.

9 I had no complaints at all.

10 Neither coffee nor tea will be served today.

11 Never have I imagined that I would meet my hero.

기출문제 풀고 짝문제로 마무리!

p. 144

01 It was a bear that stole our food from the tent last night.

02 It was at the baseball game that I left my jacket on Monday.

03 It is piano that Lisa's mother teaches at home on the weekends.

04 Jared does go to sleep before 10 P.M.

05 Thomas did tell his biggest secret about himself to Christina.

06 It was Stefan that asked me to lend him my umbrella yesterday.

07 It is at the park that my brother plays with his friends after school.

08 It is his teacher that Peter helps in the science lab on Tuesdays.

09 I do hope you get better soon.

10 Mr. Bloom did play soccer on a professional team in his early years.

11 I do know that we are in trouble.

12 Aaron did wish that his team would win the championship.

13 At the hospital are the doctors waiting for the patients.

14 Never has Ella thought about moving abroad.

15 In the east rose the sun in the morning.

16 Within the books is the answer you are looking for.

17 You do remember Jackson, right?

18 The bus does depart from this station every hour.

19 In Daegu are a lot of wonderful restaurants.

20 Hardly did the students expect a pop quiz to be given today.

21 Toward the camera posed the model with the flower.

22 In the waiting room waited Will for his name to be called.

23 It was the train to Gwangju that they missed yesterday.

24 She did like the new pillow.

25 The elderly are not always reluctant to change.

26 None of them could sing the song.

27 It is in the fall that the mountain becomes colorful.

28 It was the vase that Sarah broke in the afternoon.

29 He did agree to take the subway.

30 Not all of the people in the room noticed the difference.

31 We have no seats left on the flight to LA.

32 It is in the gym that the basketball game will be held.

33 does → do

34 worried → worry

35 I had → had I

36 she can play → can she play

37 many people go → go many people

38 brushed → brush

39 do appears → does appear

40 studied → study

41 Ben had → had Ben

42 you can → can you

43 the lion stayed → stayed the lion

44 looked → look

45 A: Did you bake the cake yesterday?
B: No. It was Sam that baked the cake yesterday.

46 A: Is there a dish I can use?
B: None of the dishes are clean.

47 A: Did you leave your cell phone at home?
B: No. It was at the library that I left my cell phone.

48 A: Did you enjoy reading those books?
B: Neither of the books was interesting.

49 A: Does Ms. Bell teach dance class on Thursday?
B: No. It is Ms. Jang that teaches dance class on Thursday.

50 A: Will you go camping at Mt. Halla on Friday?
B: No. It is at the park that I will go camping on Friday.

01 해설 주어 A bear을 It was와 that 사이에 쓴다. (▶ POINT 1)
해석 지난 밤에 곰이 텐트에서 우리의 음식을 훔쳤다.
→ 지난 밤에 텐트에서 우리의 음식을 훔친 것은 바로 곰이었다.

02 해설 부사구 at the baseball game을 It was와 that 사이에 쓴다. (▶ POINT 1)
해석 나는 월요일에 야구 경기에서 내 재킷을 두고 왔다.
→ 내가 월요일에 내 재킷을 두고 온 곳은 바로 야구 경기에서였다.

03 해설 목적어 piano를 It is와 that 사이에 쓴다. (▶ POINT 1)
해석 Lisa의 어머니는 주말에 집에서 피아노를 가르치신다.
→ Lisa의 어머니가 주말에 집에서 가르치시는 것은 바로 피아노이다.

04 해설 동사 goes를 강조할 때는 does를 go 앞에 쓴다. (▶ POINT 2)
해석 Jared는 오후 10시 전에 잠을 자러 간다.
→ Jared는 오후 10시 전에 정말 잠을 자러 간다.

05 [해설] 동사 told를 강조할 때는 did를 tell 앞에 쓴다. (▶ POINT 2)

[해석] Thomas는 Christina에게 그 자신에 대한 그의 가장 큰 비밀을 말했다.
→ Thomas는 Christina에게 그 자신에 대한 그의 가장 큰 비밀을 정말 말했다.

06 [해설] 주어 Stefan을 It was와 that 사이에 쓴다. (▶ POINT 1)

[해석] Stefan은 어제 나에게 나의 우산을 그에게 빌려 달라고 요청했다.
→ 어제 나에게 나의 우산을 그에게 빌려 달라고 요청한 사람은 바로 Stefan이었다.

07 [해설] 부사구 at the park를 It is와 that 사이에 쓴다. (▶ POINT 1)

[해석] 나의 남동생은 방과 후에 공원에서 그의 친구들과 논다.
→ 나의 남동생이 방과 후에 그의 친구들과 노는 곳은 바로 공원에서이다.

08 [해설] 목적어 his teacher를 It is와 that 사이에 쓴다. (▶ POINT 1)

[해석] Peter는 화요일마다 과학 실험실에서 그의 선생님을 돕는다.
→ Peter가 화요일마다 과학 실험실에서 돕는 사람은 바로 그의 선생님이다.

09 [해설] 동사 hope를 강조할 때는 do를 hope 앞에 쓴다. (▶ POINT 2)

[해석] 나는 네가 곧 나아지기를 바란다.
→ 나는 네가 곧 나아지기를 정말 바란다.

10 [해설] 동사 played를 강조할 때는 did를 play 앞에 쓴다. (▶ POINT 2)

[해석] Bloom 씨는 그의 젊은 시절에 전문적인 팀에서 축구를 했다.
→ Bloom 씨는 그의 젊은 시절에 전문적인 팀에서 정말 축구를 했다.

11 [해설] 동사를 강조할 때는 동사원형 앞에 do동사를 쓴다. (▶ POINT 2)

12 [해설] 동사를 강조할 때는 동사원형 앞에 do동사를 쓴다. (▶ POINT 2)

13 [해설] 장소의 부사구 At the hospital이 강조되어 문장의 맨 앞으로 올 때, 주어와 동사를 도치시켜 「장소의 부사구 + 동사 + 주어」의 어순으로 쓴다. (▶ POINT 3)

14 [해설] 부정어 Never가 강조되어 문장의 맨 앞으로 올 때, 주어와 동사를 도치시켜 「부정어 + 조동사 + 주어 + 동사」의 어순으로 쓴다. (▶ POINT 3)

15 [해설] 장소의 부사구 In the east가 강조되어 문장의 맨 앞으로 올 때, 주어와 동사를 도치시켜 「장소의 부사구 + 동사 + 주어」의 어순으로 쓴다. (▶ POINT 3)

16 [해설] 장소의 부사구 Within the books가 강조되어 문장의 맨 앞으로 올 때, 주어와 동사를 도치시켜 「장소의 부사구 + 동사 + 주어」의 어순으로 쓴다. (▶ POINT 3)

17 [해설] 동사를 강조할 때는 동사원형 앞에 do동사를 쓴다. (▶ POINT 2)

18 [해설] 동사를 강조할 때는 동사원형 앞에 do동사를 쓴다. (▶ POINT 2)

19 [해설] 장소의 부사구 In Daegu가 강조되어 문장의 맨 앞으로 올 때, 주어와 동사를 도치시켜 「장소의 부사구 + 동사 + 주어」의 어순으로 쓴다. (▶ POINT 3)

20 [해설] 부정어 Hardly가 강조되어 문장의 맨 앞으로 올 때, 주어와 동사를 도치시켜 「부정어 + 조동사 + 주어 + 동사」의 어순으로 쓴다. (▶ POINT 3)

21 [해설] 방향의 부사구 Toward the camera가 강조되어 문장의 맨 앞으로 올 때, 주어와 동사를 도치시켜 「장소의 부사구 + 동사 + 주어」의 어순으로 쓴다. (▶ POINT 3)

22 [해설] 장소의 부사구 In the waiting room이 강조되어 문장의 맨 앞으로 올 때, 주어와 동사를 도치시켜 「장소의 부사구 + 동사 + 주어」의 어순으로 쓴다. (▶ POINT 3)

23 [해설] 목적어 the train to Gwangju를 It was와 that 사이에 쓴다. (▶ POINT 1)

24 [해설] '좋아했다'의 의미로 동사 like를 강조할 때는 did를 like 앞에 쓴다. (▶ POINT 2)

25 [해설] '항상 ~인 것은 아니다'의 의미로 not always를 쓴다. (▶ POINT 4)

26 [해설] '아무도 ~가 아니다'의 의미로 none을 쓴다. (▶ POINT 4)

27 [해설] 부사구 in the fall을 It is와 that 사이에 쓴다. (▶ POINT 1)

28 [해설] 목적어 the vase를 It was와 that 사이에 쓴다. (▶ POINT 1)

29 [해설] '동의했다'의 의미로 동사 agree를 강조할 때는 did를 agree 앞에 쓴다. (▶ POINT 2)

30 [해설] '모두 ~인 것은 아니다'의 의미로 not all을 쓴다. (▶ POINT 4)

31 [해설] '아무것도 ~가 아니다'의 의미로 no를 쓴다. (▶ POINT 4)

32 [해설] 부사구 in the gym을 It is와 that 사이에 쓴다. (▶ POINT 1)

33 [해설] 동사를 강조할 때는 동사원형 앞에 do동사를 쓴다. 주어가 I이므로 does를 do로 고쳐야 한다. (▶ POINT 2)

[해석] 만약 내가 그것을 기억하고 싶다면 나는 그것을 정말 적어야 한다.

34 [해설] 동사를 강조할 때는 동사원형 앞에 do동사를 쓰므로 worried를 worry로 고쳐야 한다. (▶ POINT 2)

[해석] 우리는 날씨에 대해 정말 약간 너무 많이 걱정했다.

35 [해설] 부정어 Never가 강조되어 문장의 맨 앞으로 올 때, 주어와 동사를 도치시켜 「부정어 + 조동사 + 주어 + 동사」의 어순으로 써야 하므로 I had를 had I로 고쳐야 한다. (▶ POINT 3)

[해석] 이것이 가져올 영향에 대해 나는 전혀 고려하지 않았다.

36 [해설] 부정어 Not only가 강조되어 문장의 맨 앞으로 올 때, 주어와 동사를 도치시켜 「부정어 + 조동사 + 주어 + 동사」의 어순으로 써야 하므로 she can play를 can she play로 고쳐야 한다. (▶ POINT 3)

[해석] 그녀는 피아노를 칠 수 있을 뿐만 아니라 노래도 아름답게 부를 수 있다.

37 [해설] 장소의 부사구 To the gym이 강조되어 문장의 맨 앞으로 올 때, 주어와 동사를 도치시켜 「장소의 부사구 + 동사 + 주어」의 어순으로 써야 하므로 many people go를 go many people로 고쳐야 한다. (▶ POINT 3)

[해석] 많은 사람들은 일이 끝나고 체육관으로 간다.

38 [해설] 동사를 강조할 때는 동사원형 앞에 do동사를 쓰므로 brushed를 brush로 고쳐야 한다. (▶ POINT 2)

[해석] A: 이를 닦았니, Eric?
B: 네, 엄마. 1분 전에 화장실에 있었어요. 이번에는 이를 정말 닦았어요.

39 [해설] 동사를 강조할 때는 동사원형 앞에 do동사를 쓰므로 do appears를 does appear로 고쳐야 한다. (▶ POINT 2)

[해석] Felix는 정답이 무엇인지 아는 것으로 정말 보인다.

40 [해설] 동사를 강조할 때는 동사원형 앞에 do/does/did를 쓰므로 studied를 study로 고쳐야 한다. (▶ POINT 2)

[해석] Lexi는 시험에서 높은 점수를 받기 위해 정말 열심히 공부했다.

41 [해설] 부정어 Hardly가 강조되어 문장의 맨 앞으로 올 때, 주어와 동사를 도치시켜 「부정어 + 조동사 + 주어 + 동사」의 어순으로 써야 하므로 Ben had를 had Ben으로 고쳐야 한다. (▶ POINT 3)

[해석] Ben은 그의 고양이가 방에 들어왔다는 것을 거의 알아차리지 못했다.

42 [해설] 부정어 Rarely가 강조되어 문장의 맨 앞으로 올 때, 주어와 동사를 도치시켜 「부정어 + 조동사 + 주어 + 동사」의 어순으로 써야 하므로 you can을 can you로 고쳐야 한다. (▶ POINT 3)

[해석] 너는 다음에 무슨 일이 일어날지 거의 알 수 없다.

43 [해설] 장소의 부사구 In the shade가 강조되어 문장의 맨 앞으로 올 때, 주어와 동사를 도치시켜 「장소의 부사구 + 동사 + 주어」의 어순으로 써야 하므로 the lion stayed를 stayed the lion으로 고쳐야 한다. (▶ POINT 3)

[해석] 더운 날 사자는 그늘에 머물렀다.

44 [해설] 동사를 강조할 때는 동사원형 앞에 do동사를 쓰므로 looked를 look으로 고쳐야 한다. (▶ POINT 2)

[해석] A: 이 그림을 봐.
B: 와. 그것은 너의 여동생과 너의 개니?
A: 맞아. 그들은 닮은 것 같지 않니?
B: 그들은 정말 닮았어.

45 [해설] '바로 Sam이다'의 의미로 Sam을 강조해야 하므로 주어 Sam을 It was와 that 사이에 쓴다. (▶ POINT 1)

[해석] A: 너는 어제 케이크를 구웠니?
B: 아니. 어제 케이크를 구운 사람은 바로 Sam이야.

46 [해설] '아무것도 깨끗하지 않다'의 의미가 되어야 하므로 none을 쓴다. (▶ POINT 4)

[해석] A: 내가 쓸 수 있는 접시가 있니?
B: 접시들 중 아무것도 깨끗하지 않아.

47 [해설] '바로 도서관에다'의 의미로 at the library를 강조해야 하므로 부사구 at the library를 It was와 that 사이에 쓴다. (▶ POINT 1)

[해석] A: 너는 집에 너의 핸드폰을 두고 왔니?
B: 아니. 내가 나의 핸드폰을 두고 온 것은 바로 도서관이야.

48 [해설] '둘 다 ~가 아니다'의 의미가 되어야 하므로 neither을 쓴다. (▶ POINT 4)

[해석] A: 너는 그 책들을 읽는 것을 즐겼니?

B: 그 책들 중 어느 것도 재미있지 않았어.

49 해설 주어 Ms. Jang을 It is와 that 사이에 써서 강조할 수 있다. (▶ POINT 1)

해석 A: Bell 선생님은 목요일에 춤 수업을 가르치시니?
B: 아니. 목요일에 춤 수업을 가르치시는 분은 장선생님이야.

50 해설 부사구 at the park를 It is와 that 사이에 써서 강조할 수 있다. (▶ POINT 1)

해석 A: 너는 금요일에 한라산에 캠핑을 갈 거니?
B: 아니. 내가 금요일에 캠핑을 가는 곳은 바로 공원에야.

MEMO

MEMO

나에게 맞는 교재 선택!

| 해커스 중고등 교재 MAP |

	초 5	초 6	예비중	중 1	중 2
문법			Hackers Grammar Smart Starter	Hackers Grammar Smart Level 1	Hackers Grammar Smart Level 2
				기출로 적중 해커스 중학영문법 1학년	기출로 적중 해커스 중학영문법 2학년
서술형 구문				해커스 쓰기 자신감 Level 1	해커스 쓰기 자신감 Level 2
독해	Hackers Reading Smart Starter Level 1	Hackers Reading Smart Starter Level 2	Hackers Reading Smart Level 1	Hackers Reading Smart Level 2	Hackers Reading Smart Level 3
				Hackers Reading Ground Level 1	Hackers Reading Ground Level 2
				Hackers Reading Path Level 1	Hackers Reading Path Level 2
					해커스 첫수능 영어 기초독해
듣기				해커스 중학영어듣기 모의고사 24회 Level 1	해커스 중학영어듣기 모의고사 24회 Level 2
어휘				해커스 3연타 중학영단어	
				해커스 보카 중학 기초	해커스 보카 중학 필수
					해커스 보카 중학 숙어

	READING	LISTENING	VOCA
토플	HACKERS APEX READING for the TOEFL iBT Basic/Intermediate/Advanced/Expert	HACKERS APEX LISTENING for the TOEFL iBT Basic/Intermediate/Advanced/Expert	HACKERS APEX VOCA for the TOEFL iBT HACKERS VOCABULARY

손과 뇌가 좋아하는 **교과 퍼즐**

창의가 말랑 젤리

기획·디자인 **진선주**

손과 뇌가 좋아하는 교과 퍼즐 창의가 말랑 젤리를 소개합니다.

미션을 완성하며
창의력, 사고력을 키워요!

자투리 시간을
슬기롭게 보내요!

긍정 발랄 라미
모든 일을 해결하는 활발한 오지랖 대마왕

도도 시크 모모
까칠하지만 수줍어하는 은근 츤데레

유리 멘탈 네네
겁도 많고 마음도 여린 순둥이

호기심 대장 별
사고뭉치지만 독특한 아이디어 왕

혼자서도 재미있고
함께해도 신나요!

자유롭게 펼쳐서
마음대로 해 봐요!

우리 사이 몇 프로?

나는 가까운 사람들과 얼마나 잘 맞을까요? 하나, 둘, 셋! 동시에 A와 B 중 하나를 골라 보세요.
질문 하나에 20퍼센트, 1~5번 모두 일치하면 100퍼센트예요!

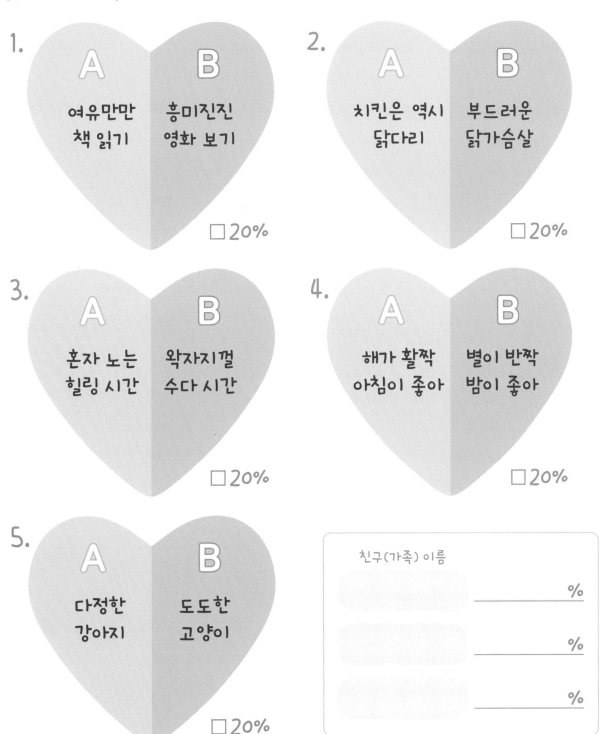

1.
A 여유만만 책 읽기
B 흥미진진 영화 보기
□ 20%

2.
A 치킨은 역시 닭다리
B 부드러운 닭가슴살
□ 20%

3.
A 혼자 노는 힐링 시간
B 왁자지껄 수다 시간
□ 20%

4.
A 해가 활짝 아침이 좋아
B 별이 반짝 밤이 좋아
□ 20%

5.
A 다정한 강아지
B 도도한 고양이
□ 20%

친구(가족) 이름
_____ %
_____ %
_____ %

0% 잠시 떨어져 있자 20% 우린 너무 달라 40% 그럭저럭 괜찮아 60% 우리 좀 잘 맞는듯 80% 정말 잘 통해 100% 우리는 찰떡궁합

단어 게임

주어진 모음과 자음을 사용해 단어를 완성하세요. (정답 50쪽)

모음 ㅏㅑㅓㅕㅗㅛㅜㅠㅡㅣ 자음 ㄱㄴㄷㄹㅁㅂㅅㅇㅈㅊㅋㅌㅍㅎ

1
ㄹ ㅣ ㅁ ㅂ ㅣ

| 비 | 밀 |

쉿! 그건 ＿＿＿ 이야!

2
ㄴ ㅣ ㅗ ㅍ ㅏ ㅇ

난 ＿＿＿ 연주자가 될 거야!

3
ㅌ ㅣ ㄹ ㅗ ㄴ ㅓ ㅇ

저 ＿＿＿ 에 있는 그네가 고장났어.

4
ㅂ ㅣ ㄱ ㄱ ㅅ ㅡ

오늘 ＿＿＿ 메뉴 어때?

5
ㅈ ㅗ ㄱ ㅏ ㄱ ㄷ ㅜ

유튜브 ＿＿＿ 가 많으면 좋대.

6
ㅌ ㅐ ㄱ ㅣ ㅋ ㅓ ㄹ

만화 ＿＿＿ 를 그려 보자.

단어 비빔밥

두 단어를 합쳐서 말을 만들어 보세요.

게임 천재

천재 바나나

후후..

달걀 모자

파티   천재   비누   알록달록   얼룩   노랑   흐물흐물   박사   머리   게임   댄스   요리   거품   볼펜   가게   배달   울퉁불퉁   우유   똥   달걀   양념   바나나   젤리   모자   냄새   치킨

어느 나라일까요?

힌트를 읽고 해당하는 나라 이름을 빈칸에 써 넣으세요. (정답 50쪽)
내가 가고 싶은 나라도 지도에서 찾아서 색칠해 보세요.

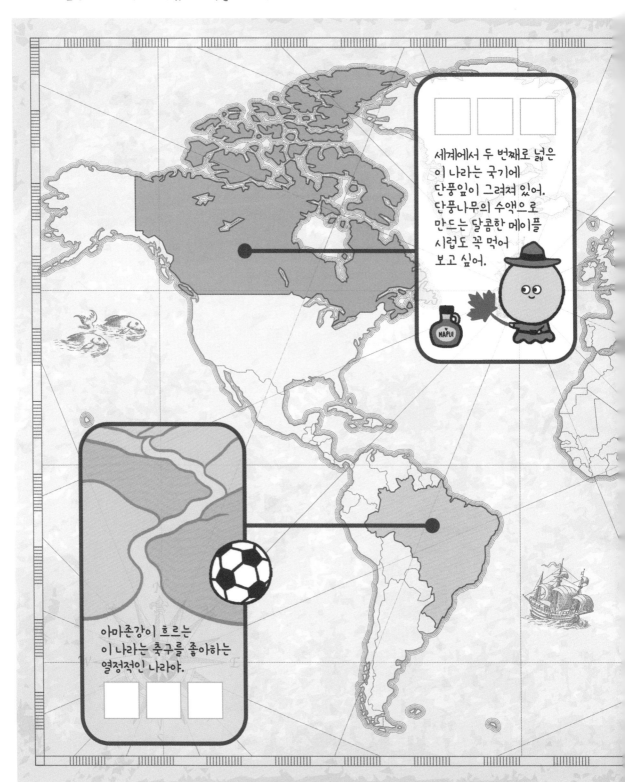

세계에서 두 번째로 넓은 이 나라는 국기에 단풍잎이 그려져 있어. 단풍나무의 수액으로 만드는 달콤한 메이플 시럽도 꼭 먹어 보고 싶어.

아마존강이 흐르는 이 나라는 축구를 좋아하는 열정적인 나라야.

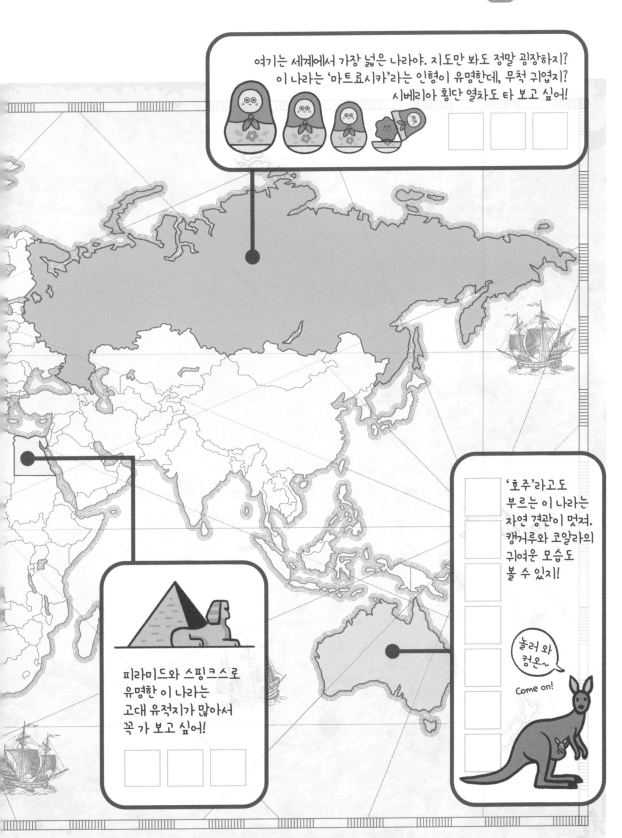

여기는 세계에서 가장 넓은 나라야. 지도만 봐도 정말 굉장하지?
이 나라는 '마트료시카'라는 인형이 유명한데, 무척 귀엽지?
시베리아 횡단 열차도 타 보고 싶어!

'호주'라고도
부르는 이 나라는
자연 경관이 멋져.
캥거루와 코알라의
귀여운 모습도
볼 수 있지!

놀러 와
컴온~

Come on!

피라미드와 스핑크스로
유명한 이 나라는
고대 유적지가 많아서
꼭 가 보고 싶어!

속담 퀴즈

그림이 설명하는 속담을 알아맞혀 보세요. (정답 51쪽)

1

#도토리

개밥에

2

#등잔

3

#날다

#뛰다

4

#남의 떡

선물 상자 만들기

펼쳐진 선물 상자를 조립하면 어떤 모양이 될까요? (정답 51쪽)

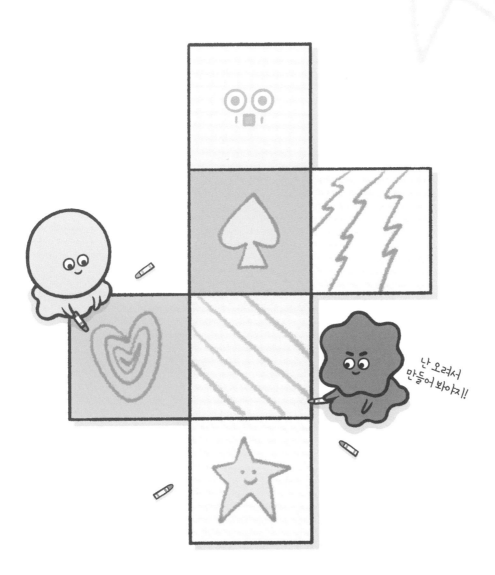

난 오려서
만들어 봐야지!

9

연습장

아름다운 책거리

우리 조상들은 귀한 책이나 붓, 도자기 등의 물건을 그린 그림을 '책거리'라고 불렀어요.
예쁜 무늬를 그려서 책거리의 빈 면을 채워 보세요.

몸으로 말해요

손가락이나 몸으로 알파벳을 표현해서 단어 퀴즈를 내 보세요.

예시

MOM

가족이나 친구에게 다음 단어를 손이나 몸으로 표현해 보세요.

WIN   BOY   CAKE

이제 상대가 내는 문제를 알아맞혀 보세요.

 저게 무슨 글자지?

 ??

 입 모양으로 하기 있냐?

라미네 빵가게

오늘은 라미네 빵가게 반값 할인하는 날!
모든 빵을 맛보고 싶다면 얼마를 내야 할까요?
빵에 색칠도 해 보세요. (정답 51쪽)

50%

단팥빵
2,500원

초코빵
2,000원

딸기머핀
3,500원

식빵
1,500원

소시지롤
2,000원

롤케이크
4,500원

산딸기케이크
10,000원

원

숫자를 읽어라

숫자를 읽어 보세요. 네 자리씩 떼어 세어요. (정답 52쪽)

저금통에 돈이

₩ **173,620**
십만 만 천 백 십 일

십칠만 삼천육백이십   원

게시물에 '좋아요'가

♥ **1,891,213**

개

내가 그린 초상화가

$ **754,111,000**

달러

1,000달러만
깎아주시오~

바다에 물고기가

🐟 **4,655,760,010**

마리

14

네 글자 완성하기

빈칸을 채워서 네 글자 단어를 완성해 보세요.

1 | 횡 | 단 | | |

2 | | | 구 | 리 |

3 | 아 | 보 | | |

4 | 미 | 끄 | | |

5 | 회 | 전 | | |

6 | | | 라 | 미 |

7 | 동 | 문 | | |

쇼핑

카트!

목록!

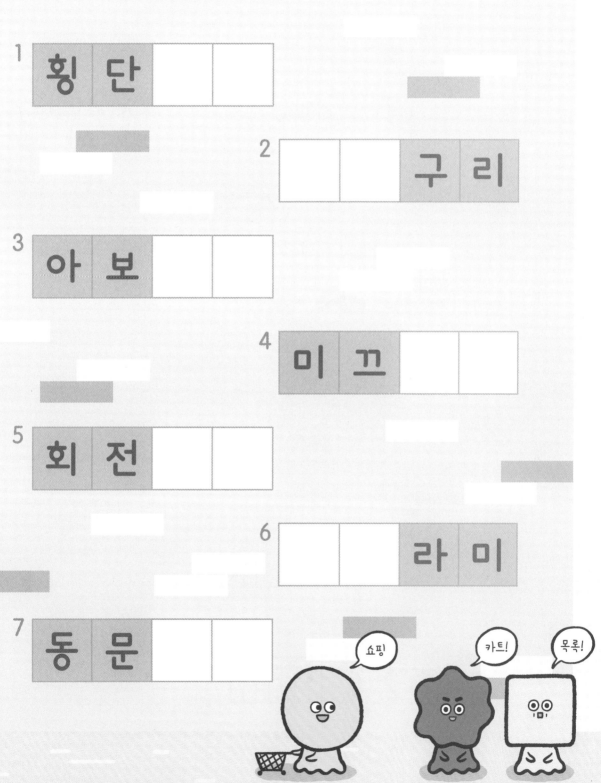

15

그림 퀴즈

그림을 보고 떠오르는 단어를 알아맞혀 보세요. (정답 52쪽)

1

#아이

| 아 | 이 | 돌 |

2

#콩

| | | |

3

| | | |

4

 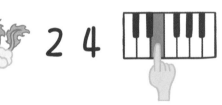 
#용

| | | |

뚜벅뚜벅 길 찾기

월   일   요일

신과 #방향 #교통질서 #논리력

라미가 친구와 만나기로 했어요. 다음의 지시문을 보고 약속 장소를 알아맞혀 보세요.
라미의 시점으로 따라가는 것을 잊지 마세요! (직진: 똑바로 가기, 좌회전: 왼쪽으로 돌기, 우회전: 오른쪽으로 돌기)
(정답 52쪽)

정답:

길어지는 단어 기차

계절과 관련된 단어를 떠올리며 칸을 채워 보세요.

봄 이 되면 꽃 도 있고 ⬜⬜ 도 있고 ⬜⬜⬜ 도 있고

도 있지. ⬜⬜⬜⬜⬜ 도 있고 ⬜⬜⬜⬜

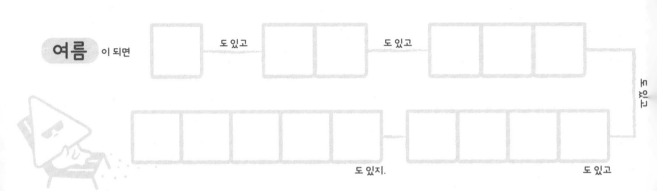

여름 이 되면 ☐ 도 있고 ☐☐ 도 있고 ☐☐☐ 도 있고

☐☐☐☐☐ ☐☐☐ 도 있지. 도 있고

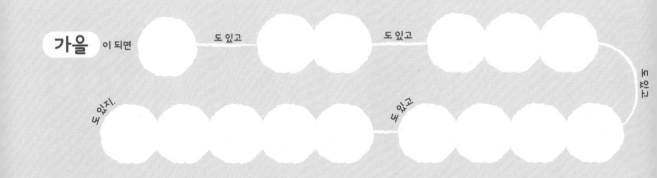

가을 이 되면 ◯ 도 있고 ◯◯ 도 있고 ◯◯◯ 도 있고

도 있지. ◯◯◯◯◯ 도 있고 ◯◯◯◯

겨울 이 되면 ☐ 도 있고 ☐☐ 도 있고 ☐☐☐ 도 있고

☐☐☐☐☐☐ ☐☐☐☐ 도 있지. 도 있고

오늘의 일기

맞춤법이 맞는 단어에 동그라미를 쳐서 일기를 완성해 보세요. (정답 52쪽)

 아침에 일어나 눈꼽 / 눈곱 을 떼고, 오늘이 며칠 / 몇일 인지 확인했다.

 오늘은 내 생일이잖아?! 부엌 / 부억 에서는 만두국 / 만둣국 냄새가 났다.

왠지 / 웬지 기분이 좋아서 이불을 반드시 / 반듯이 정리하고, 이도 꼼꼼이 / 꼼꼼히 닦았다.

오늘은 내 생일이니까! 흐뭇~

"아니! 왠일로 / 웬일로 이렇게 일찍 일어났니?

이런! 미역국을 끓일 걸 그랬네! 깜빡 잊어버렸어. / 잃어버렸어.

대신 저녁에 오무라이스 / 오므라이스 해 줄게!"

19

소시지 끝말잇기

줄줄이 소시지에 끝말잇기 단어를 넣어 보세요.

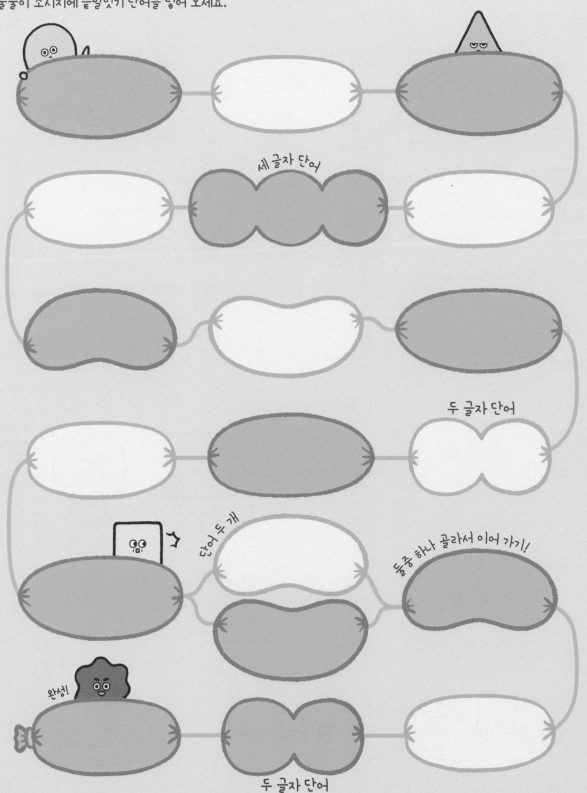

세 글자 단어

두 글자 단어

단어 두 개

둘 중 하나 골라서 이어 가기!

완성!

두 글자 단어

뭐가 보이니?

사물을 눈으로 볼 때 실제와 다르게 느끼는 것을 **착시 현상**이라고 해요.
그림에 뭐가 보이나요? 내가 원하는 그림으로 보이도록 색칠해서 완성해 보세요.

마음의 문을
열어 봐.

삐뚤삐뚤 이상한 벽

벽에 타일을 붙였는데 뭔가 삐뚤삐뚤 이상하게 보여요. 무엇이 잘못된 걸까요? (정답 53쪽)

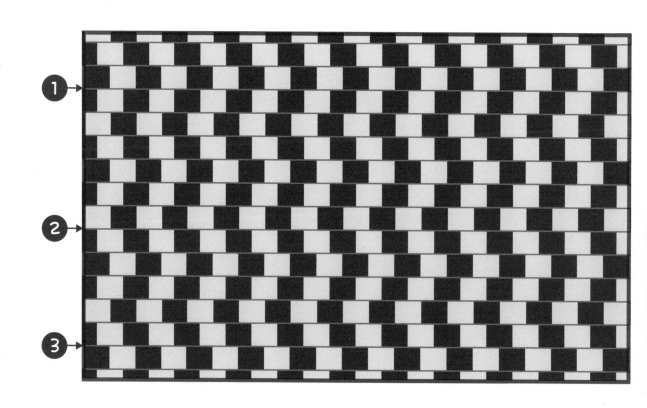

타일을 이렇게 삐뚤삐뚤하게 붙이면 어떡해!

모모

문제 잘못된 부분은 무엇일까요?

① 1번 줄　　② 2번 줄　　③ 3번 줄　　④ 모든 줄　　⑤ 모모의 말

월   일   요일
나의 기록: 분   초
수학 · 게임 · #상식 #덧셈 #계산력

스피드 3단 퀴즈

주어진 문제를 최대한 빨리 풀어 보세요. 얼마나 걸리나요? (정답 53쪽)

1. 오징어 다리 개수는?

2. 우리나라 광복절은 언제?

3. 일 년은 며칠?

모두 더하면 얼마?

분리수거의 달인

실과 #상식 #논리

쓰레기를 알맞은 분리 수거통과 연결해 보세요. 노란 경고 박스에 주의사항도 써 보세요.
너무 쉽다면 당신은 분리수거의 달인! (정답 53쪽)

음료가 남은 유리병

2

잠깐!
버리기 전에 병 속은..

1 동생이 낙서한 다 쓴 노트

신문지

3

뚜껑 4

깨끗한 페트병

5 물

6 페트병

라벨

7 나무 젓가락

깨진 유리 꽃병

잠깐!
버리기 전에 깨진 유리는..

8

플라스틱 스프링과
플라스틱 표지가 있는 수첩

10 표지

스프링

9

11 속지

플라스틱류

A 일반쓰레기

B 종이류

C 투명페트병

D 기타플라스틱

E 유리병류

24

이행시 짓기

주어진 낱말로 이행시를 지어 보세요.

오 오늘도 나는

이 이행시를 짓는다.

안

경

만

두

전

화

우

유

매

너

달

빛

사

과

양

말

꿀

벌

모양 추리 게임

어떤 운동일까요? 계속 보고 있으면 멋진 모습이 서서히 나타날 거예요. (정답 53쪽)

1

정답:

2

정답:

3

정답:

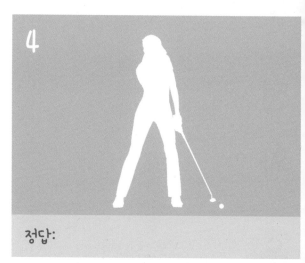

4

정답:

5

정답:

6

정답:

동생의 일기

동생의 일기에서 틀린 글자를 고쳐 주세요.
띄어써야 하는 곳에는 V 표시를 해 주세요. (정답 54쪽)

O월 O일 O요일 날씨 맑금 맑음

어제 친구랑 학교V마치고 떡뽁기를

사먹었다. 그런데 먹다가 양염이 옷에

티어서 얼룩덜룩 자국이 생겼다.

엄마한테 혼날까봐 걱정했는데

엄마가 괜찮다시며 다음에는 주의하라고

말씀해 주셨다. 휴~ 다행이다.

틀린 글자: ●○○○○
띄어쓸 곳: V V V

27

여행을 떠나요

우리나라 지역의 이름을 알아맞혀 보세요. (정답 54쪽)

지도를
잘 살펴봐~

인천

울릉도

독도

충청북도

세종

대전

대구

울산

지도를 단디
보고 써래이~

광주

전라남도

경상남도

보기

경기도, 강원도, 충청북도,
충청남도, 전라북도, 전라남도,
경상북도, 경상남도

보기를 읽고 지역의 이름을 알아맞혀 보세요. 또 어디에 가 보고 싶은가요? (정답 54쪽)

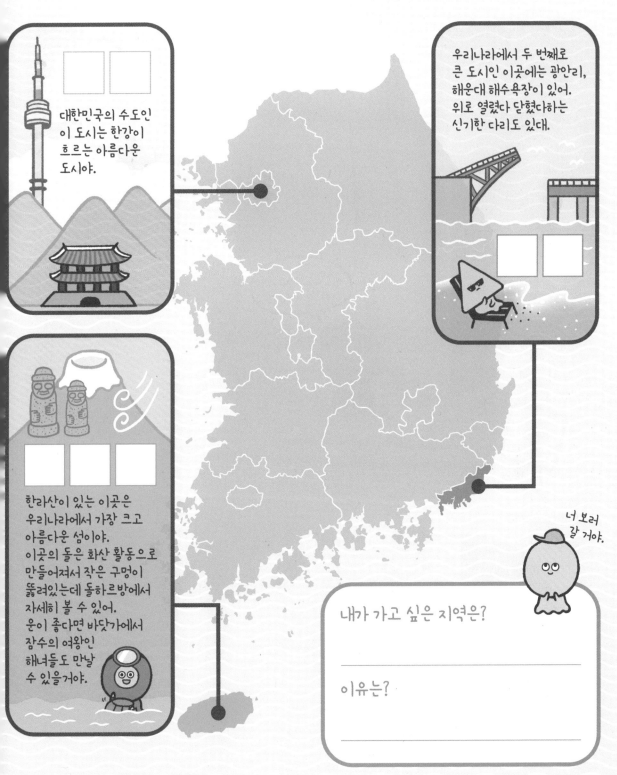

대한민국의 수도인 이 도시는 한강이 흐르는 아름다운 도시야.

우리나라에서 두 번째로 큰 도시인 이곳에는 광안리, 해운대 해수욕장이 있어. 위로 열렸다 닫혔다하는 신기한 다리도 있대.

한라산이 있는 이곳은 우리나라에서 가장 크고 아름다운 섬이야. 이곳의 돌은 화산 활동으로 만들어져서 작은 구멍이 뚫려있는데 돌하르방에서 자세히 볼 수 있어. 운이 좋다면 바닷가에서 잠수의 여왕인 해녀들도 만날 수 있을거야.

너 보러 갈 거야.

내가 가고 싶은 지역은?

이유는?

디저트 맛집

미술 과학 #색칠하기 #기체 #창의

예쁘고 맛있는 메뉴가 가득한 디저트 가게에 왔어요.
친구는 오렌지 에이드와 초코 도넛을 주문했네요. 나는 어떤 특별한 메뉴를 주문해 볼까요?
디저트 반 쪽을 색칠하고 나의 디저트도 그려 보세요.

근데 탄산음료에
뽀글뽀글 올라오는
건 대체 뭘까?

그건 탄산 가스라는
이산화 탄소야!

꽉 눌러 담아서
음료에 녹인 거지.

압력 (누르는 힘)
그만 눌러..

윽...뚜껑을 열면
누르는 힘이 없어지니까
그때 올라가자!

마음이 콩닥콩닥

사람이나 사물의 소리를 흉내 낸 말을 '의성어'라고 해요.
의성어를 보고 문장을 완성해 보세요. 쓰다 보면 멋진 시가 완성될 걸요~

드르렁드르렁... 아빠가 코를 고시네.

뽀드득뽀드득...

달그락달그락...

쏴아아...

철썩철썩...

부릉부릉...

찰칵찰칵...

화장실 타일 닦기

한 번에
끝내게 해줘.

화장실 청소에 걸린 네네는 화장실 바닥의 타일을 모두 닦아야 해요.
1~8번의 순서대로 모든 타일을 한 번 씩만 지나가려면 어떻게 움직여야 할까요?
빨간 벽을 피해서 가로 세로 직선으로 표시해 보세요. 대각선은 안 돼요. (정답 54쪽)

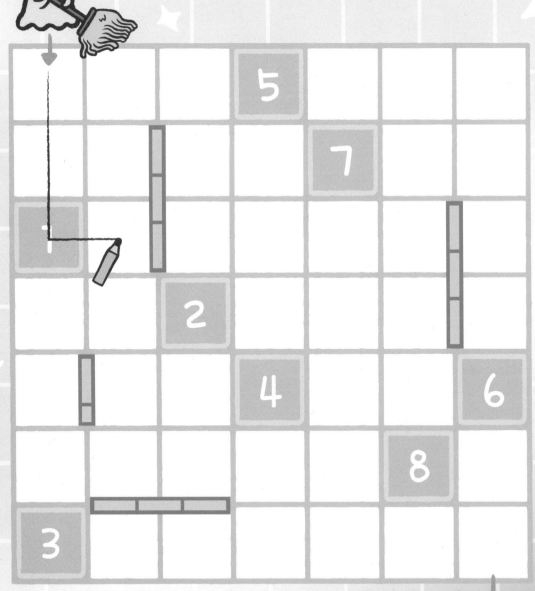

청소 끝

암호를 풀어라

누군가 컴퓨터에 암호를 걸어 놓았어요.
여섯 개의 키보드 알파벳에 지문이 묻어 있네요.
암호는 어떤 단어일까요? (정답 55쪽)

S [ ] [ ] D [ ] [ ]

알쏭달쏭 이모티콘

창의융합 #연상 #추리력

친구에게 영화를 추천해 달라고 했더니 문자가 왔어요.
그런데 이모티콘을 보고 어떤 영화인지 맞혀 보래요. 영화의 제목은 무엇일까요? (정답 55쪽)

쉿! 비밀이야

너만 믿고 기다릴게.

공원에서 친구와 만나기로 했는데, 무슨 요일에 만나는지 암호를 만들었대요.
아래 숫자판에서 5의 배수인 칸을 모두 찾으면 암호를 풀 수 있다고 하니
5의 배수를 모두 찾아서 색칠해 보세요. 구구단 5단을 외워 보면 더 쉽지롱! (정답 55쪽)

8	14	25	5	40	15	30	0	47
13	71	45	7	12	18	1	24	16
43	63	55	10	60	75	110	2	23
78	3	5	9	4	29	31	72	67
26	66	70	20	35	65	100	38	39
44	111	19	87	85	32	99	88	31
17	93	51	76	30	21	46	74	61
82	80	115	75	50	90	95	105	77

언제 만나자는 거지?
그냥 말해 주면 안 되나?

정답: 요일

◯✗ 퀴즈

과학 국어 #맞춤법 #상

O, X 퀴즈를 풀어보세요. (정답 55쪽)

낙타의 혹에는
물이 들어있다.

◯　✗

일란성 쌍둥이는
혈액형이 똑같다.

◯　✗

혀말기를 못하면
발음이 샌다.

◯　✗

거짓말을 하면
딸꾹질이 나온다.

◯　✗

맞춤법

김치찌게

◯　✗

맞춤법

돈가스

◯　✗

36

알록달록 노래방

음악 #피아노치기

건반에 표시된 색을 보고 노래 가사를 알아맞혀 보세요. (정답 56쪽)

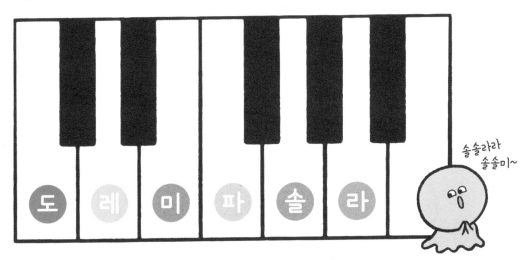

솔솔라라
솔솔미~

1.

학교 종이   땡땡땡

2.

3.

4.

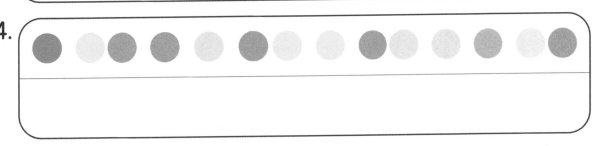

모양의 규칙

규칙을 찾아서 아래의 문제를 풀어 보세요. (정답 56쪽)

무슨 규칙이 있는 거지?

● ⬤ + 🔺 + ⬛ = 8

● ⬤ - ⬛ - 🔺 = 2

● ⬛ - 🔺 + ⬤ = 6

● ⬤ + ⬤ - ⬛ = 8

● 🔺 + 🔺 + ⬛ = 4

문제

⬤ + ⬛ - 🔺 = ☐

38

인터뷰 카드

하고 나면 더 친해지는 신기한 인터뷰!
맘에 드는 알파벳 카드를 골라서 친구와 서로 질문해 보세요.

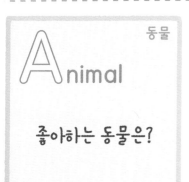

동물

Animal

좋아하는 동물은?

쉬운

Easy

제일 쉬운 과목은?

아이돌, 우상

Idol

좋아하는
아이돌은?

책

Book

감명 깊게
읽은 책은?

음식

Food

좋아하는
음식은?

농담

Joke

재밌는
얘기해 줘.

색

Color

무슨 색 좋아해?

게임

Game

좋아하는
게임은?

한국인

Korean

존경하는
한국인은?

춤

Dance

춤과 노래 중
자신있는 건?

취미

Hobby

취미 뭐야?

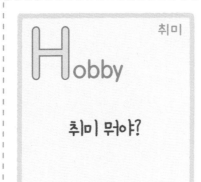

가장 긴

Longest

제일 길었던
여행은?

유명해지면 바쁘니까
미리 인터뷰해 줄게~

M ovie · 영화

나의 인생 영화는?

Q uestion · 질문

아무 질문이나 해.

V acation · 방학

방학 되면
뭐 할 거야?

N ickname · 별명

별명 뭐야?

R ain · 비

비 오는 날이
좋은/싫은
이유는?

W orst · 최악의

내가 본 최악의
영화는?

O cean · 바다

바다가 좋아?
산이 좋아?

S ong · 노래

제일 좋아하는
노래는?

X -mas · 크리스마스

크리스마스에
뭐 할 거야?

P lay · 놀다 · 연주하다

연주할 수
있는 악기는?

T elevision · 텔레비전

요즘 뭐 봐?

Y outube · 유튜브

요즘 뭐 봐?

U FO · 유에프오 · 미확인 비행 물체

UFO 믿어?

Z odiac sign · 별자리

별자리 뭐야?

나도 소설가

단어 주머니 속 단어들을 최대한 많이 사용해서
이야기를 만들어 보세요.

단어 주머니

우산   동전   친구   건망증   약속   지갑

휴대폰   등굣길   낙타   배탈   비   여행

병원   불꽃놀이   만두   파도

음.. 떠오른다..
떠올라..

내가 만드는 창의 놀이

내가 만드는 창의 놀이

내가 만드는 창의 놀이

정답

4쪽

단어 게임

주어진 모음과 자음을 사용해 단어를 완성하세요.

1
ㄹ ㅣ ㅁ ㅂ ㅣ
비 밀
쉿! 그건 ____ 이야!

2
ㄴ ㅗ ㅍ ㅏ ㅇ
피 아 노
난 ____ 연주자가 될 거야!

3
ㅌ ㄹ ㅗ ㄴ ㅓ ㅇ
놀 이 터
저 ____ 에 있는 그네가 고장났어.

4
ㅂ ㅣ ㄱ ㄱ ㅅ ㅡ
급 식
오늘 ____ 메뉴 어때?

5
ㅈ ㅗ ㄱ ㅏ ㄱ ㄷ ㅜ
구 독 자
유튜브 ____ 가 많으면 좋대.

6
ㅌ ㅐ ㄱ ㅣ ㅋ ㅓ ㄹ
캐 릭 터
만화 ____ 를 그려 보자.

6~7쪽

어느 나라일까요?

힌트를 읽고 해당하는 나라 이름을 빈칸에 써넣으세요. 내가 가고 싶은 나라도 지도에서 찾아서 색칠해 보세요.

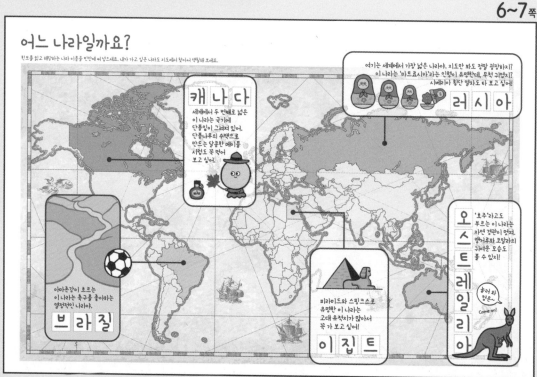

세계에서 두 번째로 넓은 이 나라는 국기에 단풍잎이 그려져 있어. 단풍나무의 수액으로 만드는 달콤한 메이플 시럽도 꼭 먹어 보고 싶어!
캐 나 다

여기는 세계에서 가장 넓은 나라야. 지도만 봐도 정말 꽉차지? 이 나라는 '마트료시카'라는 인형이 유명한데, 무척 귀엽대! 시베리아 횡단 열차도 타 보고 싶어!
러 시 아

아마존강이 흐르는 이 나라는 축구를 좋아하는 열정적인 나라야.
브 라 질

피라미드와 스핑크스로 유명한 이 나라는 고대 유적지가 많아서 꼭 가 보고 싶어!
이 집 트

'호주'라고도 부르는 이 나라는 자연 경관이 멋져. 캥거루와 코알라의 귀여운 모습도 볼 수 있지!
오 스 트 레 일 리 아

8쪽

속담 퀴즈

그림이 설명하는 속담을 알아맞혀 보세요.

속담 뜻풀이

1 개밥에 도토리

개는 도토리를 먹지 않기 때문에 밥 속에 있어도 먹지 않고 남긴다는 뜻에서, 따돌림을 받아 사람들 사이에 끼지 못하는 사람을 비유적으로 이르는 말.

2 등잔 밑이 어둡다.

가까이 있는 것을 오히려 잘 알기 어렵다는 말.

3 뛰는 놈 위에 나는 놈 있다.

아무리 재주가 뛰어나다 하더라도 그보다 더 뛰어난 사람이 있다는 뜻으로, 스스로 뽐내는 사람을 경계하여 이르는 말.

4 남의 손의 떡은 커 보인다.

물건은 남의 것이 제 것보다 더 좋아 보이고 일은 남의 일이 제 일보다 더 쉬워 보임을 비유적으로 이르는 말.

9쪽

13쪽

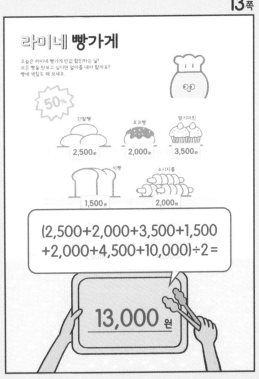

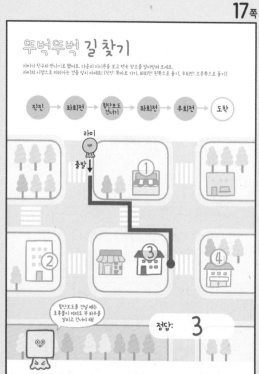

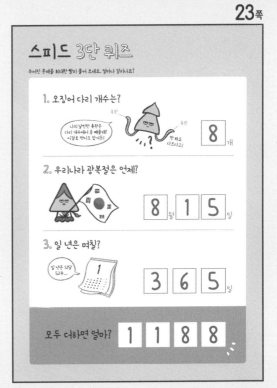

27쪽

동생의 일기

동생의 일기에서 틀린 글자를 고쳐 주세요.
띄어써야 하는 곳에는 V 표시를 해 주세요.

O월 O일 O요일 날씨 맑음

어제 친구랑 학교마치고 V 떡볶이를
떡볶이를

양념이오에 V 사먹었다. 그런데 먹다가
향념

옷에 얼룩덜룩 자국이 생겼다.
튀어서

엄마한테 혼날까 V 봐 걱정했는데

엄마가 괜찮다시며 다음에는 주의하라고

말씀해 주셨다. 휴~ 다행이다.

틀린 글자: ●●●●●
띄어쓸 곳: V V V

28쪽

여행을 떠나요

우리나라 지역의 이름을 알아맞혀 보세요.

강원도
경기도
충청북도
충청남도
경상북도
전라북도
전라남도
경상남도

보기

경기도, 강원도, 충청북도,
충청남도, 전라북도, 전라남도,
경상북도, 경상남도

29쪽

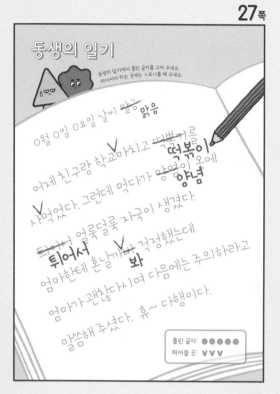

글을 읽고 지역의 이름을 알아맞혀 보세요. 또 어디에 가 보고 싶은가요?

서울
대한민국의 수도인
이 도시는 한강이
흐르는 아름다운
도시야.

우리나라에서 두 번째로
큰 도시인 이곳에는 광안리,
해운대 해수욕장이 있어.
바로 헤엄쳐 닿겠다는
신기한 다리도 있대.

부산

제주도
한라산이 있는 이곳은
우리나라에서 가장 크고
아름다운 섬이야.

내가 가고 싶은 지역은?

이유는?

32쪽

화장실 타일닦기

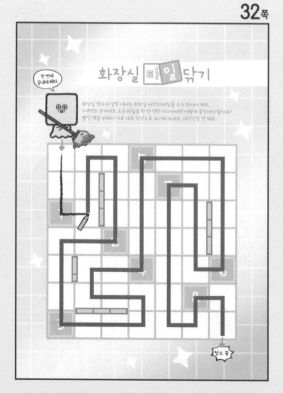

33쪽

암호를 풀어라

누군가 컴퓨터에 암호를 걸어 놓았어요.
여섯 개의 키보드 알파벳에 지문이 묻어 있네요.
암호는 어떤 단어일까요?

S U N D A Y

34쪽

알쏭달쏭 이모티콘

친구에게 영화를 추천해 달라고 했더니 문자가 왔어요.
그런데 이모티콘을 보고 어떤 영화인지 맞혀 보래요. 영화의 제목은 무엇일까요?

라이온 킹

겨울왕국

스파이더맨

알라딘

35쪽

쉿! 비밀이야

나만 믿고 가자고.

공원에서 친구와 만나기로 했는데, 무슨 요일에 만나는지 암호를 만들었대요.
아래 숫자판에서 5의 배수인 칸을 모두 찾으면 암호를 알 수 있다고 하니
5의 배수를 모두 찾아서 색칠해 보세요. 구구단 5단을 외우면 더 쉽지롱!

8	14	25	5	40	15	39	0	47
13	71	45	7	12	18	1	24	16
43	63	55	10	60	75	110	2	23
78	3	4	9	29	31	72	67
26	66	70	20	35	65	100	38	39
44	111	19	87	50	32	99	88	31
17	93	51	76	30	21	46	74	61
82	80	114	15	50	90	85	105	77

언제 만나냐고 개미!
그냥 말해 주면 안 되냐?

정답: **토** 요일

36쪽

○Ⅹ 퀴즈

O,X 퀴즈를 풀어보세요.

낙타의 혹에는
지방이 들어 있어요.
○ **Ⅹ**

일란성 쌍둥이는
혈액형이 똑같다.
○ Ⅹ

혀말기는 유전으로
발음과는 관련이 없어요.
○ **Ⅹ**

딸꾹질은 가슴과 배
사이의 가로막이 갑자기
수축해서 나는 소리예요.
○ **Ⅹ**

김치찌개
○ **Ⅹ**

돈가스
○ Ⅹ

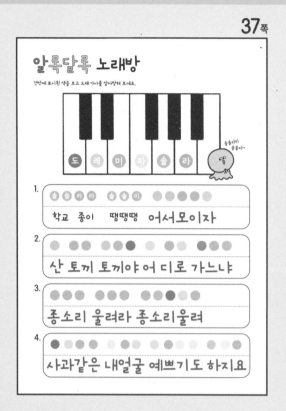

37쪽

알록달록 노래방

1. 학교 종이 땡땡땡 어서모이자

2. 산 토끼 토끼야 어디로 가느냐

3. 종소리 울려라 종소리울려

4. 사과같은 내얼굴 예쁘기도 하지요

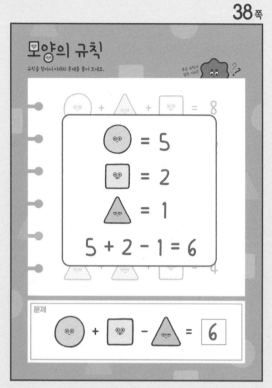

38쪽

모양의 규칙

$$= 5$$

$$= 2$$

$$= 1$$

$$5 + 2 - 1 = 6$$

문제

$$\bigcirc + \square - \triangle = \boxed{6}$$